MARIE-ANTOINETTE
LES DANGEREUSES
LIAISONS DE LA REINE

MICHEL DE DECKER

MARIE-ANTOINETTE
LES DANGEREUSES
LIAISONS DE LA REINE

ÉDITIONS FRANCE LOISIRS

Édition du Club France Loisirs,
avec l'autorisation des Éditions Belfond

Éditions France Loisirs,
123, boulevard de Grenelle, Paris.
www.franceloisirs.com

© Belfond, un département de place des éditeurs, 2005.
ISBN : 2-7441-9457-3

Un dernier instantané

— Elle arrive ! Vite, la voilà !

Penché à la fenêtre de l'appartement que la citoyenne Jullien occupe, dans la rue Saint-Honoré, Louis saisit aussitôt une petite feuille de papier.

Puis il s'empare fébrilement de la plume gorgée d'encre que lui tend la maîtresse de maison.

De quoi faire un instantané.

Un Cartier-Bresson avant l'heure, en quelque sorte.

Alors il la découvre. Elle est là, assise dans une charrette à fumier qui cahote sur le pavé de la chaussée de Saint-Honoré.

Cette grande artère parisienne est devenue le passage obligé pour les victimes de Fouquier-Tinville.

En 1793, via le Pont-au-Change et la rue du Roule, de la Conciergerie à la place de la Révolution, cet itinéraire qui mène les condamnés jusqu'au couperet de Sanson est une manière de chemin de croix.

Avec l'actuelle place de la Concorde en guise de Golgotha.

Mais elle est là ! Vite, elle va bientôt passer !

Alors, Louis la croque en quelques traits nerveux.

Le dernier portrait d'une reine !

Et comme elle apparaît laide, mon Dieu, sur ce petit dessin tracé à main levée, cette femme dont on disait encore, quelques semestres auparavant, qu'elle était la plus ravissante, la plus désirable de la Cour !

Son visage a maintenant la froideur du marbre. Sous ses sourcils en arc, ses yeux mi-clos semblent déjà éteints. Sa bouche n'est plus qu'un fil. Elle a beaucoup maigri, aussi. On devine d'ailleurs ses genoux saillants. Ce qui reste de sa chevelure – car on vient de lui trancher ses boucles à la sauvette – tient de la filasse. Quelques timides mèches – raidies par la peur, peut-être ? – se glissent lamentablement hors d'un pauvre bonnet de linon.

La peur, oui. C'est sans doute la peur qui donne à la mourante cet air aussi altier, qui lui fait le menton tendu, plein de mépris, le nez pointu, plein de morgue.

L'horrible chariot passe devant le numéro 115. Devant l'enseigne d'un vieil apothicaire chez qui Hans Axel de Fersen avait coutume de se ravitailler en encre sympathique, cette encre secrète qu'il utilisait pour écrire à la femme qu'il aimait.

Voilà. Louis souffle maintenant délicatement sur son petit carré de papier pour éviter les coulures.

Louis, c'est Louis David. Celui-là même qui, dans quelques années, peindra le grand tableau du couronnement de l'empereur Napoléon Ier.

Et la femme qu'il vient d'exécuter à sa manière, quelques secondes à peine avant le bourreau, c'est la reine Marie-Antoinette.

Le peintre a bien observé qu'au fond de sa carriole son modèle avait les mains liées dans le dos et que sa poitrine s'était fort étiolée.

Une poitrine que Louis XVI n'avait guère été expert à caresser.

Alors que d'autres peut-être...

Quant à ses mains, on a dit qu'elles avaient parfois été celles d'une femme énervée...

1

« Je veux épouser M. Mozart ! »

Marie-Antoinette est née le jour de la fête des morts. Ça ne s'invente pas.

La veille, le samedi 1ᵉʳ novembre de 1755, la terre du Portugal s'était trouvée prise de tremblements frénétiques. Lisbonne avait été rayée de la carte, incendiée et engloutie par un effroyable raz de marée. Toujours à l'affût, Voltaire allait trouver dans ce séisme le sujet d'un poème philosophique dans lequel il serait question de « débris », de « lambeaux », de « cendres malheureuses », de « marbres rompus » et de « membres dispersés ».

Les membres de plus de quarante mille morts !

L'impératrice d'Autriche, Marie-Thérèse – qui haïssait Voltaire puisqu'il était le protégé de son pire ennemi le roi de Prusse –, ignorait tout, évidemment, de ce terrible cataclysme qui avait culbuté l'extrémité de la péninsule Ibérique – les nouvelles cheminaient lentement à cette époque –, quand le dimanche soir, vers dix-huit heures, à la Hofburg de Vienne, elle avait ressenti les premières contractions.

— Vous en profiterez pour m'arracher la molaire qui me tourmente, avait-elle déclaré à son chirurgien. D'une douleur l'autre… Ensuite vous m'apporterez les dossiers de la Silésie.

C'était une femme qui n'avait pas froid aux yeux, l'épouse de François de Lorraine. Tout le contraire de son pâle mari.

Les spasmes de l'accouchement n'allaient pas s'éterniser. Il est vrai que Marie-Thérèse en était à sa quinzième grossesse. Une formalité, en quelque sorte. Sur les quatorze premiers rejetons de l'impératrice, neuf avaient bien poussé. Un pourcentage tout à fait correct pour l'époque.

Pendant ce temps, à Lisbonne, le roi du Portugal, Joseph Ier – dit le Réformateur –, et la reine Marie-Anne-Victoire de Bourbon, qui avaient été choisis pour être les parrain et marraine du nouveau-né de Vienne, contemplaient, anéantis, les ruines de leur palais et de leur capitale.

— C'est une fille !

Une fille qui apparut frêle et légère comme une plume et qui fut, dès le lendemain matin, portée sur les fonts par sa sœur Marie-Anne et son frère Joseph qui représentaient les malheureux souverains portugais.

La fillette eut droit à cinq prénoms : ceux de Maria, d'Antonia, d'Anna, de Josepha et de Joanna.

À la cour de Vienne, on décida de l'appeler tout simplement « l'Antoine » ou « Madame Antonia ».

L'impératrice ne fut guère très câline avec sa dernière fille. Pas plus qu'elle ne l'avait été avec ses précédents enfants. Pas de mièvreries, pas de futilités. Elle avait d'autres chats à fouetter. Il fallait gouverner l'empire. Tous les matins, à quatre heures, elle était à sa table de travail. Elle ne prenait jamais le temps de faire un détour par les appartements des enfants. Ils avaient des nourrices, des ·gouvernantes et des précepteurs, cela leur suffisait. Despote en politique, Marie-Thérèse était aussi un véritable tyran domestique. Quand elle voulait voir ses héritiers, elle les convoquait. Et neuf fois sur dix, c'était pour leur infliger une leçon de morale.

Quand ce n'était pas le fouet !

— Nous ne sommes pas en ce monde pour nous divertir, déclarait-elle inlassablement.

Elle fut même capable, un jour, par excès d'autoritarisme, de causer la mort d'une de ses filles.

Ce jour-là, un jour d'avril de 1767, sa bru – l'épouse de son fils aîné Joseph – venant de rendre l'âme, emportée par la petite vérole, Marie-Thérèse ordonna à sa fille Marie-Josèphe d'aller se recueillir devant les restes mortels de sa défunte belle-sœur.

— Avant de partir pour l'Italie rejoindre votre futur époux, le roi de Naples, vous descendrez dans la crypte des Capucins et vous prierez pour l'âme de la malheureuse enfant.

Le couvercle du cercueil n'ayant pas encore été scellé, on imagine les miasmes qui planaient autour de ce cadavre couvert des bubons d'une petite vérole « de la plus mauvaise qualité », selon le docteur Van Swieten.

Aussi, c'était fatal, quelques jours après son passage dans la crypte infernale, Marie-Josèphe fut à son tour terrassée par l'horrible maladie.

— Dans ces conditions, c'est vous qui épouserez le roi de Naples, ordonna alors l'impératrice à son autre fille, Marie-Caroline.

Laquelle ne fut probablement pas contrainte d'aller veiller la dépouille grouillante de microbes.

« Nous ne sommes pas en ce monde pour nous divertir ! » Ce leitmotiv de Marie-Thérèse entrait par une oreille de la petite Antonia et ressortait hâtivement par l'autre. Car elle n'en faisait qu'à sa tête, la toute fraîche princesse. Elle ne songeait qu'à s'amuser, à courir, échevelée, dans les allées de Schönbrunn ; à sautiller sur les parquets du palais Schwarzenberg ; à rire dès qu'une occasion se présentait.

Elle avait déjà un fort joli sourire, d'ailleurs, la toute jeune archiduchesse d'Autriche, malgré l'ovale de son visage un peu long, très typé maison d'Autriche, une lèvre inférieure assez forte, comme tracée pour le dédain habsbourgeois, et bien que ses dents ne fussent pas aussi délicatement alignées qu'une rangée de perles.

Elle savait l'utiliser, ce sourire charmeur, surtout lorsqu'il s'agissait de désarmer les réprimandes.

Ce qui est sûr, c'est que les reproches ne venaient jamais du côté de son père, François, car l'homme était d'une extrême gentillesse. Sans doute avait-il hérité quelques gènes de cet ancêtre qui avait régné jadis sur la Provence et que l'histoire retenait sous le nom de « Bon Roi René ».

De mœurs douces, François aimait par-dessus tout la musique. Pour que ses enfants deviennent eux aussi des mélomanes, il leur avait trouvé un professeur qui n'était autre que le chevalier Christoph Willibald von Gluck. François s'intéressait davantage, d'ailleurs, à l'orchestre de la Cour – la Hofmusikkapelle – qu'aux affaires politiques que son épouse gérait d'une main de fer.

Lui, il préférait la chaleur des cuivres.

Un jour d'octobre de 1759, comme pour lui faire plaisir, ses enfants décident de lui offrir un petit concert. Joseph, l'aîné de ses fils, se met au violoncelle, Charles joue du violon, les archiduchesses Marie-Anne et Marie-Christine s'installent au clavecin, le jeune Ferdinand tape nerveusement sur un tambour et Antonia – qui n'a pas encore touché ses quatre ans – se met à pousser la chanson-

14

nette, à fredonner, fort justement dit-on, quelques couplets d'un vaudeville français.

Une autre fois, un dimanche après-midi de l'automne de 1763, à l'occasion de tel ou tel anniversaire, papa François a décidé d'inviter un jeune musicien, un prodige qui n'est guère âgé de plus de six ans et que le Tout-Vienne veut entendre et voir comme s'il s'agissait d'un extraterrestre avant l'heure. Ne dit-on pas, en effet, que ce jeune surdoué du pianoforte est capable de tout interpréter et les yeux bandés même, s'il faut amuser la galerie ?

Alors on revoit la scène : il est arrivé, le petit bonhomme, il est là. On lui a passé un bel habit à la française, couleur lilas, abondamment rehaussé de galons dorés. Pour un peu, on le croirait sorti d'un cirque. Mais il n'est pas intimidé le moins du monde. Tout sourires, il s'avance vers la famille impériale. La tête haute. Trop haute, sans doute, car il ferait mieux de regarder ses pieds qui se prennent bientôt dans la longue épée de cérémonie dont on l'a affublé et, comme le parquet a été ciré au point qu'il brille tel un miroir, il ne parvient pas à éviter une longue glissade à la suite de laquelle il s'étale de tout son long. En voyant le gamin faire le pitre malgré lui, Joseph, Charles, Marie-Christine, Léopold, Ferdinand, Marie-Amélie et les autres ne peuvent s'empêcher de pouffer.

Pas tous les autres.

Parce que subitement Antonia n'hésite pas à jaillir de son fauteuil et à se précipiter vers le petit musicien pour l'aider à retrouver son aplomb.

— Relevez-vous, monsieur Mozart, lui dit-elle, et allez vous asseoir tranquillement à votre piano.

À la fin du récital, émue jusques aux larmes, oubliant la solennité des lieux et la sacro-sainte étiquette, elle ne peut s'empêcher de courir de nouveau vers lui.

— Toi, lui dit alors le petit Wolfgang Amadeus, toi tu es bonne, tu es plus gentille que les autres. Aussi, quand nous serons grands tous les deux, je t'épouserai. N'est-ce pas que je serai ton mari ?

— Oh oui, toi ! Toi et pas un autre !

Mais ce ne sera pas pour Antonia, on le sait, que Mozart composera un jour sa *Petite Musique de nuit.*

Ni son terrible *Requiem.*

Car à la Cour de Vienne, on n'épousait pas d'artistes. Comme dans toutes les autres grandes cours, on ne faisait que des mariages royaux. En clair, on échangeait une princesse contre un trône. Ce en quoi on n'était pas très éloigné des us et coutumes barbares de certaines tribus d'un autre continent, qui troquaient une esclave à peine nubile contre deux ou trois chameaux nerveux ou quelques têtes de moutons gras.

À Vienne comme à Versailles, à Londres comme à Berlin ou encore à Moscou, on ne voyait en effet aucun inconvénient à jeter une jeune princesse dans le lit d'un mari inconnu avec mission de fabriquer vivement le plus d'héritiers mâles possible.

Si une princesse en âge de convoler avait alors eu l'outre-cuidance de demander à sa mère : « Qui vais-je épouser, dites-moi ? », elle aurait eu droit à une repartie cinglante du genre : « Mêlez-vous de ce qui vous regarde ! »

C'est ainsi qu'Antonia allait bientôt, elle aussi, devenir une marchandise d'exportation.

Et pour faire bonne figure le moment venu d'être mise sur le marché, il convenait qu'elle sût parler le français.

Or, à dix ans, elle était encore parfaitement inculte. Parce qu'elle préférait folâtrer, qu'elle aimait les parties champêtres, les fleurs, les chiens, les énormes pâtisseries à la crème, le clavecin, la danse et le théâtre…

Elle ne savait pas encore que deux et deux font quatre, elle écrivait à grand-peine, et quand par hasard elle prenait la plume son orthographe était catastrophique ; si elle bredouillait quelques mots d'italien, elle ignorait parfaitement l'existence de la langue de Shakespeare et elle bafouillait celle de Molière.

La faute en revenait sans doute à sa gouvernante, la comtesse Judith de Brandis, qui, tombée sous le charme de son élève, avait pris l'habitude de lui écrire tous ses devoirs au crayon maigre, de sorte qu'Antonia n'avait plus qu'à les repasser à l'encre noire sans réfléchir le moins du monde.

Et en riant aux éclats !

Aujourd'hui, on s'en doute, cette méthode pédagogique n'aurait probablement pas l'aval d'un inspecteur de l'Éducation nationale.

Elle n'eut d'ailleurs pas les faveurs de l'impératrice, qui ne tarda pas à congédier la gouvernante jugée trop laxiste et à la remplacer par l'austère comtesse de Lerchenfeld.

Mais la rigueur ne fit rien à l'affaire.

Car Antonia se buta, tapa du pied – qu'elle avait fort menu –, sanglota, renifla et ne voulut décidément plus aligner un mot devant l'autre.

Antonia la rebelle !

Et elle ne pouvait même plus trouver de consolation auprès de son cher papa, puisqu'il venait de mourir d'une crise d'apoplexie à Innsbruck.

Auprès de sa sœur préférée, Marie-Caroline, alors, sa gentille confidente et son aînée de trois ans ?

Non plus.

Parce que devenue veuve, la dame de fer – entendez Marie-Thérèse – allait encore accentuer la pression sur ses petites têtes blondes. Jusqu'à les séparer, même.

— Je vais totalement vous éloigner de votre sœur, dit-elle à Marie-Caroline. Et je vous défends tout secret, intelligence ou discours avec elle... Il faut que cesse tout ce tripot !

À la suite de quoi, elle commença réellement de caresser le projet de marier la plus fantasque de ses filles au petit-fils de Louis XV, roi de Versailles et de France.

— Pourquoi pas ? dit alors le Bien-Aimé. Pourvu seulement que cette enfant parle bien notre langue, la plus belle, la plus subtile, l'universelle.

Les temps ont bien changé.

Ou mal, c'est selon.

Antonia parler le français ? C'était une gageure, voire une mission impossible ! Marie-Thérèse enragea : si le mariage échouait, c'était parce que sa fille était une paresseuse !

— À moins que l'abbé de Vermond n'accepte de venir la prendre en main, suggéra en désespoir de cause le comte Mercy d'Argenteau, ambassadeur parisien de l'impératrice.

Mathieu Jacques de Vermond, bibliothécaire au collège Mazarin et docteur en Sorbonne, passait en effet pour être un pédagogue hors pair.

— Qu'il vienne, oui, qu'il accoure ! Nous le gâterons ! s'enthousiasma alors Marie-Thérèse.

Il vint et il fut gâté. Logé comme un prince, nourri à la table de l'impératrice, on lui offrit aussi des collections de porcelaines de Saxe, des boîtes en vermeil, des croix pectorales guillochées, et tant et tant de tapis d'Orient qu'il aurait pu ouvrir un souk ! On alla aussi jusqu'à l'autoriser à ôter son austère soutane et à revêtir un habit à la française, pourvu seulement qu'il gardât le rabat blanc sur le col.

Et, étrangement, le courant va passer entre l'élève si légère et ce professeur si grave. Certes, devant l'ampleur de la tâche, Vermond avait bien commencé par se gratter la grosse perruque à deux rouleaux qui couvrait sa tonsure, mais il n'allait se passer que peu de jours avant qu'il parvînt à accrocher l'attention de l'étourdie. Ainsi, comme elle ne tenait pas en place, il donna ses cours comme on fait la conversation. Et tant pis si de temps en temps elle était prise d'une folle envie de jouer au trictrac ou d'esquisser un pas de danse.

Au vrai, il était sous le charme, cet abbé de trente-cinq ans.

— On peut trouver des figures régulièrement plus belles, mais je ne crois pas qu'on en puisse trouver de plus agréables, confie-t-il alors à Choiseul, le ministre des Affaires étrangères du temps. Elle a un tour de noblesse et de majesté surprenant pour une enfant de son âge, continue-t-il, et si elle grandit un peu, les Français n'auront pas besoin d'autres indices pour reconnaître leur souveraine.

Donc, Vermond est optimiste.

Si ce n'est qu'il continuera longtemps de se faire bien du tracas à propos de l'écriture.

Des pattes de mouche tracées par un enfant maladroit !

— Oui, c'est l'article sur lequel j'aurai le moins gagné, avouera-t-il plus tard. Pour le reste, elle apprenait vite et bien, son esprit était clair, son jugement aussi.

Une chose encore inquiète l'ecclésiastique : les mâchoires de l'archiduchesse avec ses dents plantées de guingois ! Bien que l'orthodontie ne fasse pas partie de ses attributions, pour cette bonne raison qu'elle n'existait pas encore, il suggère à l'impératrice de faire venir de France le dénommé Laveran qui passe pour réaliser des prodiges.

— Ce monsieur m'a assuré qu'en moins de douze semaines la princesse aurait de très belles dents et très bien arrangées, rapporte-t-il à Marie-Thérèse.

Quand on songe qu'aujourd'hui certaines adolescentes voient parfois leurs incisives, leurs canines et leurs molaires serrées pendant de longs mois dans un fil d'acier en forme d'étau boulonné et que le résultat laisse souvent à désirer – si ce n'est au niveau de la qualité des aphtes ! –, on peut rester rêveur devant les remèdes miracles proposés par le dentiste versaillais.

Après la dentition, Vermond va aussi s'occuper de la coiffure de son élève. En réalité, il va la confier au sieur Larseneur. En frisottant et en coupant habilement les cheveux de Versailles, cet homme-là s'était taillé une belle réputation de figaro. Antonia a le front fort bombé ? Il a l'idée de laisser papilloter quelques mèches sur l'arrondi un peu trop prononcé et il recommande aussi à sa cliente de ne pas lésiner sur le jaune d'œuf lorsqu'elle lave son abondante chevelure, qu'elle a alors aussi blonde que soyeuse.

C'est-à-dire quatre fois par an !

Car Antonia se lave à peine.

Mais comme elle n'est pas la seule !

Les bains ne sont-ils pas désastreux pour la santé ? Un peu d'eau dans le fond d'une cuvette d'argent suffit largement à débarbouiller le visage et les mains. Les pieds, eux, on ne les trempe qu'une fois la semaine !

Quant à la partie délicate de l'anatomie féminine, elle n'est entretenue que lors des menstrues !

C'est le jeudi 7 février de 1770 qu'Antonia découvre précisément ce que sont les misères mensuelles. À cinq heures et quart du soir, s'il vous plaît ! Et si on peut affirmer avec la précision d'un horloger que c'est bien ce jour-là et à l'heure dite que l'archiduchesse a cessé d'être une fillette, c'est parce que, tout exaltée, Marie-Thérèse s'est immédiatement jetée sur son écritoire pour rédiger un courrier à l'intention du roi de Versailles afin qu'il sache que sa future belle-petite-fille était dorénavant apte à procréer.

Comme si la puberté de la Viennoise de quatorze ans était alors la principale préoccupation de Louis XV !

Madame Antonia est nubile le 7 février. Soixante-cinq jours plus tard, Marie-Thérèse annonce officiellement son union avec Louis, le dauphin de France. Et il ne se passe pas plus de cinq autres journées avant que le mariage soit célébré – le 19 avril de 1770, donc, et à cinq heures de l'après-midi – sous les voûtes gothiques de l'église viennoise des Augustins. Un mariage par procuration, évidemment, avec l'archiduc Ferdinand, un des frères aînés d'Antonia, dans le rôle du dauphin.

— Maria Antonia Josepha… voulez-vous prendre pour époux Louis Auguste… ?

— *Volo et ita promitto*. Je veux et le promets.

On imagine qu'au moment où l'abbé Briselance avait dressé l'acte de la célébration et où le nonce du pape, Mgr Visconti, avait béni les alliances, le joli petit corps d'Antonia, malgré la lourde et magnifique robe en brocart argent qui le recouvrait, n'avait pu s'empêcher de frissonner.

« On me demande d'épouser un homme que je ne connais pas. Est-il bon ? M'aimera-t-il ? L'aimerai-je ? Est-il beau ? »

Les miniatures du dauphin qu'on lui avait présentées laissaient apparaître un jeune garçon sémillant, sûr de lui, au sourire malicieux, au regard vif.

Or, le futur Louis XVI était parfaitement myope !

Elle se rappelait la conversation qu'elle avait eue avec sa mère, la veille au soir, un entretien qui n'avait guère éclairé sa lanterne :

— Du dauphin, je ne vous dis rien, avait lancé l'impératrice, vous connaissez ma délicatesse sur ce point. La femme est soumise en tout à son mari et ne doit avoir aucune autre occupation que de lui plaire et de faire ses volontés. Le seul vrai bonheur en ce monde est un heureux mariage, j'en peux parler. Tout dépend de la femme, si elle est complaisante, douce et amusante... Du roi Louis XV, si vous le méritez, vous trouverez en lui un père tendre qui sera en même temps votre ami...

Et tant pis si le « père tendre » était alors asservi à une ancienne courtisane connue sous le nom de la du Barry, que l'on disait experte à faire « le saut de l'anguille » dans son alcôve ! Sur ce chapitre, Marie-Thérèse s'était mis un pavé sur la langue, elle qui, à Vienne, n'hésitait jamais à faire fouetter les filles publiques.

Alors que ces pauvres filles « gagnent à être connues », selon Gavarni.

Et pas un mot non plus, de la mère à la fille, sur la cour de Versailles, qui passait pour être la plus corrompue de toute l'Europe.

Bonne chance, Marie-Antoinette !

Car maintenant elle se prépare à rouler vers la France et, dès lors qu'elle s'est assise dans le carrosse, Antonia s'est transformée en Marie-Antoinette.

Mais on sait, hélas, que son histoire se terminera moins bien que celle de la belle Cendrillon imaginée par Charles Perrault sous le règne du bâtisseur de Versailles.

2

« A-t-elle de la gorge ? »

Le carrosse de Marie-Antoinette ne s'est pas transformé en citrouille quand elle a quitté la Hofburg, au début de la matinée du 21 avril.

D'ailleurs, elle en avait deux rien que pour elle !

Deux amples berlines chapeautées de bouquets de fleurs qui étaient de véritables chefs-d'œuvre sur roues. La première était tapissée d'un velours cramoisi orné de broderies représentant les quatre saisons ; la seconde, tout en velours bleu roi, se voyait agrémentée de motifs figurant l'eau et l'air, la terre et le feu.

Avec ou sans Perrault, il s'agissait bien de carrosses de conte de fées.

Fouette, cocher !

Au vrai, l'expression « Fouettez, cochers ! » serait plus appropriée, puisque la caravane qui entourait les deux voitures majestueuses comptait quelque trois cent soixante-seize chevaux qui tractaient une soixantaine de voitures dans lesquelles s'étaient installés cent trente-deux voyageurs qui étaient tous au service de la belle enfant : des femmes de chambre, des pages, des coiffeurs, des couturières, des secrétaires, des cuisiniers, des médecins, des laquais… sans oublier l'abbé de Vermond, bien sûr. Chacun s'était donc entassé dans un interminable cortège qui allait lentement traverser l'Autriche et l'Allemagne avant d'arriver à Strasbourg.

Lentement étant un moindre mot puisqu'en réalité l'expédition allait durer près de trois semaines !

Sachant que l'on relayait quatre à cinq fois par jour, on imagine les milliers de chevaux qui furent réquisitionnés pour faire avancer le convoi qui s'étirait sur près d'une lieue.

Sachant aussi que, en plus de la suite de la dauphine, la garde autrichienne comptait une cinquantaine de têtes, on mesure aisément les quintaux de victuailles qui étaient engloutis à chaque escale.

Les bons de commande du cuisinier de Günzburg, où Marie-Antoinette passa la journée chez sa tante la princesse Charlotte de Lorraine, en disent d'ailleurs assez long sur le solide appétit des voyageurs. Ce jour-là, le 29 avril, on avait en effet dévoré quelque cent cinquante poulets et autant de pigeons ; cent quarante kilos de bœuf et cent trente de veau ; trente kilos de lard et une soixantaine de douzaines d'œufs !

La dauphine n'était sans doute pas très affamée, elle, puisqu'elle avait attrapé un méchant rhume qui lui donnait le frisson et lui faisait le nez comme une fontaine.

Le frisson ? Elle l'aura encore, sans doute, au matin du 7 mai, quand il s'agira pour elle d'apparaître aussi nue que le *Printemps* de Botticelli pour revêtir ses nouveaux habits à la française.

Cette cérémonie eut lieu dans un petit pavillon que l'on avait construit pour l'occasion sur une île plantée au milieu du Rhin, devant Strasbourg, sur un lopin de terre qui n'appartenait ni à Louis XV ni à Marie-Thérèse.

Eu égard aux susceptibilités.

C'était une vieille coutume. Au moment d'être « remises », toutes les princesses qui venaient se marier dans le royaume de France ne devaient plus rien porter sur elles qui provînt de leur ancienne patrie. Jusqu'au moindre ruban, tout devait disparaître !

Marie-Antoinette allait donc devoir faire étalage de sa jeune anatomie tendre et rose, de ses petits mollets galbés, de ses hanches encore étroites, de ses seins menus mais déjà si bien dessinés.

Trois années plus tôt, à Pont-de-Beauvoisin, arrivant de Turin pour épouser le prince de Lamballe, la petite Marie-Thérèse de Savoie-Carignan avait dû, elle aussi, afficher sa jeune nudité devant une vieille duègne aussi aimable qu'une porte de prison.

La princesse de Lamballe ! Dans quelque temps, Marie-Antoinette ne pourrait plus se passer d'elle.

Pas de revêche au regard noir dans la maison de l'île du Rhin, mais une dame d'atour souriante et compréhensive. Aussi Marie-Antoinette put-elle passer un jupon en étoffe d'or et sa robe de cour par le dessus sans avoir dû, auparavant, se séparer de sa lingerie intime.

— Et mes bijoux ?

— Gardez-les !

Ce fut ainsi que la fiancée du futur Louis XVI put conserver ses aigrettes, ses boucles de chien, ses bagues, le bec de diamants qui lui tenait la chevelure et ses boutons de compères.

À la suite de quoi, dans sa tenue en soie de Lyon, elle s'avança – elle courut, même – vers Mme de Noailles, sa nouvelle première dame d'honneur.

— Madame ! murmura-t-elle en se jetant dans ses bras.

Et ce « Madame » était comme une manière d'appel au secours. Car elle venait de quitter toutes ses amies d'Autriche, ses confidentes, ses femmes de chambre, ses coiffeuses, aussi s'imaginait-elle que cette dame de Noailles allait pouvoir la consoler un peu.

Non.

Car la Noailles en question n'était pas très émotive. Au contraire, même, les manifestations sentimentales avaient plutôt le don de l'irriter.

Marie-Antoinette fut d'ailleurs en mesure de le constater dans la minute.

— L'étiquette ne prévoit pas ce genre d'épanchement, avait grogné la Noailles en la repoussant.

Puis, ignorant les larmes qui perlaient dans le coin des yeux de la dauphine, elle en était froidement venue aux présentations :

— La duchesse de Villars sera votre dame d'atour. Les comtesses de Mailly, de Saulx-Tavannes, la marquise de Duras et la marquise de Picquigny seront vos secondes dames d'honneur.

Quelle consternation ! Marie-Antoinette allait donc devoir vivre avec toutes ces créatures aux visages tristes, ces femmes qui seraient sûrement incapables de la suivre lorsqu'elle aurait envie d'aller courir jusqu'à en perdre haleine dans les allées de Versailles.

Mais qui parlait de courir ? L'abbé de Vermond ne lui avait-il pas rabâché la leçon : « Sachez qu'une future reine de France n'est pas autorisée à gambader comme une simple bergère dans les plus beaux jardins du monde ! »

Après les présentations de ces dames, il y eut l'arrivée à Strasbourg et les discours officiels.

Interminables, on s'en doute.

À commencer par la harangue que M. d'Autigny, le chef du magistrat – aujourd'hui on parlerait du maire –, entama en allemand.

Car il croyait bien faire.

— Non ! Ne parlez point allemand, s'il vous plaît, l'interrompit immédiatement Marie-Antoinette en souriant. À dater d'aujourd'hui je n'entends plus d'autre langue que le français.

Ce qui lui valut un tonnerre d'applaudissements.

Ce jour-là, personne n'avait envie de l'appeler « l'Autrichienne » !

Louis de Rohan, le coadjuteur du vieux cardinal strasbourgeois du même nom, prit ensuite la parole au nom du clergé pour souhaiter la bienvenue à la Viennoise. Il était bien fait de sa personne, ce prélat : il était svelte, racé, et de surcroît il avait une voix de violoncelle.

— Vous allez être parmi nous, madame, la vivante image de cette impératrice chérie, depuis longtemps l'admiration de l'Europe, comme elle le sera de la postérité. C'est l'âme de Marie-Thérèse qui va s'unir à l'âme des Bourbons… Nous souhaitons qu'avec vous et Louis Auguste se perpétue le bonheur dont nous jouissons aujourd'hui avec Louis le Bien-Aimé…

« Nous jouissons », dit le prince de Rohan. Ce en quoi il ne mentait pas, lui qui passait pour « chasser la fille et le renard avec un égal plaisir ».

Marie-Antoinette sourit en l'écoutant.

C'était une autre consigne de l'abbé de Vermond : il fallait sourire en toute circonstance ! Et puis, pourquoi n'eût-elle pas souri, d'ailleurs ? Comment aurait-elle pu s'imaginer que dans quinze ans ce même Rohan qui la bénissait, là, dans la cathédrale, « d'un geste onctueux », deviendrait le premier instrument de sa malédiction ?

Avec cette invraisemblable « affaire du Collier » qui serait comme un coup de tonnerre avant-coureur dans le ciel chargé des premiers nuages noirs de la Révolution.

Mais ne brûlons pas les étapes. L'heure est à la dégustation des vins de pays, à la représentation théâtrale de *La Servante maîtresse*, à la réception des « comtes cacochymes formant le conseil de la cathédrale », à celle des trente-six vieilles dames de la noblesse d'Alsace, au feu d'artifice qui éclate sur les bords de l'Ill, et enfin au bal donné par le maréchal de Contades, le commandant de la province.

Un rythme effréné pour une fillette de quatorze ans.

— Êtes-vous bien empressée de voir le dauphin ? lui demande Mme de Noailles au terme de cette rude journée.

— Madame, lui répond Marie-Antoinette, un peu malicieuse, madame, je serai dans cinq jours à Versailles, le sixième, je pourrai plus aisément vous répondre.

Encore cinq jours !

Avec les étapes de Saverne, de Lunéville, de Commercy, de Bar-le-Duc, de Saint-Dizier, de Châlons, de Reims et de Soissons avant de toucher Compiègne où elle doit enfin rencontrer son mari.

À Saverne, au bord de la Zorn, une vieille femme est venue vers elle. Lentement.

— Quel âge avez-vous ?

— Cent cinq ans, princesse, lui répond la Savernoise, et je suis là pour faire des vœux au ciel. Je souhaite que vous viviez aussi longtemps que moi et aussi exempte d'infirmités.

À Commercy, c'est une fillette de dix ans, cette fois, qui lui souhaite une très longue vie.

Elle ne pouvait pas savoir, hélas ! que Marie-Antoinette mourrait à peine âgée de trente-huit ans.

À Bar-le-Duc, sous les fenêtres de sa résidence, on a dressé un portique évoquant le temple de Vénus et tiré un feu d'artifice célébrant le triomphe de l'amour conjugal.

Or, on le sait, son histoire sera plutôt l'échec de l'amour du même nom.

À Châlons, on lui inflige une soirée théâtrale, elle doit en effet assister à la représentation d'une pièce intitulée *La Partie de chasse de Henri IV*.

Or, on le sait, Louis XVI n'aura jamais rien d'un vert-galant !

Châlons : le 21 juin, dans vingt et un ans, s'enfuyant vers l'est la peur au ventre, Marie-Antoinette aura l'occasion de retraverser la ville.

Au vrai, durant sa courte vie, elle n'effectuera jamais que trois voyages : celui-ci, qui est en passe de s'achever à Compiègne ; celui de Reims, en 1775, pour les cérémonies du sacre, et enfin la folle et pathétique équipée vers le Rhin, avec une arrestation au fond de l'arrière-boutique d'un épicier de Varennes.

Le reste de son temps, la fille de Marie-Thérèse ne connaîtra que la vie de château.

Autant dire la prison dorée.

Soir du 14 mai de 1770.

Le roi et le dauphin sont déjà arrivés au pont de Berne, à l'orée de la majestueuse forêt de Compiègne. Ils ne sont pas venus seuls, évidemment. Toute la région grouille de gardes du corps, de mousquetaires, de chevau-légers et de gendarmes. Il s'agit de contenir la foule.

Louis XV avait hâte de découvrir celle qu'il nommait déjà « ma petite-fille ».

— Vous qui avez vu Mme la dauphine dans l'île du Rhin, avait-il demandé quelques heures plus tôt au dénommé Bouret, son secrétaire de cabinet, comment l'avez-vous trouvée ? A-t-elle de la gorge ?

Bouret s'était contenté de répondre qu'elle était charmante de figure et qu'elle avait de très beaux yeux.

— Ce n'est pas cela dont je parle, avait insisté le vieux libertin, je vous demande si elle a de la gorge !

Le secrétaire baissa les yeux.

— Sire, je n'ai pas pris la liberté de porter mes regards jusque-là.

— Vous n'êtes qu'un nigaud ! C'est la première chose qu'on regarde aux femmes.

En réalité, le sieur Bouret n'avait pas souhaité contrarier Sa Majesté en lui racontant que la poitrine de Marie-Antoinette était à peine fleurie.

Mais elle se rattrapera et de fort beaux fruits tiendront bientôt la promesse des petites fleurs, si l'on en croit les bols qu'elle fera un jour mouler sur ses seins par la manufacture de porcelaine de Sèvres. Sacha Guitry en possédera d'ailleurs un dans sa collection d'objets rares et insolites.

Donc, elle est arrivée. Le carrosse fleuri d'or a grincé une dernière fois. On a ouvert la portière, avancé le marchepied et elle a jailli.

Puis elle est venue vivement vers Louis XV, presque en courant. Elle s'est jetée à ses pieds. Le roi l'a relevée et l'a embrassée sur les deux joues. Elle avait assurément un beau visage, des yeux myosotis, vifs et malicieux, un sourire d'une grande fraîcheur. Non, les miniatures qu'il avait reçues d'elle n'étaient pas excessives de courtoisie : sa belle-petite-fille était réellement très agréable à regarder. D'ailleurs, en connaisseur, il ne se privait pas de le faire.

« À tel point qu'à le voir si nerveux et émoustillé, un témoin non informé eût pu le prendre pour le mari », a observé un chroniqueur du temps.

Le mari ? Il était là, à deux pas, planté comme un grand dadais un peu lourdaud, embarrassé. À un tel degré que, lorsque Marie-Antoinette lui déposa un léger baiser sur la joue, il ne put s'empêcher de rougir comme une pivoine.

Il était mort de trac, évidemment, mais il regrettait aussi la journée de chasse qu'il venait de perdre.

D'ailleurs, le moment venu, lorsqu'il se penchera sur son journal pour consigner les événements de ce 14 mai de 1770, il se contentera de noter froidement, de sa fine et petite écriture : « entrevue avec Madame la Dauphine ».

Ah ! Si seulement il avait tué un cerf, blessé deux biches, pris sept marcassins et houraillé jusqu'à capturer quelques faons, on aurait eu droit à plus de détails. Car en réalité son carnet de bord relié de toile grise, qui compte trois cent quarante-quatre pages – et qui n'en totalise que dix pour l'année 1770 –, est essentiellement un mémento du grand chasseur qu'il était. C'est d'ailleurs pour cette raison qu'à la date du 14 juillet de 1789, le jour fatidique où tombera la Bastille, on pourra lire : « rien ».

Mais si la Révolution avait éclaté dix jours plus tôt, on aurait tout su sur la chasse du chevreuil au Butard et sur les vingt-neuf pièces mises à mort ce jour-là.

Le soir venu, au château, Marie-Antoinette aura droit à l'interminable présentation de la famille de son mari : les Orléans, les Condés, les Conti et les autres, des tribus de vieux ducs perclus de douleurs, des processions de princesses sans âge…

Et ce n'était pas fini ! À peine arrivée dans ses appartements, on lui infligea immédiatement un autre défilé, celui de toutes les dames et de tous les gentilshommes de la suite de son beau-grand-père !

Il faut toujours sourire, lui avait seriné l'abbé de Vermond.

Elle semblait avoir bien retenu la leçon.

Après le souper – très simple, puisque seule la famille royale y assistait ! –, elle fut enfin autorisée à se retirer paisiblement dans sa chambre.

Sans y être accompagnée de son mari.

Car l'étiquette voulait que, tant que l'union n'avait pas été solennellement célébrée, et malgré la première cérémonie par procuration, chacun fît alcôve séparée.

Et le lendemain, tous les carrosses roulaient en direction de Paris.

Mais on n'entra pas dans la capitale, on se contenta d'une halte au bois de Boulogne, au château de la Muette, précisément.

La dernière étape avant Versailles.

Construit par Charles IX qui venait s'y délasser des fatigues de la chasse, la Muette – on prononçait alors « la Meutte » – avait acquis ses lettres de noblesse érotiques avec la duchesse de Berry, cette fille du régent qui aimait « les jours rapides et les nuits longues ».

« Si bien que son printemps n'eut point d'été », ironisa un de ses contemporains : la duchesse scandaleuse était en effet morte au château de Charles IX à l'âge de vingt-quatre ans.

De Berry à Barry, il n'y avait guère qu'un demi-siècle et une voyelle pour faire la différence. C'est donc à la Muette que Marie-Antoinette rencontra la jolie blonde qui donnait alors du bonheur au roi de France.

« La du Barry était capable de trouver, chaque nuit, de nouvelles agaceries propres à ranimer les sens usés du monarque », raconte un témoin.

— Comment la trouvez-vous ? demanda Louis XV à sa petite belle-fille autrichienne.

— Charmante.

Puis, intriguée, Marie-Antoinette avait immédiatement bondi vers la comtesse de Noailles.

— Cette dame blonde, si belle, au teint de lis ? Qui est-elle, que fait-elle ?

— Ce qu'elle fait ? lui avait répondu l'austère Noailles en pinçant les lèvres… pfff ! Elle n'est là que pour amuser le roi.

— Amuser le roi ? En ce cas je me déclare sa rivale !

Une réflexion qui était tout à fait prémonitoire, car il ne se passera pas plus de dix semaines, en effet, avant que l'une et l'autre ne soient à couteaux tirés.

— Cette du Barry est la plus sotte et impertinente créature qui soit imaginable, s'énervera Marie-Antoinette, le moment venu.

— La dauphine n'est qu'une peste de rouquine, répliquera aussitôt la favorite, qui zézayait délicieusement et que l'on disait experte à enflammer les poudres du Bien-Aimé qui brûlait ses dernières cartouches de plaisir.

À la Muette, au soir du 15 mai, si Louis XV et son « amuseuse » firent alcôve commune, Marie-Antoinette s'endormit encore seule.

C'est seulement le lendemain, c'est-à-dire quand son mariage aura reçu la consécration religieuse dans la chapelle de Versailles, qu'elle pourra connaître bibliquement son mari.

En principe.

La chapelle de Versailles ! Une cérémonie somptueuse, cousue main et brodée d'or ! Le dauphin lui-même est si impressionné que, contrairement à son habitude, il n'entonne aucun psaume de « sa voix aussi fausse que retentissante ». Et puis surtout, au moment du pain bénit, il se garde bien de sortir de sa poche le long couteau avec lequel il aime toujours à se couper une grosse tranche de brioche avant de la croquer de toutes ses dents.

« Oui, tout se passa de bonne grâce », observa le duc de Cro.

Si ce n'est qu'au moment de signer le registre de mariage, alors qu'elle vient tout juste de tracer trois de ses prénoms, *Antoinette Josèphe Jeanne*, la dauphine laisse maladroitement tomber, du bout de la plume, une grosse tache d'encre sur le document.

Un écolier parlerait d'un pâté.

Elle sourit, la dauphine, elle prend cela comme un bon présage, ça plaira !

Ensuite, place au banquet, donné dans la salle de l'Opéra sur une table longue de près de neuf mètres et large de quatre.

Mme du Barry n'y assiste pas.

En bout de table, Louis XV préside. À sa gauche la jeune mariée, et à sa droite son petit-fils, qui ne brûle que d'une impatience, celle de voir arriver les plats.

— Ne vous chargez pas trop l'estomac pour cette nuit, lui chuchote le roi en se penchant vers lui.

— Ah ? Pourquoi ? Je dors toujours mieux quand j'ai bien soupé, répond-il avec une candeur déroutante, le menton déjà couvert de la graisse des gélinottes et des ortolans.

Et quand on lui présente une assiette de sanglier à la crapaudine, inondé de bourgogne caramélisé et farci de foie gras, il croit défaillir de bonheur.

Évidemment, dans ces conditions, quelques heures plus tard, après le bal et le feu d'artifice, au moment d'entrer solennellement dans le lit nuptial que vient de bénir l'archevêque de Reims, le dauphin n'aura pas réellement la tête à l'ouvrage.

Car maintenant, en effet, après la cérémonie de la chemise de nuit, chacun s'apprête à se coucher. Si, au moment où elle s'allonge, Marie-Antoinette a le visage qui rosit un peu, celui de son mari confine au rubicond. Au vrai, il digère lourdement.

Mais il est grand temps de tirer les tentures de l'alcôve.

Avant de les rouvrir quelques secondes plus tard, comme le veut l'étiquette, et de découvrir deux adolescents timidement allongés l'un contre l'autre.

Un peu figés, même.

Le roi se penche alors vers son petit-fils, lui glisse en souriant deux ou trois propos graveleux à l'oreille et, pour en finir, toute la famille royale se met à défiler lentement devant les deux corps pétrifiés.

Bravo ! Chacun se réjouit. Le dauphin a bien placé sa jambe contre celle de son épouse ! Et puisque leurs deux mollets se touchent étroitement, on peut dormir tranquille, le mariage est bel et bien consommé.

Rideau !

On le referme.

Pour de bon cette fois.

Et le dauphin va dormir tranquille, lui aussi, après s'être mis à ronfler béatement et bruyamment.

Et le lendemain matin, sur son petit journal, à la date du 16 mai, il ne griffonnera que ces quatre terribles lettres : « rien ».

3

« N'épargnez caresses ni cajolis »

Rien !

Et il ne se passera rien – ou presque – pendant sept ans.

Mais comme l'un et l'autre étaient encore adolescents, puisque à eux deux ils n'arrivaient même pas à totaliser la trentaine, il n'y avait pas encore péril au château.

Au jour du mariage, le dauphin comptait en effet très exactement quatorze mois et dix jours de plus que la fillette qu'il venait d'épouser.

Mais il ne se passait rien.

Pour de multiples raisons.

La principale étant que le jeune marié avait l'aiguillette nouée. Ce qui ne voulait pas dire qu'il était impuissant, « pas plus qu'on n'est muet pour être bègue », songera Sainte-Beuve.

Il était empêché, voilà tout.

Parce qu'en réalité il souffrait d'un phimosis qui ne lui permettait pas de sortir de sa réserve.

Une petite intervention aurait été nécessaire pour lui « couper le filet » et lui « rendre la voix ».

Tout comme on sectionne le frein de la langue aux enfants qui ne parviennent pas à balbutier.

Une telle infirmité – car le phimosis en est une – n'incite évidemment pas à la galanterie effrénée.

D'autre part, ses médecins nous confient qu'il fut « de nature tardive ». Entendez par là qu'il ne se révéla pas être un pubère précoce, que les pulsions hormonales ne lui fouaillèrent que tardivement les reins.

En conséquence de quoi, le jeune marié ne s'épanouissait que dans la chasse, comme on l'a vu, et dans le bricolage.

Car il était fort habile de ses mains, le futur Louis XVI.

Du moins quand il ne s'agissait pas de caresser la fille de l'impératrice d'Autriche.

Tous les matins, en effet, après une irruption hâtive chez la dauphine où il se contentait, en se dandinant, de lui demander si elle avait bien dormi, il n'avait qu'une hâte, celle de bondir à la grille du château pour y rencontrer les ouvriers qui venaient réparer un pan de toiture, raboter une porte, mettre une horloge à l'heure ou changer une serrure.

Alors, à la bonne franquette, il leur prêtait la main.

Manuel, oui, sensuel, non.

—Aimez-vous la dauphine ? lui demande un jour Louis XV, qui commence à se faire du mauvais sang. Je veux dire, l'aimez-vous comme il convient que vous l'aimiez ?

— Oui, répond-il en rougissant, je la trouve charmante, mais il me faut encore un peu de temps pour vaincre ma timidité.

Alors qu'il lui aurait surtout fallu un chirurgien habile à réaliser l'« opération juive » qui lui aurait enfin permis de s'exprimer.

Et, pendant ce temps-là, on s'en doute, Marie-Antoinette s'ennuie à cent sols de l'heure.

Désespérée, elle se confie bientôt à sa mère :

— Je dors bien, ici, quoique seule.

— Allons, point d'humeur là-dessus, ma fille, lui répond Marie-Thérèse. N'épargnez caresses ni cajolis, mais avec mesure car trop d'empressement gâterait tout.

Encore fallait-il pouvoir cajoler !

Un jour, le dimanche 10 juillet, soit presque deux mois après sa nuit de noces, n'y tenant plus, elle se campe devant son mari, rencontré seul au hasard d'un couloir du château, et elle lui pose la question de confiance.

— Soyez assurée que je n'ignore rien de ce qui concerne l'état du mariage, bredouille-t-il. Je me suis simplement imposé une règle de conduite que j'ai voulu respecter. Mais le terme que je m'étais fixé est arrivé. Aussi, je vous affirme que le mois prochain, quand nous serons à Compiègne, je vivrai avec vous dans la plus grande intimité que vous pourrez désirer.

Le mois prochain ! Le voyage de Compiègne était prévu pour le 23 août ! Elle allait donc encore devoir attendre pendant une quarantaine de jours ! Le temps d'un carême !

Mais le 23 août en question, le dauphin toussait à s'en déchirer les poumons, ses yeux larmoyaient sous l'effet d'un mauvais rhume mal tourné en bronchite et il avait le nez tout enchifrené.

Voilà qui ne le mettait pas en humeur de batifoler.

Alors, quand ?

Le 19 septembre, propose cette fois le prince à la libido défaillante.

C'est-à-dire, étrangement, le jour de l'anniversaire de la naissance du roi Henri III qui, comme on le sait, n'était pas lui non plus très affriandé par le beau sexe.

D'ailleurs le mauvais présage se confirma, puisqu'il s'avéra que ce jour-là fut un jour comme les autres.

Le 10 octobre, alors, promet le dauphin ! La Cour sera à Fontainebleau en ce début d'automne, le bon air et les « feuillages jaunissants sur les gazons épars » inciteront sans doute à l'intimité.

Le 10 octobre !

C'est un 10 octobre, dix-neuf ans plus tard, que le docteur Guillotin proposera son invention à l'Assemblée constituante.

Mais à la date du 10 octobre de 1770, l'agenda de Louis resta vierge.

Et Marie-Antoinette aussi.

— Si vous voulez garder un fruit, ne montez pas trop à cheval, lui conseille alors une de ses dames de compagnie, qui n'était sans doute pas au courant de la mésaventure qu'elle vivait.

Elle s'attira cette repartie cinglante :

— Au nom de Dieu, laissez-moi en paix ! Et sachez qu'en galopant je ne compromets l'existence d'aucun héritier.

Si elle n'avait pas de « polichinelle dans le tiroir », pour reprendre l'expression des gouailleuses du faubourg – car cette marionnette était restée célèbre à Paris depuis la Fronde –, le drame des jeunes mariés était devenu un secret du même nom.

Et de la domesticité aux plus huppés, sans oublier les plus grands ambassadeurs, chacun s'interrogeait sur les étranges relations des futurs héritiers du royaume de France. Ainsi le comte Aranda, un émissaire espagnol, est-il allé jusqu'à soudoyer une femme de chambre de Marie-Antoinette pour qu'elle lui décrive l'état de ses draps après le passage de l'héritier du trône dans sa chambre.

Mais il n'y avait rien à décrire.

— Vous vous couvrez de ridicule, se fâcha un jour Louis XV, devant son petit-fils aussi penaud que malheureux. J'exige que vous consultiez le docteur Lasserre en qui j'ai toute confiance.

Mais que le diagnostic vînt de Lasserre, de Lassone, de La Lande ou de tel autre archiatre, il s'avéra bel et mal que « le frein comprimait tellement le prépuce qu'il ne pouvait se relâcher au moment de l'introduction, chose qui devait provoquer une douleur telle que le dauphin se voyait contraint à modérer l'impulsion nécessaire pour l'accomplissement de l'acte ».

D'autre part, outre ses problèmes de gland bridé et ses hormones tardives, le futur Louis XVI souffrait aussi, sans doute, d'un trouble psychologique dont le docteur Freud eût pu faire ses choux gras : n'avait-il pas en permanence la débauche et la luxure sous les yeux ? C'était donc cela, être roi ?

Il n'empêche qu'à ne jamais roucouler, les tourtereaux ne vont pas être longs à déprimer.

La mal mariée va bien tenter de se distraire auprès de Mesdames, mais elle mesurera très vite que ces filles de Louis XV, tant Mme Adélaïde que Mme Victoire ou Mme Sophie, sont de vieilles revêches qui, à presque quarante ans, n'ont jamais connu l'amour elles non plus. Mais pour une tout autre raison : elles, elles sont franchement trop laides !

Ce qui les avait rendues méchantes comme la gale. À tel point que leurs appartements étaient devenus des foyers d'intrigues, de jalousies, de ragots. Marie-Thérèse se trompait lourdement, depuis Vienne, quand elle expliquait à sa fille que ces trois princesses étaient pleines de vertus et de talents. À peine la petite tournait-elle les talons – qu'elle avait fort jolis, d'ailleurs, puisque l'on disait que « son pied mignon eût été au large dans la pantoufle de Cendrillon » – que les trois acariâtres se mettaient aussitôt à cracher leur venin dans le dos de celle qu'elles avaient maintenant décidé d'appeler « l'Autrichienne ».

Un surnom qui fera son horrible chemin, le moment venu.

De son côté, Louis l'infirme devenait taciturne. Et comme il n'avait déjà pas une propension naturelle à jouer les boute-en-train ! Il est vrai que ses premières années n'avaient pas été idylliques. Son père était mort quand il avait onze ans, sa mère deux ans plus tard, et son frère aîné, le duc de Bourgogne, celui qui aurait dû régner sur la France, n'avait pas franchi le cap de la dixième année.

À treize ans, donc, le dauphin était devenu orphelin, avec pour seule famille, ou presque, un précepteur, M. de La Vauguyon, qui ne riait que lorsqu'il se pinçait.

Ses deux frères cadets ? Louis, le comte de Provence – le futur Louis XVIII –, était malicieux et caustique, aussi le craignait-il un peu. Charles, le duc d'Artois – Charles X en puissance –, était fanfaron et méprisant, aussi ne recherchait-il guère sa compagnie.

On comprend que dans ces conditions, malgré sa vue basse, il aimât à se consoler dans les bois en cavalcadant derrière une laie essoufflée ou une hase nerveuse.

Marie-Antoinette aussi était nerveuse. De plus en plus.

Parce que Louis était enfin venu la visiter.

Toute la famille de Versailles, avec le royal grand-père et les trois vieilles tantes en première ligne, n'avait cessé de l'exhorter. Tour à tour en dédramatisant l'affaire ou, au contraire, en lui faisant honte.

41

Un jour, on lui passait gentiment la main dans le dos :

— Courage et confiance ! Ce n'est jamais qu'un bon moment à passer. La dauphine n'est-elle pas un morceau friand propre à stimuler vos appétits engourdis ?

Le lendemain, on le traînait aux gémonies :

— À cause de vous, nous sommes la risée de toutes les cours d'Europe ! Dès que l'on fait allusion à vous on ricane, on parle du dauphin à l'aiguillette nouée qui ne sautera jamais le pas ; on prévoit que le futur roi de France sera toujours sans puissance...

Alors, un soir, Louis s'était enfin décidé, cela ne pouvait plus durer.

Il allait entrer dans le lit de son épouse.

Et avec la ferme intention de ne pas s'y endormir.

Ce qu'il fit.

Et il s'y enhardit, en effet, s'y échina, ahana, grogna, il gémit, soupira...

Et il pleura.

Décidément non, il ne parvenait pas à affranchir Marie-Antoinette de sa virginité.

On mesure son désespoir et on imagine la frustration de la dauphine.

D'autant que le lendemain, le surlendemain, le lendemain du surlendemain et ainsi de suite, il essaiera vainement de procéder à l'extinction des feux intimes de la belle enfant rousse.

Ah, si seulement son précepteur, M. de La Vauguyon, lui avait enseigné – dans le creux de l'oreille – qu'il existait d'autres moyens pour que s'épanouît la sensualité d'une femme...

Mais le bonhomme La Vauguyon était trop austère, sinistre même, et bardé de tant de scrupules religieux.

« Mon Dieu, soupirera Stefan Zweig, pauvre Marie-Antoinette dont la sexualité sera ainsi infructueusement excitée, de façon humiliante, pendant des mois et des mois ! »

Pauvre Louis, aussi. Parce qu'il ne faut pas être grand psychologue pour deviner que son incapacité à sacrifier à Vénus allait engendrer chez lui un énorme sentiment de culpabilité et un indéniable complexe d'infériorité vis-à-vis de son épouse.

Ce qui pourrait aussi expliquer le manque de maîtrise et d'assurance qu'il affichera, plus tard, quand il succédera à son grand-père, à l'époque où son problème mécanique aura pourtant été résolu.

« N'ayant longtemps pu agir comme un homme, il aura bien du mal à agir comme un roi[1]. »

Au bout de sept mois de mariage restreint, on fêta Noël.

Sans la promesse d'un divin enfant, évidemment, pour Marie-Antoinette.

Mais avec un sapin, peut-être.

On en trouvait quelques-uns au pied des cheminées de Versailles, depuis qu'en 1738, inspirée par la tradition des noëls alsaciens, Marie Leszczyńska, l'épouse de Louis XV, en avait lancé la mode au palais.

Avec ou sans sapin, la surprise de la dauphine fut énorme.

En réalité, on lui faisait tout le contraire d'un cadeau.

Ce jour-là, en effet, le 25 décembre de 1770, elle apprenait que le Premier ministre était remercié.

---

1. Dixit pertinemment Claude Dufresne.

43

Le Premier ministre, c'était Choiseul, son allié dans la place, le négociateur de son mariage, l'homme qui avait toujours été si favorable à l'Autriche.

Mais qui avait eu le malheur de déplaire à Mme du Barry.

« Oui, racontera Choiseul dans ses *Mémoires*, si on a insinué que je m'étais servi des fonds de mon département pour m'acquérir des créatures et former un parti, dans la propre cour du Roi, contre le Roi lui-même, c'est parce que j'avais affecté publiquement de ne point être l'esclave de Mme du Barry. »

Au vrai, la favorite lui vouait une rare antipathie. Au point même de congédier un jour son propre cuisinier sous prétexte qu'il ressemblait au ministre détesté.

« C'est exact, opine Bachaumont, comme elle avait trouvé que son maître coq lui rappelait trop le duc, elle avait regardé cela comme un tort vis-à-vis d'elle et ordonné qu'il ne parût plus en sa présence, et lors d'un souper, pris en compagnie du Roi, elle était même allée jusqu'à lancer : "J'ai renvoyé mon Choiseul, quand ren-verrez-vous le vôtre ?" »

Louis XV avait longtemps hésité cependant. Mais quand l'abbé Terray, le contrôleur des Finances, et le chancelier de Maupeou, l'un et l'autre affidés de la maîtresse royale, parvinrent à le convaincre que le Premier ministre était en passe de dresser le Parlement contre lui, il se résigna. *Exit*, Choiseul ! Retirez-vous dans votre château de Chante-loup ! Vous avez vingt-quatre heures pour quitter Paris !

Quand l'annonce de cette disgrâce parvint à Vienne, Marie-Thérèse se fit du mauvais sang pour sa benjamine.

— Oui, confia-t-elle alors à son ambassadeur parisien Mercy d'Argenteau, j'avoue que la perte de Choiseul m'est très sensible et je crains que nous ne nous en ressentions que trop. Je regarde aussi comme décisif ce coup pour ma fille…

Et l'impératrice fut définitivement consternée, en juin suivant, quand elle apprit la nomination du duc d'Aiguillon aux Affaires étrangères et à la Guerre.

Armand de Vignerot, duc d'Aiguillon, gouverneur de la Bretagne et neveu du maréchal de Richelieu ! En deux mots, l'ennemi juré de Choiseul et le favori de la favorite !

Car le Tout-Versailles n'ignorait pas que, lorsque Sa Majesté bien-aimée et usée manifestait quelques défaillances, Mme du Barry allait satisfaire les exigences de son tempérament dans les bras du fringant gouverneur breton.

L'heure était en effet tristement venue où, malgré des menus savamment concoctés à base de piments, de truffes, de jaunes d'œufs battus dans un verre de rhum, de céleri, d'artichauts et de ragoûts de testicules de béliers saupoudrés de cantharide, le beau-grand-père de Marie-Antoinette s'en allait de plus en plus souvent se coucher la mine triste et la tête basse.

Pour le plus grand bonheur d'Aiguillon, qui passait pour être plus sémillant dans les alcôves que sur les champs de bataille.

Notamment depuis le combat de Saint-Cast, sur les côtes de l'Armor, en 1758, lorsqu'il lui avait fallu repousser une attaque de la flotte anglaise et qu'on ne l'avait pas vu en première ligne.

Ni même en arrière-garde !

Pour cette simple raison que pendant le coup de feu il avait préféré se réfugier dans un moulin… et dans les bras d'une farinière peu farouche.

— S'il ne s'est pas couvert de gloire, du moins s'est-il couvert de farine ! ironisèrent les Bretons à cette occasion.

45

De son côté, cependant, la meunière aguichante ne garda pas un souvenir impérissable de la bataille de Saint-Cast, puisque dès le lendemain elle alla porter plainte et réclama officiellement « cent livres pour dégâts commis à ses ustensiles ».

À compter du départ de Choiseul, Marie-Antoinette décide tout simplement de mépriser la du Barry.

— Tâchez toutefois d'épargner le scandale, lui conseille Mercy. Bien souvent, le seul moyen possible d'éviter les inconvénients d'un temps si critique est de garder un profond silence sur les choses ainsi que sur les personnes.

Le silence ? L'idée est excellente. La dauphine se jure alors de ne plus jamais adresser la parole à la « créature », comme l'appellent les trois filles du roi, qui décident immédiatement de la soutenir dans son entreprise parce qu'en bigotes consommées elles craignent que leur géniteur ne voie bientôt s'ouvrir devant lui les portes de l'enfer.

— Cette Bécu est une diablesse, enrageait Mme Victoire.

Car avant d'être comtesse du Barry, Jeanne était en effet née d'Anne Bécu et de père inconnu.

Donc, dorénavant, en présence de l'ennemie, Marie-Antoinette se trouvera frappée de mutisme, de surdité et de cécité.

Il ne se passera que peu de temps, évidemment, avant que Mme du Barry ne se plaigne au roi de l'incroyable comportement de « la petite rousse ».

Louis XV se montra un peu lâche dans cette affaire. Comme tous les hommes, diront certaines. Il n'eut rien à envier à un Ponce Pilate, en effet : ne voulant pas prendre position, il demanda simplement à Mercy d'Argenteau de tenter d'arrondir les angles, d'apaiser les frictions.

— Ce n'est pas le moment de contrarier le roi de France, expliqua l'ambassadeur à la dauphine qui était très remontée. Mme l'archiduchesse ne peut pas se désintéresser de son pays d'origine. Elle ne doit pas suivre les mauvais conseils qui risquent de mettre en péril les bonnes relations entre Versailles et Vienne...

— Eh bien soit, lui répondit Marie-Antoinette, vous l'emportez. Je consens à dire quelques mots à la comtesse, mais je les dirai comme par hasard ! Vous pouvez cependant lui annoncer que je la saluerai dimanche, dans le salon de jeux.

Ce jour-là, Mme du Barry se rengorgea quand elle vit la dauphine entrer dans la salle et glisser quelques mots à toutes les personnes présentes. Voilà, elle approchait maintenant de sa table, elle allait devoir enfin s'adresser à elle, passer sous ses fourches caudines, boire son calice jusqu'à la lie.

Mais le sourire ravi de la comtesse se transforma subitement en rictus.

Car au dernier moment, Mme Adélaïde s'en vint fondre sur Marie-Antoinette comme un aigle sur sa proie en lançant :

— Il est temps de s'en aller, partons ! Victoire nous attend.

Victoire ? Pour Jeanne du Barry, il fut plutôt question de défaite. Avec une terrible crise de nerfs à la clef.

Une crise de nerfs qui ne tarda pas à se transformer en crise internationale, rien de moins ! Parce que, quand toutes les grandes capitales apprirent très vite qu'une petite archiduchesse autrichienne de seize ans avait osé braver le monarque de Versailles, on s'inquiéta pour l'équilibre de l'Europe.

— Trop c'est trop, ma fille ! Mettez donc un peu d'eau dans votre vin, s'énerva Marie-Thérèse depuis Vienne. Il faut savoir jouer son rôle si on veut être estimé ; vous le pouvez si vous voulez vous gêner un peu et suivre ce que vous conseille M. d'Argenteau. Mais si vous vous abandonnez à vos tantes, je prévois de grands malheurs, des tracasseries et des petites cabales qui rendront vos jours malheureux.

Alors que ses nuits n'étaient déjà pas très exaltantes !

— Ma mère, si vous étiez portée de voir, comme moi, tout ce qui se passe ici, vous croiriez que la Barry et sa clique ne seraient pas contentes d'une parole et que ce serait toujours à recommencer, se justifia la dauphine. Vous pouvez aussi être assurée que je n'ai besoin d'être conduite par personne pour tout ce qui est de l'honnêteté. Soyez également persuadée que je suis capable de sacrifier mes préjugés et répugnances tant qu'on ne me proposera rien qui puisse atteindre mon honneur.

On est loin, ici, des propos que pourrait tenir une jeune fille. La femme indépendante et volontiers rebelle est donc déjà en train de pointer le bout de son joli petit nez.

— Mais puisqu'il le faut, ajouta-t-elle, toujours à l'attention de sa mère, je parlerai à la Barry. Mais pas à jour et à heure marqués. Elle le dirait d'avance et en ferait triomphe. Et cela, je ne le veux pour rien au monde.

Ah, elle ne manquait pas de caractère, la petite Marie-Antoinette !

Contrairement à son mari, qui restera longtemps traumatisé par les centaines de nuits passées à vainement taquiner Vénus ; qui parviendra rarement – et si maladroitement ! – à manifester son autorité et qui, en définitive, n'aura jamais confiance en lui.

Bon, puisqu'il fallait absolument dire deux mots à la maîtresse de son grand-père, Marie-Antoinette se résigna. Si cela pouvait rassurer les ambassades et sauver l'alliance franco-autrichienne !

Elle choisit son jour : ce serait le 1er janvier – de 1772 –, quand elle accueillerait toute la cour venue défiler pour la cérémonie des vœux : « Je vous souhaite une bonne année, madame la comtesse du Barry. »

Non, le moment venu, la dauphine ne prononça pas cette aimable formule. En tournant à peine les yeux vers son interlocutrice, elle se contenta de laisser tomber du bout de ses lèvres cette phrase insipide :

— Il y a bien du monde aujourd'hui à Versailles !

Mais avec ces quelques mots d'une banalité affligeante, l'honneur était sauf.

Pour les deux rivales.

Toutefois, dès le lendemain, quand Mercy vint féliciter la fille de Marie-Thérèse pour son *fair play*, comme on aurait dit à Westminster, il put comprendre que la partie n'était pas gagnée.

— Je lui ai parlé une fois, lui lança-t-elle, mais je suis bien décidée à en rester là. Cette femme n'entendra plus jamais le son de ma voix !

Et l'on sait que la fille des Césars tiendra parole.

Qu'elle la tiendrait même fermement retenue au fond de sa gorge !

Dans cette affaire, pour Marie-Antoinette, la consolation fut de constater que le dauphin avait toujours été à ses côtés. Il avait embrassé sa cause.

Au vrai, il fallait bien qu'il embrassât quelque chose, ce « mari de paille » !

Solidaire de son épouse, Louis le taciturne commençait aussi à donner quelques signes de bonne humeur. Avait-elle réussi à l'apprivoiser ? On le voyait sourire, maintenant, et « parler à tout le monde avec un air de bonté qu'on ne lui connaissait point jusqu'à ce moment », selon Mercy.

Il avait même accepté de se rendre au bal de Mme de Noailles.

Et pour y danser !

— J'espère, madame, que vous voudrez bien recevoir le mari et la femme, avait-il déclaré en pénétrant dans le salon. Nous ne venons point ici pour y apporter de la gêne mais pour partager vos amusements.

Quelle métamorphose !

Et cette véritable mue n'a pas échappé à Mercy d'Argenteau qui va s'empresser de relater la bonne nouvelle à la dame de Vienne.

— Depuis quelques semaines, monseigneur le dauphin n'est plus reconnaissable, par le changement avantageux de ses manières envers Mme l'archiduchesse, et il porte ses attentions jusqu'à la galanterie et aux soins les plus recherchés. Ce sont de petites caresses, un empressement à être le plus que possible avec Mme la dauphine, à la prévenir en toute chose, enfin il ne manque rien à tout ce qui peut caractériser la tendresse, et elle paraît s'accroître de jour en jour.

« Il ne manque rien », dit Mercy.

Vraiment rien ?

4

Le Prince sans Balles

À la fin de l'hiver de 1771, le comte de Provence fanfaronnait. Depuis qu'il avait appris qu'on allait le marier à une jolie princesse savoyarde, il ne cessait d'asticoter son frère le dauphin. Avec cet air de froide malice dont il ne se départirait jamais, il aimait en effet bomber son torse rebondi en lui lançant :

— J'aurai sans doute le bonheur d'être père avant vous, mon bon.

Ce genre de réflexion sournoise, qui n'altérait en rien le flegme du futur Louis XVI, avait le don d'exaspérer Marie-Antoinette.

— Qui vous a dit qu'elle était jolie ? rétorquait-elle alors méchamment à son gros beau-frère.

— J'ai reçu son portrait...

— Un portrait de courtoisie ! Vous savez bien que les peintres font toujours des efforts pour améliorer leur modèle s'ils veulent être payés !

— Marie-Joséphine de Savoie passe pour être une jeune femme fort élégante, s'énervait Provence.

— Et moi je sais qu'elle est très vilaine, tranchait la dauphine, c'est mon amie Mme de Lamballe qui me l'a affirmé. Elle l'a rencontrée, autrefois à Turin…

La princesse de Lamballe ne se trompait pas, la fiancée du comte de Provence était en effet d'une hideur repoussante.

« Pis que laide, surenchérit le sieur Léonard qui était le coiffeur de Marie-Antoinette, elle était même parfaitement hideuse ! C'était une bonne grosse créature, fort commune. En langage d'officiers de dragons, la fille du roi de Sardaigne se fût appelée une bête à tous crins d'une puissante espèce… Elle avait la tête couronnée d'une épaisse forêt de cheveux trop sombres et le front couvert ; ses sourcils se touchaient en longues chenilles noires et touffues ; ses yeux étaient assez beaux mais trop bas plantés ; son nez était mal retroussé et ses lèvres épaisses se trouvaient surmontées de moustaches passablement prononcées… Le tout se produisait sur un teint fort brun et haut en couleur. La taille de S.A.R., plus développée en épaisseur qu'en élévation, était couronnée d'une gorge tellement volumineuse qu'il fallait, à l'aide d'un déplacement, heureusement assez facile, en faire disparaître la moitié pour sauver la dame de l'embarras d'une surabondance monstrueuse de charmes… Mais ce que tout l'art des femmes de chambre ne parvenait à dissimuler, c'était ce double hémisphère autrement situé, et tel que les brasseurs de Paris se plaisent à l'entretenir sur la croupe de leurs chevaux… Lorsque S.A.R. marchait, il y avait un frémissement de cette partie qui achevait de rendre plus sensible la comparaison. Pour en revenir à ses cheveux – observation du professionnel ! – ils étaient gras, durs et rebelles à la frisure… ils annonçaient, comme toutes les parties de son illustre personne, une abondance de vitalité… »

On prétendait même que, outre ses sourcils de gendarme et sa moustache de cavalier King Charles, la future belle-sœur de Marie-Antoinette avait la poitrine velue !

Ce qui n'empêcha pas le comte de Provence de déclarer à son grand-père, au terme de sa nuit de noces, c'est-à-dire au matin du 15 mai de 1771 :

— J'ai été quatre fois heureux !

Voire…

Selon Bachaumont, le piquant mémorialiste de ce temps, Marie-Joséphine sentait si mauvais qu'en pénétrant dans son lit on avait l'impression d'entrer dans une soue !

Quatre fois sur le métier ! On sait évidemment que le futur Louis XVIII était aussi fier qu'habile à user de l'hyperbole.

Heureuse consommation ou non, ce mariage restera définitivement stérile.

Quand elle mourra en son exil anglais, âgée de cinquante-sept ans, en 1810, à Hartwell, la princesse savoyarde, devenue comtesse de Provence et virtuelle reine de France, n'aura en effet jamais vu sa taille s'arrondir autrement que sous l'effet des sucreries dont elle se pourléchait trop souvent les bajoues.

Après le mariage du cadet, celui du comte d'Artois, le benjamin des Bourbons.

À l'occasion de la cérémonie, la ville de Paris avait décidé de doter un certain nombre de jeunes filles. Parmi elles, une innocente de seize ans s'était fait inscrire.

Quand on lui demanda son nom, elle répondit :

— Lise Noirin.

— Où est votre fiancé ?

— Je n'en ai point !

Et, après un silence, elle ajouta d'une voix timide :

— Ben... je croyais que la ville fournissait tout.

Lise était jolie, on n'eut aucune peine à lui trouver un mari.

Houdon la vit à cette occasion, il admira son ingénuité et sa plastique, lui proposa quelques séances de pose ; résultat, le buste de Lise Noirin fut un des chefs-d'œuvre du célèbre sculpteur.

Et pendant ce temps-là, le comte d'Artois convolait lui aussi avec une Turinoise, en la personne de Marie-Thérèse qui n'était autre que la sœur de Marie-Joséphine. Les deux frères avaient donc épousé les deux sœurs !

Marie-Thérèse était venue au monde cinquante-trois mois après l'épouse de Provence.

Et elle était moins velue.

La princesse de Lamballe – elle-même une Savoie-Carignan – avait bien œuvré pour que pussent se réaliser ces unions, qui avaient mis en joie le vieux Victor-Amédée III de Sardaigne, le père des deux mariées.

La princesse de Lamballe !

Quand Marie-Antoinette l'avait rencontrée, à Versailles, au lendemain de « sa nuit d'hymen ratée », elle avait immédiatement senti – la fameuse intuition féminine ! – que cette jeune femme-là pourrait devenir une amie.

Sa grande amie !

Une amie très très intime, même.

Marie-Thérèse de Lamballe lui avait alors raconté sa pauvre vie : elle avait été mariée, en janvier de 1767, au fils du prince le plus riche d'Europe, et au printemps de l'année suivante elle s'était retrouvée seule.

— Je fus mariée encore enfant, épouse avant d'être femme et veuve avant d'être mère, avait-elle confié à la dauphine.

Mais aussi, que de points communs entre ces deux jeunes femmes ! N'avaient-elles pas toutes deux été « remises » par procuration ? N'étaient-elles pas, l'une et l'autre, étrangères, déracinées ? Un même sang allemand ne coulait-il pas dans leurs veines ? N'étaient-elles pas plus habiles à parler l'italien que le français ?

Et par-dessus tout cela, une même détresse morale, les mêmes désillusions, une même profonde déception : la princesse de Lamballe ne conservait du mariage que d'amers souvenirs, la dauphine ne pouvait encore en avoir aucun.

Si le mari de la dauphine n'était pas un affidé d'Éros, celui de Marie-Thérèse de Lamballe avait au contraire « trop écouté les torrents de ses désirs ». Dans les bras trop tendres de sa fraîche jeune femme, il s'était très vite ennuyé au logis. Louis Stanislas de Lamballe – fils du duc de Bourbon-Penthièvre – avait en effet reproché à Marie-Thérèse son manque de science amoureuse, à la suite de quoi il avait hâtivement déserté son alcôve pour aller souper en ville et se lancer, avec une fureur insatiable, dans la fréquentation des meilleures hétaïres que l'on rencontrait alors sur la place de Paris, sous les arcades du Palais-Royal.

« Il portait sa luxure comme un panache de bon ton », a observé un chroniqueur.

Il avait offert un cabriolet à Mlle La Chassaigne, par exemple, une jeune actrice de la Comédie-Française qui passait pour être plus talentueuse dans les rôles classés X que dans la tragédie classique. Pour payer ses dettes de chair auprès de Mlle La Forest, une autre petite vertu que l'on disait « effrontée et recommandable par l'excès de son luxe et le raffinement de son art dans les voluptés », il avait fait main basse sur les diamants de son épouse. Il s'était aussi mis en ménage avec une demoiselle La Cour. Cette fille, les policiers la connaissaient bien, sous le nom de « la Rousse » en raison de son teint pâle, de sa peau laiteuse et de la couleur auburn de ses cheveux, ou sous celui de « Palais d'Or » aussi, car elle avait perdu un lopin de sa mâchoire supérieure à la suite d'un accident du travail et, dans ces conditions, elle avait dû se faire confectionner une prothèse en métal précieux.

Évidemment, au terme de quelques mois de cette folle vie de stupre et de fornication, le prince de Lamballe fut « poivré ».

Il avait tout naturellement attrapé une « bonne galanterie » ! Mais toute bonne qu'elle fût, ladite « galanterie » n'avait pas tardé à mettre ses jours en péril.

La liqueur d'Agricola, les pilules du corsaire Barberousse ou la panacée de Michel de Lavigne ne parvenant pas à vaincre le mal, on en était venu à lui faire avaler quotidiennement de pleines poignées de dragées mercurielles de Kayser.

Tant et tant que, s'il n'était pas mort de la syphilis, il aurait pu succomber d'une crise d'hydrargyrisme aiguë.

Mais avant de le laisser rendre à Dieu son âme de fieffé débauché, on avait encore tenté le tout pour le tout. L'opération de la dernière chance, c'est-à-dire l'ablation de ces deux glandes intimes qui sont destinées à la propagation de la race !

Hélas ! cette amputation délicate n'avait servi à rien, si ce n'est à réjouir les méchantes langues du temps, qui ne désignèrent plus Louis Stanislas que sous l'affreux surnom de « Prince sans Balles » !

Pauvre petite Marie-Thérèse qui, et ce sont ses propres termes, « restait veuve pour se désoler d'avoir été femme ».

Dès lors, on comprend mieux la tendresse immense qui va s'installer entre elle et la future reine de France.

— Je suis convaincue que si j'avais à choisir un mari entre les trois frères, je préférerais celui que le ciel m'a donné, se confia à son tour Marie-Antoinette. Quoiqu'il soit gauche, il a toutes les attentions et complaisances possibles pour moi.

À ses yeux, le comte de Provence, qui avait le même âge qu'elle, était faux et sournois. Comment faisait-il, en effet, pour se concilier à la fois l'affection des trois vieilles filles du roi et celle de la Barry ?

Le comte d'Artois ? Ah, celui-là, son cadet d'un an, était plus sémillant et toujours disposé à faire le joli cœur.

Sauf avec son épouse savoyarde, qu'il trouvait passablement répugnante et qu'il ne touchait que du bout du doigt quand était venu le moment inexorable d'accomplir ses devoirs dynastiques.

Il est vrai que, bien que son système pileux fût moins développé que celui de sa sœur aînée, la jeune comtesse d'Artois n'aurait jamais pu figurer dans les escadrons légers de Mme de Fontenay. Ridiculement petite et disgracieuse, sans agrément, elle était des plus communes. Sous des yeux bien mal tournés, un nez trop long et une bouche trop grande. Avec cela, niaise et balourde.

« Et quand elle dansait, on aurait cru voir se trémousser un chien mouillé », raconte un habitué des salons de Versailles.

Quoi d'étonnant dans ce cas à ce que le mari de la Savoyarde préférât poser ses yeux gourmands sur l'Autrichienne.

D'ailleurs, d'Artois entretenait à Paris une maîtresse officielle, une certaine Rosalie Duthé, qui prétendait avoir déniaisé toute la famille royale – sauf le dauphin, s'entend ! –, et quand il allait la visiter, il ne se privait pas de claironner :

— Je vais prendre du thé pour soigner mon indigestion de gâteau de Savoie !

Il n'empêche que, le 6 août de 1775, lorsque son épouse légitime mettra au monde un petit duc d'Angoulême, Marie-Antoinette en concevra une profonde amertume. Elle qui était encore quasiment vierge !

Elle avait souffert déjà, deux ans plus tôt, quand la belle-sœur de la princesse de Lamballe, Marie-Adélaïde de Bourbon-Penthièvre, devenue l'épouse du duc de Chartres, le cousin de son mari – le Philippe Égalité de la révolution à venir –, avait donné le jour à un petit duc de Valois potelé et rondouillard, prénommé Louis-Philippe et roi des Français en puissance.

Comme il ne comptait guère que trois mois d'âge, le futur roi de 1830 n'assista pas au bal donné à Versailles pour le nouvel an.

Le bal de janvier 1774 auquel avait été invité l'ambassadeur de Suède.

Mais le diplomate de Stockholm n'y était pas venu seul. Un jeune homme – de dix-neuf ans, lui aussi – l'accompagnait.

Il était le fils d'un feld-maréchal qui avait servi en France où il avait commandé le régiment de Royal-Bavière, et toutes ces dames le trouvaient « beau comme un ange ».

Son père s'appelait Frédéric de Fersen.

Lui, Axel.

Marie-Antoinette le trouva fort élégant.

Elle le revit à la fin du mois, lors d'un autre bal – masqué, celui-là – donné à l'Opéra.

Et les cancaniers de Versailles s'emparèrent aussitôt du tête-à-tête qu'ils eurent tous deux, le temps d'un quadrille.

— Elle ne l'a pas quitté des yeux, dirent les uns.

— Il l'a serrée d'un peu trop près pour ce genre de danse, ajoutèrent les autres.

— Elle ne semblait pas farouche, ricanèrent quelques vieilles filles.

— Au contraire, elle semblait en transe, grognèrent les pervers.

Mais ce que toutes ces mauvaises langues se sont bien gardées de signaler, c'est que le visage de la dauphine était couvert d'un domino blanc et que par conséquent Fersen fils ignorait totalement l'identité de sa cavalière.

D'ailleurs, dans le journal du jeune Suédois, à la date du 30 janvier, on peut lire : « J'ai dansé et parlé avec Madame la Dauphine sans que je la reconnusse. Quand elle se fit connaître, tout le monde s'empressa autour d'elle et elle se retira dans une loge. »

Est-ce là le genre de réflexion qui sent réellement la passion dévorante ? Et s'il fallait trouver d'autres arguments pour prouver que le coup de foudre ne s'abattit pas sur Versailles ce soir-là – avec ou sans Benjamin Franklin qui avait pourtant inventé le paratonnerre vingt ans plus tôt –, il suffira de savoir que le bel Axel quitta la France au surlendemain du bal masqué, pour n'y revenir que quatre ans plus tard.

Quelques semaines après le départ du Suédois, il y aura la terrible journée du 27 avril.

Ce soir-là, à Trianon, Louis XV éprouvera un violent malaise. Et puis la fièvre atteindra bientôt des sommets inquiétants.

— Vite, vite ! Il faut le ramener au palais, conseillera le premier médecin.

À Versailles, on s'empressera de le saigner. Une fois. Deux fois. Trois fois.

— Une troisième saignée, s'étonnera le roi ? C'est donc une maladie !

Une maladie, oui, et pas n'importe laquelle puisqu'il s'agissait de la terrible petite vérole.

Trois jours plus tard, une bougie approchée de son visage éclairera quelques rougeurs sur ses joues, sur ses paupières et sur son front.

— À soixante-quatre ans, avec son organisme fatigué, c'est un mal qui risque d'être fatal à Sa Majesté, murmurera-t-on alors dans les antichambres.

Et l'on augurait bien, hélas !

L'épouvantable agonie se prolongera jusqu'au 10 mai.

Ce jour-là, à trois heures et quart de l'après-midi, Marie-Antoinette perdra son beau-grand-père.

— Le roi est mort, vive le roi !

Comme le Bien-Aimé s'était quasiment putréfié sur pied dans les dernières heures de son vivant, aucun chirurgien ne voulut se charger de faire l'autopsie de son cadavre. On ne possède donc pas de rapport, de « fatal procès-verbal d'ouverture », comme on disait alors. Ce que l'on sait, c'est que « ses restes pestiférés » furent inhumés en toute hâte dans la crypte de Saint-Denis.

Presque à la sauvette.

— Le roi est mort, vive le roi !

— Mon Dieu, murmura alors Marie-Antoinette en se jetant dans les bras de son mari subitement devenu Louis XVI, mon Dieu, protégez-nous, nous régnons trop jeunes.

— Il me semble que l'univers va tomber sur moi, soupira l'héritier de la couronne en blêmissant.

Jeanne du Barry pâlit, elle aussi, puisque, le lendemain même de la mort du roi, elle se retrouva transportée *manu militari* en l'abbaye de Pont-aux-Dames, une maison cistercienne sise près de Meaux qui accueillait généralement les veuves de la haute noblesse. Elle y resterait recluse pendant une bonne année.

Marie-Antoinette avait des comptes à régler.

D'un compte l'autre, elle savait aussi se montrer très généreuse. Est-ce que pour son « joyeux avènement » elle ne décida pas, par exemple, de renoncer à son « droit de ceinture » ?

Cet impôt, que l'on appelait « la ceinture de la reine », se levait tous les trois ans sur chaque muid de vin officiellement commercialisé et était destiné à l'entretien de la maison de la femme du roi.

Lequel impôt n'avait rien à voir avec l'arrêt du Parlement qui interdisait aux prostituées de porter ceinture dorée, arrêt qui ne fut d'ailleurs jamais respecté par « ces dames qui gagnent à être connues », d'où le proverbe : « Bonne renommée vaut mieux que ceinture dorée. »

L'étiquette de la cour allait aussi se trouver sérieusement revue et corrigée avec la nouvelle reine. L'étiquette ? À Vienne, il n'y en avait pas et on n'en vivait que mieux. Alors, adieu les coutumes cacochymes : elle autorise ses jeunes amies à s'asseoir sur le parquet quand elles ne trouvent pas de fauteuils, de bancs ou de tabourets ; elle écourte l'interminable cérémonie du lever de la reine pour bondir dans les petits salons que sa couturière a transformés en ateliers ; à table, elle préfère être servie par un garçon plutôt que par une fille d'honneur ; et puis elle trouve que Versailles est le royaume des vieillards et elle ne craint pas de le déclarer *urbi et orbi* :

— Passé trente ans, dit-elle, je ne comprends pas comment on ose paraître à la cour.

À ce petit jeu-là, on s'en doute, elle ne se fit pas que des amis et dans son dos on ne tarda pas à chantonner :

Petite reine de vingt ans,
Vous qui traitez si mal les gens,
Vous repasserez la barrière,
Vous repasserez la frontière,
Vous repasserez la Bavière,
Laire laire, lanlan et lanlaire.

— Cette jeune femme est vraiment étonnante, s'exclame alors le romancier Horace Walpole, l'ami de Mme du Deffand.

Et, oubliant son flegme britannique ancestral, il ajoutera, exalté :

— Quand elle est debout, c'est la statue de la Beauté ; quand elle se meut, c'est la grâce en personne...

Et elle se mouvait souvent.

Dans les allées de Versailles, notamment, où sans crier gare elle pouvait entraîner ses amies dans de folles courses entre les haies plantées par le rigoureux Le Nôtre, et y jouer à cligne-musette ou à colin-maillard...

Elle aimait tant la campagne et les jardins, d'ailleurs, qu'un jour, n'y tenant plus, elle demanda à son mari :

— Que comptez-vous faire du Petit Trianon, maintenant que Mme du Barry l'a quitté ?

— Ce palais miniature a toujours appartenu à la favorite du roi, aussi est-il juste que je vous en fasse présent, répondit Louis XVI, trop heureux de pouvoir offrir une manière de compensation à son épouse.

Car le pauvre homme de roi était toujours « aussi peu viril qu'un angelot ».

Alors, le Petit Trianon deviendra bientôt la résidence secondaire de la reine. Son « Petit Vienne », comme elle l'appellera.

— Il est possible d'y redessiner les jardins, qui manquent par trop de fantaisie ? On a l'impression qu'ils ont été tracés au compas !

— Oui, répond Louis, qui ne sait rien lui refuser.

— Je veux y avoir toutes les variétés d'arbres et plantés à l'anglaise.

— Vous les aurez.

Et le marquis de Caraman, qui passait pour avoir, à Paris, rue Saint-Dominique, le plus joli jardin de la planète, fut immédiatement sollicité pour redessiner le parc de la « maison de campagne » de Marie-Antoinette.

— La gloire du Petit Trianon, s'émerveillera un jour le voyageur anglais Arthur Young, ce sont les arbres et les arbrisseaux exotiques. Le monde entier a été mis à contribution pour l'orner.

Il est vrai qu'on ne pouvait que rester coi devant l'agencement harmonieux des cyprès de Crète, des noyers d'Amérique, des figuiers de Barbarie, des orangers d'Espagne, des yeuses d'Italie, des citronniers de Majorque, des sapins baumiers d'Arabie, des acacias roses de Chine, et de tant d'autres feuillages plantés au bord de quelques étangs, abritant des cascades ou dissimulant l'entrée de grottes maçonnées à l'ancienne.

C'est dans la fraîcheur d'une de ces grottes, peut-être, qu'un après-midi de l'été de 1775 Marie-Antoinette se pencha vers son amie la princesse de Lamballe pour lui dire au creux de l'oreille :

— Je suis sur le point de rétablir une charge supprimée depuis assez longtemps. L'accomplissement de ce projet me mettra à même, je l'espère, de contribuer au bonheur d'une personne que j'aime.

— Votre Majesté est certaine d'atteindre le but de ses désirs, puisqu'il est impossible de ne pas se trouver heureux sous ses ordres, sous les ordres immédiats d'une souveraine si bienveillante et généreuse, répondit Marie-Thérèse.

— Si vous pensez réellement ce que vous dites, mon espoir sera réalisé.

« On annonça ma voiture, a raconté la princesse de Lamballe, je pris congé de mon amie la Reine. Trois ou quatre jours après, j'eus encore l'honneur de dîner avec elle. Ce fut alors qu'elle me demanda, en présence de Madame Élisabeth, si j'étais toujours dans la même opinion relativement à la personne qu'elle se proposait d'ajouter au service de sa maison. J'avais complètement oublié le sujet de notre conversation. Je demandai pardon à sa Majesté de mon peu de mémoire, et la priai de vouloir bien me remettre sur la voie. La princesse Élisabeth se mit à rire :

« — Je croyais, s'écria-t-elle, que vous étiez depuis longtemps au fait ! La Reine, ma chère Princesse, ajouta-t-elle en m'embrassant, vous a nommée, du consentement du Roi, surintendante de Sa Maison.

« — Oui, c'est la vérité, reprit la Reine en daignant aussi m'embrasser. Vous m'avez dit que la personne destinée à cet emploi ne pouvait qu'être heureuse ; je le suis moi-même si je puis contribuer à votre bonheur.

« Je demeurai quelques moments interdite, poursuit Mme de Lamballe. Revenue de la surprise extrême où m'avait jetée cette nomination inattendue, je remerciai Sa Majesté de la meilleure grâce qu'il me fût possible pour une faveur à laquelle j'avais si peu de droit. La Reine vit mon embarras.

« — Je savais bien que j'allais vous étonner, mais j'ai pensé que le séjour à Versailles convenait mieux à une personne de votre rang et de votre âge que la demeure du duc de Penthièvre. J'estime infiniment son caractère aimable, ses nombreuses qualités, mais il ne saurait offrir à ma charmante princesse les distractions dont elle a besoin. Votre installation à la Cour nous permettra aussi de nous voir chaque jour. À compter d'aujourd'hui, donc, faisons servir l'amitié qui nous unit à notre bonheur réciproque. »

5

Des « mains de femmes énervées »

La colère grogne à Versailles.

— Comment ? Elle a osé nommer au poste de surintendante de sa maison la belle-fille d'un bâtard du roi
Louis XIV, s'énerve la comtesse de la Marche, alors qu'en
qualité de doyenne des dames du sang cette charge me
revient de droit !

— Il serait légitime qu'elle échoie à ma fille, s'emporte
véhémentement le prince de Condé, puisque la dernière
surintendante en date, Mlle de Clermont, était sa grand-
tante. Or, dans une telle affaire, seule la parenté est à
considérer !

Peine perdue. Le 16 septembre de 1775, Louis XVI
paraphait les lettres patentes de la nomination officielle :

« La Reine, notre très chère épouse et compagne, nous
ayant fait connaître le désir qu'elle a que notre très chère
et très aimée cousine, la princesse de Lamballe, soit pourvue
de l'état et charge de chef du Conseil et surintendante de
Sa Maison, notre tendresse pour ladite dame Reine, et la
connaissance que nous avons des grandes qualités de notre

dite cousine, nous ont déterminé à y déférer. Par ces présentes signées de notre main, nous donnons et octroyons à notre très chère et très aimée cousine Marie-Thérèse, Louise de Savoie-Carignan, l'état et charge du Conseil et surintendante de la Maison de la Reine, pour l'avoir, tenir et exercer, en jouir et user aux honneurs, pouvoirs et fonctions, autorités, privilèges, prérogatives, prééminences qui y appartiennent... de la manière qu'en a joui ou dû jouir la feue demoiselle de Clermont... »

La colère éclate.

D'abord, c'est la dame d'atour, la duchesse de Cossé, qui rend son tablier.

— Je vous prie d'accepter ma démission, dit-elle froidement à la reine, mon fils de quatre ans est malade, il est menacé d'une faiblesse des jambes à la suite d'une malheureuse inoculation, je dois le conduire en Savoie où les eaux lui feront peut-être recouvrer la santé.

— Vous êtes libérée. Allez, et soignez bien votre fils, lui dit la reine qui aimerait tant, elle, pouvoir veiller sur la santé d'un bambin.

Ensuite, c'est la dame d'honneur, la très rigoureuse et pédante Mme de Noailles, qui annonce haut et clair qu'elle quitte Versailles avant que la cour ne se transforme en pétaudière.

— Je ne vous retiens pas, lui dit Marie-Antoinette, secrètement ravie que Mme l'Étiquette, ce cerbère du cérémonial, laisse le champ libre à son amie nouvellement promue avec cinquante mille livres de traitement à la clef.

Soit plus ou moins vingt-cinq mille euros !

Après la colère, la jalousie, la perfidie.

« Tout cela parce que la Reine a la plus vive amitié pour la jeune princesse, insinue Bachaumont, l'auteur des

Mémoires secrets. On sait maintenant, ajoute-t-il, que Sa Majesté fait souvent des parties avec elle, au Petit Trianon ou au Petit Vienne, et qu'elle n'y admet que quelques dames de sa suite, sans aucun homme. Là, Elle se livre en liberté à toutes les folies de son âge... »

Les folies de son âge, sans aucun homme ?

— Oui, convient alors Mercy d'Argenteau, il semble que la reine de France fait preuve envers son amie Mme de Lamballe d'une affection toute particulière.

— Non, conteste un chroniqueur plus enclin à la clémence, elles ont seulement un attrait l'une pour l'autre, beaucoup de conformités dans leur manière d'être, voilà tout. C'est la mode, d'ailleurs, on appelle cela des caquetages d'amitié...

Plus tard, quand il écrira son *Histoire de France*, Michelet – en vieux libidineux qu'il était – s'attardera sur les estampes accrochées dans les salons feutrés du Petit Trianon et figurant quelques jolies créatures peu couvertes, comme on pouvait l'être aux jardins de l'Éden, et il décrira minutieusement leurs mains, « leurs mains de femmes énervées ».

Des mains ressemblant étrangement à celles de ces jeunes filles qui étaient autrefois consacrées à Aphrodite et qui avaient installé leur quartier général sur l'île de Lesbos.

Et le nom de la princesse de Lamballe, à côté de ceux de la duchesse de Pecquigny, de la duchesse de Cossé, de la Polignac, de la princesse de Guémené et de combien d'autres, figurera en bonne place, le moment venu, sur la « Liste de toutes les personnes avec lesquelles la Reine a eu des liaisons de débauche ».

Le moment venu étant celui de la Révolution, quand il s'agira de salir furieusement la dame de Trianon et que l'on publiera même un libelle intitulé *Les Fureurs utérines de Marie-Antoinette*, une poignée de pages noircies à l'encre antipathique dans lesquelles on trouvera ces quelques vers, qui en disent assez long sur son art et sa manière de conduire « le char de la volupté » :

La Cour ne tarda pas à se mettre à sa mode ;
Chaque femme à la fois fut tribade et catin :
On ne fit plus d'enfant ; cela parut commode,
Le vit fut remplacé par un doigt libertin.

Ne pas faire d'enfant !

C'était là, au contraire, le grand drame de la petite Viennoise qui toutes les nuits ou presque continuait de subir les vains assauts de son mari, lesquels exacerbaient sa sensibilité sans jamais parvenir à l'apaiser.

Louis XVI avait pourtant de nouveau consulté son médecin Lassone.

— Le débridement, sire, le débridement ! Je ne vois que le débridement !

— Avec vos engins de torture, s'était cabré le roi, en jetant un coup d'œil sur la rangée de bistouris fort affûtés et de ciseaux aux lames étrangement dessinées ! Alors non, ce sera sans moi !

Dans ces conditions, les pamphlétaires continuèrent de s'en donner à cœur joie. Au début de janvier de 1777, par exemple, à l'occasion de l'Épiphanie, est-ce qu'ils ne firent pas circuler cette épigramme sous le manteau :

À Louis XVI notre espoir
Chacun disait cette semaine :
Sire, vous devriez, ce soir,
Au lieu des rois, tirer la Reine…

Reine ? Elle l'était devenue solennellement le dimanche 11 juin de 1775, jour où les cloches de la cathédrale de Reims avaient sonné à toute volée après que le vieil archevêque eut déposé sur le front de son mari la légendaire couronne de Charlemagne chargée d'émeraudes et de rubis.

Surchargée, même, puisque, après l'avoir coiffée, Louis n'avait pu s'empêcher de murmurer d'une voix timide :

— Elle me gêne.

Jadis, dans les mêmes circonstances, Henri III avait soupiré :

— Elle me pique.

Marie-Antoinette se souvenait-elle que, au soir de cette interminable journée passée sous les voûtes gothiques, elle était allée faire quelques pas au bras de son mari sacré, sous les acclamations de la foule, dans un petit bois nommé bois d'Amour planté aux portes de la belle ville de Reims ?

La foule dans laquelle, évidemment, elle n'avait pu remarquer la présence d'un garçon d'une quinzaine d'années, au visage tout grêlé par la petite vérole, un jeune homme venu d'Arcis-sur-Aube qui s'appelait Georges Jacques Danton.

C'est à Reims, aussi, que Marie-Antoinette avait retrouvé son cher Choiseul, le disgracié de la du Barry, qu'elle souhaitait voir revenir aux affaires.

— C'est non, lui avait répondu l'ex-Premier ministre à l'occasion de cette audience. Non, croyez bien que je suis désolé, mais soyez sûre que je ne reprendrai jamais en main le char du royaume.

L'entrevue de Marie-Antoinette et de l'homme de Chanteloup avait fait grand bruit. Comment ? La reine voulait se mêler de la chose politique comme l'avait fait la Pompadour !

L'ayant su, depuis Vienne, son frère Joseph, qui régnait sur l'Autriche sous le nom de Joseph II et sous la pénible tutelle de sa mère, l'avait méchamment admonestée :

— Vous vous occupez d'une infinité de choses qui ne vous regardent pas et que vous ne connaissez pas. Vous êtes-vous demandé par quel droit vous vous mêlez des affaires du gouvernement et de la monarchie française alors que vous ne pensez généralement qu'à la frivolité, à votre toilette et à vos amusements, alors que vous ne lisez et n'entendez parler raison qu'un quart d'heure par mois ?

— Ne croyez pas que j'aie rencontré M. de Choiseul sans en parler au roi, lui répondit-elle dans la minute, j'ai même mis beaucoup d'adresse pour ne pas avoir l'air de lui demander la permission. J'ai si bien fait que le pauvre homme m'a arrangé l'heure la plus commode où je pouvais le voir. Je crois avoir assez usé du droit de femme en ce moment…

Ainsi son mari était-il devenu « le pauvre homme » !

Pour ne pas dire le triste sire.

D'ailleurs, à cette époque-là, assoiffée de plaisirs, elle se rend à Paris plusieurs soirs par semaine ; soit pour aller hanter les ateliers de couture du Grand Mongol, le quartier général de Rose Bertin ; soit pour aller encourager le chevalier Gluck, son ancien maître de musique viennois, qui s'est lancé dans une carrière à l'Opéra. Et il n'est pas rare que Louis XVI trouve sa chambre vide, tard le soir, au débotté, après la chasse, quand il surgit mollement pour présenter à son épouse quelques hommages velléitaires.

Ou alors elle fait mine de dormir profondément et, comme il est bien élevé, il ne s'autorise pas à la réveiller.

Pourtant, il peut maintenant accéder aux appartements de la reine sans que le Tout-Versailles en soit informé.

Sur les conseils de Mercy, il a en effet accepté que l'on aménage un petit couloir secret – le passage du roi – qui rampe sous la galerie des Glaces avant d'aboutir derrière la chambre de Marie-Antoinette.

Il n'est donc plus obligé de passer sous les lambris de sa tante Sophie ni de traverser le fameux grand salon de l'Œil-de-Bœuf, qui est à toute heure le point de ralliement de tous les courtisans oisifs et des affûtés du cancan.

Quand elle ne dort pas, Marie-Antoinette danse.

Elle adore particulièrement les bals masqués.

Un soir de Mardi gras, par exemple, un arlequin au visage dissimulé s'approche d'elle et lui lance sans ménagement :

— Eh bien, Antoinette, que faites-vous ici ? Ne devriez-vous pas être couchée auprès de votre bon gros mari qui ronfle en ce moment ?

« Loin d'être offusquée, rapporte un témoin, elle se baissa en souriant pour mieux répondre à l'inconnu, et tous les danseurs, soudain pudibonds, virent avec effroi qu'elle lui laissait presque toucher sa gorge. Enfin, le masque lui baisa la main avant de s'en aller en gambadant. »

Cet audacieux pierrot n'était autre que le grand comédien Dugazon, maître de déclamation au Conservatoire et professeur du futur Talma.

Dugazon qui mourra fou, en 1809.

D'avoir un jour approché de trop près la jolie poitrine de la reine ?

Il n'empêche qu'il n'en fallut pas davantage pour que les langues de vipère le répertorient immédiatement sur la liste des amants de l'Autrichienne.

En compagnie de Lauzun, de Besenval, de M. de Guines, de M. de Vaudreuil, de Dillon et du duc de Coigny.

S'agissant d'Armand Louis de Gontaut – duc de Lauzun, puis de Biron –, le Beau Lauzun, comme on l'appelait à Versailles où il était célèbre pour ses aventures galantes et scandaleuses, on le vit, un soir, portant à la coiffure de son uniforme une majestueuse plume de héron blanc.

— Comme elle est belle ! s'était exclamée la reine.

C'était une enfant gâtée et un rien l'amusait.

— Cette plume vous plaît, Majesté ? Dans ces conditions, permettez-moi de vous l'offrir.

Mais, quand quelques soirées plus tard on vit danser la première dame du royaume de France avec la fameuse plume blanche agrafée sur son corsage, il n'en fallut pas davantage pour que le bel Armand fût transformé sur-le-champ en favori.

« Mais cela ne me plaisait pas du tout, racontera l'intéressé dans ses Mémoires. À tel point que je me suis bientôt précipité chez la Reine pour le lui dire en ces termes : "Je crois devoir informer Votre Majesté que l'on pousse l'audace jusqu'à blâmer les bontés dont elle m'honore. J'ose la supplier d'en diminuer les marques trop frappantes et de me permettre de me présenter moins souvent chez elle." »

Marie-Antoinette fit simplement non de la tête.

— J'ose supplier Votre Majesté, insista le bellâtre, j'ose même exiger, comme seul prix de mon dévouement absolu, qu'elle ne se compromette pas en me soutenant.

— Comment ! s'emporta-t-elle alors. Vous voulez que j'aie la lâcheté de... ? Non, monsieur de Lauzun, notre cause est inséparable, on ne vous perdra pas sans me perdre.

Et Lauzun d'achever pompeusement la rédaction de cet épisode de ses souvenirs en disant :

« Je me jetai alors à ses pieds… elle me tendit la main que je baisai plusieurs fois avec ardeur, sans changer de posture. Elle se pencha vers moi avec beaucoup de tendresse : elle était dans mes bras lorsque je la relevai…, je fus tenté de jouir du bonheur qui paraissait s'offrir… »

Tenté de jouir !

« Ce Lauzun est un Gascon hâbleur, s'énerve Mme Campan qui fut la première femme de chambre de Marie-Antoinette. Son orgueil lui exagéra le prix de la faveur qui lui avait été accordée. Pour preuve, peu de temps après le présent de la plume de héron, quand il sollicita une audience et que la reine l'accueillit comme tout autre courtisan de son rang, cela s'est fort mal passé. J'étais dans la chambre voisine de celle où il fut reçu ; peu d'instants après son arrivée, Sa Majesté rouvrit la porte et dit d'une voix haute et courroucée : "Sortez, monsieur !" M. de Lauzun s'inclina profondément et disparut. La Reine semblait alors fort agitée. Elle me dit : "Plus jamais cet homme ne rentrera chez moi." »

S'agissant du sémillant duc de Coigny, selon la même Mme Campan, son aventure ne fut guère torride, elle non plus.

« Ils se retrouvaient la nuit dans des bosquets retirés et se contaient des historiettes sur un ton galant, ajoute un chroniqueur "people" avant l'heure, mais si le cœur de la Reine paraissait enflammé, le reste ne l'était pas. »

« C'est exact, abondera lord Holland quand il rédigera ses *Souvenirs diplomatiques*, et d'ailleurs, le duc de Coigny, par timidité de caractère et par froideur de tempérament, ne fut point fâché de renoncer de bonne heure à une intrigue aussi dangereuse. »

Au début du printemps de 1777, Marie-Antoinette avait d'ailleurs bien d'autres préoccupations.

Son frère Joseph, par exemple, celui qui lui envoyait régulièrement des lettres en forme de leçons de morale et qu'elle n'avait pas revu depuis son départ de Vienne, avait annoncé sa venue à Versailles ! Il allait arriver incognito ou presque. Pas en qualité de Joseph II, empereur d'Autriche, mais sous l'identité du « comte de Falkenstein ».

Il avait de tout temps été un peu bizarre, son aîné. Il pouvait être aussi gentil que bourru, aussi émouvant que sinistre. Ne disait-on pas qu'il se plaisait à demeurer des heures entières en haut de la tour qui dominait un asile où hurlaient des aliénés ?

Quand il ne tirait pas sur les chiens qui passaient sous ses fenêtres ou qu'il ne prenait pas un étrange plaisir à aller contempler les femmes en train d'accoucher au grand hôpital de Vienne.

Il était évident que l'on commençait déjà à manquer de chromosomes frais dans cette vieille maison habsbourgeoise.

Le comte de Falkenstein arrive donc. Immédiatement il serre la reine dans ses bras au point de l'étouffer.

— Antonia, lui dit-il, si nous n'avions pas les mêmes géniteurs, je n'hésiterais pas à me remarier avec vous pour me donner une compagne aussi ravissante.

Il est immédiatement ébloui par la beauté de sa cadette. Mon Dieu, comme la fillette a changé depuis sept ans ! Quelle classe ! Avec un peu moins de fards, elle serait encore plus désirable.

— Vous avez mis plus de couleurs sur vos joues que Rubens n'en aurait employé pour tous les dessins de ses cartons, lui lance-t-il d'ailleurs.

Et puis, apercevant une dame d'honneur qui était encore plus maquillée que la reine, il ajoute :

— Je dois ressembler à une tête de mort sur une pierre sépulcrale au milieu de toutes ces furies écarlates !

Il séjournera un mois à Versailles.

Un mois décisif pour Louis XVI.

Car, étant son aîné de treize ans, il pourra se permettre – et il ne s'en privera pas ! – d'inciter son beau-frère le roi de France à faire le nécessaire.

Le nécessaire pour que sa sœur soit un jour une heureuse maman et lui un oncle comblé !

D'ailleurs, il est confiant en reprenant la route de Vienne, parce que Louis XVI lui a « promis-juré » de ne plus retarder son « opération juive », cette légère retouche anatomique qui pourra permettre la propagation de la branche des Bourbons aînés.

Louis XVI a promis ?

Oui, mais Louis XVI est toujours mort de peur.

Car une fois de plus, s'il faut en croire les confidences de Léonard, le premier coiffeur de la reine, au dernier moment il va trouver le moyen de s'esquiver.

« Le roi avait en effet fait savoir à son premier chirurgien qu'il était décidé à subir l'opération, raconte le bavard figaro de Versailles. Il lui avait même fixé l'heure et le jour pour y procéder. Le successeur d'Ambroise Paré fut ponctuel : on l'introduisit dans une pièce des petits appartements où les aides qu'il avait amenés rangèrent sur une table, avec beaucoup de symétrie, les instruments qui devaient servir à fixer l'hérédité de la couronne dans la chambre régnante. Louis XVI, averti que tout était prêt, vint assez peu volontiers et fort lentement pour livrer à l'homme de l'art l'obstacle que la nature opposait à l'exercice de sa puissance virile… Au moment où Sa Majesté ouvrit la porte, sa vue se porta sur le vaste déploiement d'appareils chirurgicaux que les aides du chirurgien avaient déposés avec tant d'art sur la table… Le roi recula de deux pas à l'aspect des ustensiles tranchants qui s'offraient à lui.

« — Qu'est-ce donc que tout cela, monsieur ? demanda-t-il brusquement.

« — Sire, répondit M. Louis – le premier chirurgien s'appelait Louis –, ce sont les instruments destinés à…

« — Et tout cela est nécessaire pour la bagatelle opératoire dont vous m'avez parlé ?

« — Mais, sire, à peu près…

« — Oh ! bien, cela demande plus de réflexion que je ne pensais. Je vous ferai prévenir quand je serai décidé.

« — Je puis assurer à Votre Majesté, reprit M. Louis avec conviction, que c'est l'affaire de deux secondes.

« — C'est possible, mais à voir tout l'appareil que voilà, l'on peut juger que ces deux secondes-là seront bien employées !

« — Oui, sire, car leur emploi donnera certainement un héritier à Votre Majesté.

« — Oh ! Nous y reviendrons, monsieur Louis, mais avec plus de préparation. D'ailleurs, le temps est si beau pour la chasse, aujourd'hui… Oh là, mes chevaux ! cria le roi en s'approchant d'une fenêtre. Au revoir, monsieur le docteur… »

Mais le jour arriva enfin où, le temps n'étant pas favorable à la vénerie, le petit-fils de Louis XV parvint à vaincre sa répugnance du bistouri.

Tant et si bien que trois mois après le départ de Joseph, Marie-Antoinette était en mesure de confier à sa mère :

— Je suis dans le bonheur le plus essentiel… Il y a déjà plus de huit jours que mon mariage est parfaitement consommé. L'épreuve a été réitérée, et hier encore plus complètement que la première fois.

De son côté, Louis XVI avoua simplement à ses vieilles tantes :

— J'aime beaucoup le plaisir et je regrette de l'avoir ignoré pendant si longtemps.

Et l'on affirme qu'à cette période de sa vie il négligea quelque peu ses travaux de serrurerie, que ses limes restèrent inactives, que ses mains cessèrent d'être noires et calleuses.

— Je suis sûr d'avoir fait tout ce qu'il fallait, expliqua-t-il de son côté à son beau-frère, et j'espère que l'année prochaine ne se passera pas sans vous avoir donné un neveu ou une nièce.

Il ne croyait pas si bien dire.

Quelques semaines plus tard, un soir, feignant la colère, son épouse fera irruption dans son petit cabinet en hurlant :

— Sire, je viens vous demander justice d'un de vos sujets qui m'a violemment insultée !

— Que me dites-vous là, madame ? Cela est impossible !

— Sire, je puis vous affirmer que j'ai même été frappée !

— Allons donc, c'est une plaisanterie.

— Nullement, sire. Il s'est trouvé un être assez audacieux pour me donner des coups de pied !

— Des coups de pied ?

— Oui, sire, et dans le ventre !

Alors, il serait parti d'un de ces gros éclats de rire dont il avait le secret et aurait tendrement serré la femme qu'il aimait entre ses bras.

Quel bonheur ! Et puis, dorénavant, les chansonniers n'allaient-ils pas devoir trouver un autre sujet de raillerie ?

À quoi bon continuer, en effet, de fredonner tous ces couplets haineux qui disaient, par exemple :

> *Chacun se demande tout bas*
> *Le roi peut-il ? Ne peut-il pas ?*
> *La triste reine en désespère.*
> *L'un dit qu'il ne peut ériger,*
> *L'autre qu'il ne peut s'y nicher,*
> *Qu'il est flûte traversière.*
> *Ce n'est pas là que le mal gît,*
> *Dit gravement maman Mouchi,*
> *Mais il n'en vient que de l'eau claire.*

Hélas ! On ne terrasse pas aussi simplement les mauvaises langues et les jaloux.

Lesquels, avec le gros comte de Provence à leur tête, eurent tôt fait d'insinuer que le fruit que portait la reine n'avait sans doute pas été greffé par son mari.

Et que l'enfant à naître ressemblerait peut-être au duc de Coigny…

— C'est impossible, s'insurgeront alors les spécialistes du protocole, puisque la reine n'était jamais seule et que nous savons tout de ses moindres faits et gestes, d'heure en heure, voire de minute en minute.

L'étiquette de la cour lui dérobait donc le moindre instant de liberté ?

Voire.

Que faut-il penser, en effet, de ce petit appartement mystérieux, sous les combles de Versailles, qu'aurait un jour visité le baron de Besenval qui passa lui aussi pour avoir été l'amant de Marie-Antoinette ?

— C'est vrai, raconte ce lieutenant-général des armées du roi, un après-midi j'y fus mené secrètement. À cette

79

occasion, je dus passer par plusieurs portes et plusieurs escaliers qui m'étaient entièrement inconnus avant de me retrouver, à la hauteur des toits, dans un corridor fort sale, vis-à-vis d'une vilaine petite porte… Je fus introduit dans une chambre où il y avait un billard que je connaissais, pour y avoir souvent joué avec la reine ; ensuite, dans une autre que je ne connaissais point et qui était simplement mais commodément meublée. Je fus étonné, non pas que la reine eût désiré tant de facilité, mais qu'elle eût osé se les procurer.

— C'est faux, s'insurgera véhémentement Mme Campan dans ses *Souvenirs et Anecdotes*. Cet appartement, qui était composé d'une très petite antichambre, d'une chambre à coucher et d'un cabinet, était uniquement destiné à loger la dame d'honneur de Sa Majesté dans les cas de couches ou de maladie.

— Je suis bien placé pour savoir que la reine avait un grand attrait pour le plaisir, beaucoup de coquetteries et de légèreté et qu'elle s'amusait de petites libertés gazées avec adresse, insiste de son côté Besenval, qui ne tient pas à être pris pour un affabulateur.

Même si, selon M. de Lescure, ce chroniqueur passait pour « un vieux Céladon roué en cheveux blancs, positif, égoïste, sceptique, ambitieux, jaloux, épicurien et intrigant ».

Ce qui faisait tout de même beaucoup pour un seul homme !

C'est le vendredi 31 juillet de 1778 que Marie-Antoinette avait expliqué au roi qu'un audacieux de ses sujets lui avait donné des coups de pied dans le ventre.

— Et à mon frère des coups de pied dans le cul, avait alors marmonné en ricanant le comte d'Artois, présent à l'entretien.

Le 4 août suivant, la royale grossesse était officiellement déclarée à la Cour.

— Puisque Dieu m'a accordé la grâce que j'ai tant désirée, avait confié la future maman à son premier médecin, je veux désormais vivre tout autrement que je ne l'ai fait. Je veux vivre en mère, nourrir mon enfant et me consacrer à son éducation.

— Vous le nourrirez s'il s'agit d'un dauphin, mais s'il survient une fille, on verra, lui avait répondu le roi, tentant de faire preuve d'un peu d'autorité.

— Je choisis Vermond comme médecin accoucheur, avait-elle continué. Pour rien au monde je ne veux avoir affaire avec les docteurs Levret, Andouillet ou Milot.

— Comment, le frère de l'abbé ? s'était insurgé Louis XVI. Il est peut-être brillant dans son métier mais il n'a pas la tenue ni le langage de la cour. Non, je ne peux pas voir cet homme-là. En revanche, j'ai une estime particulière pour Levret qui…

— Non, Levret est trop vieux, ce sera Vermond !

Ce fut Vermond.

Depuis le 1ᵉʳ décembre, avec le premier médecin Lassone, il avait installé ses quartiers à côté des appartements de la reine.

Dans la nuit du 3, il y eut une fausse alerte.

Le 8, Marie-Antoinette affirma qu'elle sentait remuer distinctement deux enfants.

— Mais non, mais non, vous êtes bien ventrue, certes, mais je vous certifie qu'il n'y en a qu'un, lui répondit Vermond, un peu balourd.

— N'ai-je pas la gorge un peu trop volumineuse ?

— Mais non, mais non, vous êtes naturellement tétonnière, voilà tout, lui répliqua-t-il sans aucune délicatesse avant de la saigner un peu.

Car une bonne petite saignée n'avait jamais fait de mal à personne.

Le 15, date initialement prévue par la Faculté, il ne se passa rien. Si ce n'est que toutes les pièces attenantes à la chambre de la future maman furent prises d'assaut. La famille royale, les grandes charges, les princes du sang, tout le monde y campait vaille que vaille.

Dans des conditions d'hygiène déplorables.

C'est dans la nuit du 19, vers minuit et demi, que la reine ressent les premières douleurs. Vermond est à son chevet, évidemment, et Louis XVI, lui, se lance dans le bricolage. Comme l'accouchement doit être public et qu'il craint le tohu-bohu, il fait solidement arrimer avec des cordes les immenses paravents qui entourent le lit de la patiente.

Sage précaution.

Car il est probable que, à la fin de la matinée, lorsque Vermond annonça haut et clair : « La reine va accoucher ! », ces lourds panneaux de tapisserie n'auraient pas résisté à la meute et se seraient effondrés sur la parturiente.

— La reine va accoucher !

En un instant, comme prévu, un véritable essaim s'abattit dans les couloirs du château, et la chambre royale fut bientôt pleine comme une ruche grouillante. Il y avait là la princesse de Lamballe, bien sûr, avec laquelle Marie-Antoinette était convenue d'un petit signe qui lui indiquerait le sexe de l'enfant ; il y avait la Polignac aussi, sa dernière favorite en date ; il y avait Provence et Artois, accompagnés de leurs grosses moitiés ; il y avait le duc de Chartres ainsi que les vieilles filles de Louis XV, sans compter une bonne douzaine de princes et de princesses et une kyrielle de badauds.

— Il y avait une foule si mélangée qu'on pouvait se croire en place publique, racontera Mme Campan.

On notait même la présence de deux Savoyards, arrivés là on ne sait comment, et qui avaient trouvé le moyen d'escalader une armoire pour voir tout à leur aise la reine placée en face de la cheminée sur le lit dressé pour le moment de ses couches !

— C'est une fille !

On étouffait dans cette pièce où chacun piétinait, transpirait et cherchait à grands coups d'épaules le moyen de s'approcher de la malade.

Car elle est malade, subitement, Marie-Antoinette. Ses yeux se révulsent, sa bouche se tourne et le sang lui monte à la tête.

— Vite, de l'air, de l'eau chaude ! Vite, il faut une saignée au pied, hurle Vermond.

— Les fenêtres avaient été calfeutrées pour l'hiver, se souvient Mme Campan. Le roi les ouvrit avec une force que sa seule tendresse pour la reine pouvait lui donner. Ces fenêtres étaient d'une très grande hauteur et collées avec des bandes de papier dans toute leur étendue. Le bassin d'eau chaude n'arrivant pas assez vite, l'accoucheur dit au premier chirurgien Chavignac de piquer à sec. Il le fit. Le sang jaillit avec force, la reine ouvrit les yeux.

De son côté, la princesse de Lamballe ferma les siens !

— C'était le seul moyen qu'elle avait trouvé de se faire remarquer, ironise Mme de Genlis, qui détestait la surintendante. Elle avait périodiquement ses attaques de nerfs et ses pâmoisons. Songez qu'elle pouvait même tomber évanouie devant un homard en peinture !

— On la transporta sans connaissance à travers la foule, continue Mme Campan, pendant que les valets de chambre et les huissiers prenaient au collet les curieux indiscrets qui ne s'empressaient pas de sortir pour dégager la chambre.

Marie-Thérèse Charlotte, la future Madame Royale, a donc vu le jour dans un indescriptible capharnaüm de kermesse populaire !

— Six semaines de repos à la chambre, avait prescrit Lassone à la jeune maman, quand le calme fut revenu dans ses appartements.

Marie-Antoinette n'assista donc pas au baptême de sa fille, une cérémonie lors de laquelle le comte de Provence représentait le parrain, à savoir le roi d'Espagne qui n'avait pu effectuer le voyage de Versailles.

— Quel est le nom de l'enfant ? demanda alors solennellement le grand aumônier de France.

— Monsieur, lui répondit calmement le frère cadet du roi, je crois que le rituel prescrit avant tout de demander les noms et qualités du père et de la mère.

— Cette question n'a pas sa raison d'être, reprit le grand aumônier, puisque personne n'ignore évidemment que Madame Royale est la fille du roi et de la reine de France.

On dit qu'à cet instant le futur Louis XVIII se tourna lentement vers les membres de la famille et les hauts dignitaires présents, et que chacun des participants put observer le rire narquois qui illuminait son gros visage, une manière de rictus qui en disait assez long sur l'idée qu'il se faisait de sa belle-sœur.

Il se produisit un événement étrange, aussi, dans les deux ou trois jours qui suivirent la venue au monde de « Mousseline ».

Mousseline, c'est le petit surnom gentil que Marie-Antoinette avait immédiatement donné à sa fille. Il avait jailli de son imagination, comme ça, tout naturellement.

Alors qu'elle était en train d'avaler sa « crème de riz avec du biscuit », on lui avait livré un petit coffret. Un envoi du curé de la Madeleine de la Cité, à Paris.

Intriguée, elle l'avait ouvert hâtivement.

— Ça par exemple !

À n'en pas douter, il s'agissait de son anneau nuptial. Mais que faisait-il au fond de cette boîte ? Un billet accompagnait l'envoi, elle le lut :

« J'ai reçu, sous secret de la confession, cet anneau que je remets à Votre Majesté, avec l'aveu qu'il lui a été dérobé en 1771, dans l'intention de servir à des maléfices, pour l'empêcher d'avoir des enfants. »

Raté !

— Je me souviens de l'avoir perdu en me lavant les mains, confia-t-elle alors à sa tante la reine de Sardaigne, Marie-Clotilde.

— Qu'allez-vous faire ?

— Je m'interdirai toujours de chercher à découvrir la superstitieuse qui m'a fait une pareille méchanceté.

Elle n'avait pas porté son alliance officielle pendant huit ans !

À Dieu vat ! Il en fallait bien davantage pour la perturber.

6

Chez Jules

Marie-Antoinette rechigne à reprendre la vie conjugale.

Elle songe maintenant à se distraire avec Mme Jules.

La comtesse Jules de Polignac.

Une fine mouche prénommée Yolande qu'elle a rencontrée quelques mois plus tôt.

De jolies dents, petites, blanches et parfaitement rangées, des épaules abattues et un cou bien détaché qui lui donnaient une grâce extrême ; beaucoup de charme et de douceur selon les uns, l'expression même du coquinisme éhonté selon les autres.

Les autres avaient raison.

— Je ne pourrai, hélas, m'attarder longtemps à la cour car la fortune de mon mari est assez médiocre, avait-elle minaudé, aussi vaudrait-il mieux que je m'éloigne avant que nous ne nous attachions l'une à l'autre. Je supplie donc Votre Majesté de me laisser partir…

Selon le prince de Ligne, qui avait toujours une oreille qui traînait dans les bons endroits, la reine, les larmes aux yeux, lui aurait alors répondu :

— Je vous demande de rester. Je vous recevrai dans

mes cabinets ou à Trianon ; nous jouirons ensemble de ces douceurs de la vie privée qui n'existent pas pour nous si nous n'avons pas le bon esprit de nous les assurer.

On imagine ici la grise mine de la douce princesse de Lamballe, quand elle apprit qu'elle était supplantée dans le cœur de son amie par cette petite peste aux dents aussi belles que longues.

Car elle avait un appétit féroce, la Polignac !

Il ne se passa que peu de temps, en effet, avant que son comte Jules de mari ne soit nommé à « la survivance de premier écuyer de la reine » ; avant qu'elle ne soit logée au château, au premier étage de la vieille aile, entre la Cour royale et la cour des Princes, dans un appartement qui communiquait avec le passage de la Reine par la salle des Cent-Suisses ; avant que toute sa famille ne soit bientôt dotée et rentée.

Au premier chef il y avait donc l'époux légitime, qui obtenait huit mille livres de pension, six mille pour ses logements – à Versailles, Paris et Fontainebleau –, sept chevaux d'attelage, quatre de selle, qui allait pouvoir disposer d'un véritable escadron de valets, d'une poignée de postillons et de quelques cochers.

Venaient ensuite le jeune frère et le vieux père, sans oublier l'amant en titre, le comte de Vaudreuil – « le divin Vaudreuil », comme l'appelaient ces dames –, qui recevrait trente mille livres annuelles sur le trésor royal sous le prétexte que toute sa fortune personnelle sommeillait dans les îles françaises et qu'en cas de guerre il serait dans un bel embarras.

Abondance de biens ne nuit pas ! Partant de cet adage frappé au coin du bon sens, Yolande de Polignac osera même réclamer le comté de Bitche – rattaché à la France en 1766 –, avec ses cent mille livres de revenus l'an.

Cette fois, ce fut non. Trop, c'était trop.

Mais comme en joli lot de consolation, elle obtiendra quatre cent mille livres de rente et huit mille autres pour la dot de sa fille.

Au fil des années de gloire viendront s'ajouter, pour elle le « tabouret » et la charge de gouvernante des enfants de France, et pour son mari le titre de duc héréditaire et la direction des postes et haras.

L'ambassadeur de Vienne, Mercy d'Argenteau, pouvait s'alarmer à juste titre devant ces prodigalités, devant « ce pillage organisé de la cassette royale ». Il regrettait sans doute « l'heureux temps de la Lamballe » qui, elle, n'avait pas de famille à placer et pouvait vivre sur la colossale fortune de son beau-père, le duc de Penthièvre.

— Mme de Polignac est une femme dangereuse et perfide, expliquait-il à qui voulait l'entendre.

— Elle sait bien caresser l'Autrichienne dans le sens du poil, ajoutaient les jaloux en ricanant.

Quant à Marie-Antoinette, elle se contentait de soupirer :

— Je n'aurai pas été épargnée : on m'aura supposé très libéralement les deux goûts, celui des femmes et des amants.

Jusqu'alors, la reine passait ses soirées entre les salons de Mme de Lamballe et ceux de la princesse de Guémené, la fille du maréchal de Soubise, gouvernante des virtuels enfants de France et maîtresse en titre du duc de Coigny. Mme de Guémené était une femme aussi charmante qu'illuminée. Ne vivait-elle pas entourée de chiens grâce auxquels elle prétendait entrer en communication avec l'au-delà ? Il n'était pas rare, en effet, de la voir, au beau milieu d'une conversation, s'arrêter de parler pour tomber en extase.

Les chiens aboyaient, un esprit passait…

Lorsque son amie entrait en communication avec ses hôtes invisibles, Marie-Antoinette préférait de beaucoup aller retrouver les palpables habitués des soirées de la surintendante, c'est-à-dire les lamballistes, par opposition aux guéménistes.

Deux partis, deux clans qui passaient le plus clair de leur temps à se déchirer et à se traîner dans la boue.

Avec élégance, tout de même !

— Ils ne sont d'accord que sur deux points, observait Mercy, médire et quémander.

Il n'était plus que la Polignac pour ouvrir un salon.

Elle l'ouvrit.

Un salon ? Non, ce fut un tumulte, car tous ceux qui n'étaient pas lamballistes s'y précipitèrent.

— Autour de la comtesse Jules et de sa belle-sœur, observe un témoin du temps, se groupaient la comtesse de Polastron, dite « Bichette », aux beaux yeux languissants, à la voix musicale, à l'âme craintive et romanesque ; la « brillante » comtesse d'Andlau, la comtesse de Châlons, une des plus jolies femmes de la cour, une des plus élégantes, une des plus recherchées ; la jeune duchesse de Guiche, « Guichette », non moins belle mais plus apprêtée que sa mère…

Sans oublier l'inévitable duc de Coigny et le « merveilleusement immoral » baron de Besenval, qui était toujours en première ligne quand il s'agissait de colporter le dernier potin du jour ; le comte d'Adhémar, aussi, un « beau déjà mûr », une espèce d'aventurier des antichambres qui, en réalité, s'appelait prosaïquement Montfalcon et avait épousé Mme Valbelle, une veuve aussi riche que vieille. Les autres habitués de « chez Jules » se nommaient Vaudreuil, Esterhazy, La Fayette…

Affûter sa mauvaise langue, se gausser, alimenter mutuellement ses antipathies, c'était là l'essentiel des activités des habitués de « chez Jules ». Mais quand on n'y médisait pas des ministres, qu'on ne les maudissait pas en attendant l'heure où les ambitions seraient satisfaites, on y jouait à la « guerre pan-pan », à colin-maillard, à cligne-musette ou au « descampativos », une manière de maillard-colin puisque, là, tous les participants étaient affublés d'un drap blanc, sauf le patient que chacun venait toucher successivement avec une serviette et qui devait deviner le nom de son agresseur. Mais on dit qu'il arrivait fréquemment que les fameux draps blancs de camouflage glissassent un peu trop bas sur les épaules des dames et que le jeu s'achevât en véritable partie de mains baladeuses.

Toutes choses qui ne plaisaient guère à l'abbé Vermond, naturellement.

— Chez Mme de Polignac, grognait-il, l'inconduite en tout genre et les mauvaises mœurs semblent être un titre !

Mais qu'importait la mauvaise humeur de son ancien précepteur ! Pour rien au monde Marie-Antoinette, qui détestait l'ennui par-dessus tout et à qui rien ne plaisait davantage qu'une nuit blanche, n'aurait manqué ces instants de folie.

— Je n'y suis plus reine, avouait-elle, je suis moi.

Et, Dieu merci, l'abbé de Vermond ignorait sans doute que la « brillante » comtesse d'Andlau – tante de Mme Jules et grande animatrice des soirées canailles – avait naguère été chassée de la Cour et du service de Mme Adélaïde pour y avoir fait commerce de brochures obscènes.

Les livres coquins ? On se les arrachait, précisément, chez la Polignac, et c'était à qui en ferait la meilleure lecture à haute voix. On dit d'ailleurs que Marie-Antoinette ne détestait pas ce genre de littérature polissonne et qu'elle possédait elle-même une bibliothèque bien fournie en ouvrages érotiques « qu'elle parcourait avec délectation ».

Son frère Joseph s'était même offusqué « de toutes les saloperies [*sic*] dont elle se remplissait l'imagination par ses lectures ».

Fut-ce la raison pour laquelle elle devint un jour, à son corps défendant, l'héroïne d'une partie fine donnée chez la marquise de Travenart ?

Une affaire piquante que l'indiscret M. de Fromentier s'est plu à raconter dans ses Mémoires :

« Mme de Travenart, dont le robuste tempérament était bien connu à la cour, non seulement des gentils-hommes mais aussi des valets, des gardes et des cuisiniers, avait coutume d'organiser certains soirs de la semaine de joyeuses rencontres au cours desquelles la morale était quelque peu malmenée, explique-t-il.

« Or, un jour, pour donner un peu de piment à l'une de ces bamboches, la marquise avait eu l'idée de demander à un peintre de ses amis de vouloir bien colorier quelques tableaux galants sur des plaques de verre destinées à être glissées dans une lanterne magique et projetées sur le mur blanc de son boudoir.

« Pour le grand soir, ajoute Fromentier, elle avait invité une vingtaine d'amis, des courtisans vigoureux et des jeunes femmes peu timides, dont elle espérait bien exciter le désir et faire parler la nature... Dès les premières images, l'assistance fut conquise et, à mesure qu'elles devenaient plus licencieuses, les commentaires cessèrent et on n'entendit plus que des froissements d'étoffes...

« Puis, le duc de Lauzun qui manœuvrait la lanterne annonça, comme à regret, que la dernière plaque allait être projetée.

« Elle le fut.

« Mais aussi, quel coup de théâtre ! Car la femme qui apparaissait, là, subitement, sur le mur blanc, entièrement dévêtue et dans une posture fort lascive, ressemblait à s'y méprendre à la reine. »

Fromentier ne nous a rien dit de la réaction des invités de la marquise de Travenart quand ils découvrirent, stupéfaits, l'épouse de Louis XVI ne dissimulant vraiment plus rien de son anatomie intime.

— Je suis bien malheureuse d'être traitée si durement, confia la jeune maman à son amie Mme de Chimay. Les méchants me supposent de nombreux amants ? Alors, ne trouvez-vous pas singulier qu'en en ayant tant à ma charge je puisse me passer de tous !

Fersen, évidemment, comptait parmi les supposés !

Le bel Axel avait fait son retour à la cour à la fin de l'été de 1778.

Était-il réellement beau, le jeune comte venu de Stockholm ?

— Son entrée dans un salon suscitait des murmures d'admiration, selon le comte de Tilly qui lui trouvait la taille haute et remarquablement proportionnée, les manières à la fois simples et raffinées, des cheveux blonds et d'étonnants yeux noirs dans un visage aux traits nobles.

Le jeune Suédois mythique, en somme.

Les yeux bleus en moins.

Le mythe suédois existe toujours, aujourd'hui, mais il concerne plutôt la gent féminine, n'est-il pas vrai ?

— J'émets quelques réserves sur la froideur de sa physionomie, dit encore Tilly qui ajoute malicieusement : « Mais c'est ce que les femmes ne détestent pas quand elles espèrent l'animer. »

— C'est une âme brûlante sous une écorce de glace, il appartient à la race des inoubliables, avoue son amie Mme de Korff, avec émotion.

Inoubliable au point que, lorsque la reine le revoit, quatre ans après le bal masqué de l'Opéra de Paris, elle ne peut s'empêcher de s'exclamer :

— Ah ! c'est une ancienne connaissance !

De deux choses l'une, soit Marie-Antoinette avait une mémoire infaillible, soit le quadrille qu'elle avait dansé avec lui, le 30 janvier de 1774, lui avait laissé un souvenir impérissable.

Ou les deux !

— Le jour où le jeune Fersen vint à Versailles dans son uniforme de Suédois, raconte le comte de Saint-Priest, M. de Tessé, qui donnait alors la main à Marie-Antoinette, s'aperçut au mouvement des doigts de la reine d'une forte émotion à cette première vue.

De son côté, Axel ne semble pas très bouleversé.

— La reine, qui est charmante, m'a reconnu, dit-il simplement à son père, le 26 août.

Nouvelle confidence à son papa, le 8 du mois de septembre, beaucoup plus sensible, celle-là :

— La reine, qui est la plus jolie et la plus aimable princesse que je connaisse, a eu la bonté de s'informer souvent de moi ; elle a demandé à notre ambassadeur, M. Creutz, pourquoi je ne venais pas à son jeu le dimanche et, ayant appris que j'étais venu un jour qu'il n'avait pas eu lieu, elle m'en a fait une espèce d'excuses. Sa grossesse avance et elle est très visible.

Il y eut ensuite quelques soirées à l'Opéra. Elle se promenait avec lui au foyer, elle le recevait longuement dans sa loge, où elle riait aux éclats quand il lui demandait, par exemple :

— Quelle est la ressemblance entre Necker et Piccinni ?

— Je l'ignore totalement...

— Eh bien, c'est qu'ils sont aussi voraces l'un que l'autre. Necker se nourrit des impôts et Piccinni nous a mangé tout Rameau et il en est déjà à la moitié de Lulli.

En novembre, elle a prié son bel étranger de venir à la cour dans son fringant uniforme suédois, jaune et bleu, qu'elle aimait tant.

— J'ai joué à colin-maillard avec la princesse de Lamballe, s'amusa-t-il.

Mais pas avec la reine, bien sûr, puisqu'elle était enceinte jusqu'au menton.

Ce qui ne favorisait pas vraiment l'étroitesse des rapprochements !

Et d'ailleurs, à cette époque, Axel était très épris de Mme de Matignon, la ravissante fille du baron de Breteuil.

Qui refusa de l'épouser.

Alors, dépité, il finira par quitter Paris et Versailles pour s'engager dans le corps expéditionnaire qui partait soutenir les États de l'Amérique du Nord dans leur guerre d'indépendance contre l'Angleterre, en qualité d'aide de camp du général en chef Rochambeau.

En laissant Marie-Antoinette éplorée ?

— Non, avoua-t-il au comte de Creutz, je suis parti libre et malheureusement sans laisser de regrets. Si j'avais fait une conquête, je ne l'aurais jamais abandonnée...

Il restera trois années au Nouveau Monde, soutiendra George Washington, fera le coup de feu de droite et de gauche, participera à la prise de Yorktown et se verra même décorer de l'ordre de Cincinnatus.

Pendant que Fercin, comme l'appelait Washington, usait ses bottes suédoises sur le continent américain, Marie-

Antoinette s'empressait d'oublier le vœu qu'elle avait fait à la veille de la naissance de « Mousseline ».

— Je vais vivre autrement, désormais, avait-elle alors promis. Je vais vivre en mère.

Un vœu pieu...

Son Trianon ne désemplissait pas et les soirées y devenaient plus folles de jour en jour !

Elle y animait des troupes théâtrales, par exemple, avec des comédiens et des comédiennes qui se nommaient Polignac, d'Artois, Vaudreuil, Crussol et même Mme Élisabeth, la propre sœur du roi ; elle montait quelques saynètes ou des petits opéras-comiques que Louis XVI venait toujours applaudir bruyamment, même si, selon le duc de Fronsac, « tout cela était royalement mal joué ».

Jusqu'au jour où, succédant à Turgot au ministère des Finances, Necker annonça qu'il allait procéder à une coupe sombre dans la maison du roi, en supprimant les pensions de quatre cents « principaux oisifs » et celles de douze cents « oisifs subalternes ».

Devant le tollé soulevé par son projet, il se contenta de rappeler ce que lui avait dit le patron du royaume :

— Je veux mettre de l'ordre et de l'économie dans toutes les parties de ma maison. Ceux qui y trouveront à redire, je les casserai !

Mais il ne pouvait pas « casser » sa chère et tendre épouse, évidemment.

Aussi, se sentant forte, Marie-Antoinette répliqua tout de go au trésorier fraîchement nommé (et très fraîchement accueilli !) :

— Je ne me soucie pas de régler mon ménage sur le ton de la rue Saint-Denis et d'avoir à porter les clefs de la cave dans ma poche !

Le genre de repartie aussi leste qu'impertinente qui faisait frémir d'horreur son ex-professeur, l'abbé de Vermond.

Et grâce à Dieu, l'abbé ne savait pas tout.

Il ignorait, par exemple, que son élève s'était rendue un soir dans un bal parisien, où elle s'était trouvée mêlée à des invités pour le moins hétéroclites puisqu'il y avait là de nombreuses représentantes de la confrérie de la petite vertu.

Ce soir-là, d'ailleurs, l'une d'entre elles, Margot la Suave ou la Sainte-Marie, à moins que ce ne fût la Petite Comtesse, lui avait lancé sans manières :

— Eh ben dis donc, Antoinette ! On dirait que ça te convient d'avoir laissé ton mari, qui doit ronfler en ce moment tout seul dans le lit conjugal !

Et « Antoinette » avait ri aux éclats.

Une autre fois, la Polignac lui présenta un vieux feld-maréchal qui ne parlait que par maximes.

« C'est vrai, raconte Fournier-Verneuil, et pendant tout le temps de la présentation, cet officier sans âge ne parla que de ses chevaux de bataille qu'il aimait par-dessus tout. Notamment le pie et le bai. "Auquel des deux va votre préférence ?" lui demanda alors la reine ? "Madame, lui répondit-il avec une gravité comique, si j'étais un jour de bataille, monté sur mon cheval pie, je n'en descendrais pas pour monter sur mon cheval bai ; et si j'étais monté sur mon cheval bai, je n'en descendrais pas pour monter sur mon cheval pie." Après un moment de silence, on parla des femmes de la Cour. Deux passaient pour être les plus belles et les plus jolies. La Reine demanda à l'un de ses courtisans son avis. Ce courtisan, prenant le ton du feld-maréchal et sa formule, dit avec une lenteur affectée :

"Madame, un jour de bataille, si j'étais monté… – Assez, assez, cria la Reine avec vivacité, avant d'éclater de rire." »

En attendant de s'effondrer en larmes.

Car, le 6 décembre de 1780, soit quelques jours avant que l'on fête le deuxième anniversaire de Mousseline, la nouvelle tombe à Versailles : elle est morte !

Elle, c'est sa mère.

L'impératrice de Vienne a en effet rendu son âme à Dieu le 29 novembre précédent.

Ce matin-là, Marie-Thérèse s'était levée en gémissant, ce qui ne lui était jamais arrivé. Elle s'était plainte d'un « durcissement des poumons » et avait appelé son fils Joseph :

— Voici mon dernier jour, lui avait-elle simplement déclaré, car je suis devenue intérieurement dure comme de la pierre.

— Vous êtes vraiment très mal ?

— Assez bien pour mourir.

Le soir venu, elle avait demandé qu'on la portât devant la fenêtre de sa chambre. Et qu'on l'ouvrît, cette fenêtre, malgré le froid vif de novembre !

Pour essayer de respirer quelques instants encore.

— J'ai toujours désiré mourir ainsi, avait-elle alors confié à son fils aîné, mais je craignais que cela ne me fût pas accordé. Je vois à présent que l'on peut tout avec la grâce de Dieu.

À la suite de quoi, elle lui avait donné sa bénédiction.

La voix mal assurée, elle avait aussi pris le temps de bénir ses enfants absents de Vienne :

— Léopold, grand-duc de Toscane… Marie-Christine, duchesse de Saxe-Teschen… Amélie, duchesse de Parme… Marie-Caroline, reine de Sicile et de Naples…

Puis, après quelques secondes de silence, elle avait presque hurlé le dernier nom :

— Marie-Antoinette, reine de France !

Un prêtre avait alors allumé un cierge mortuaire.

— Veillez à ce que je ne m'endorme pas, cette nuit, avait-elle encore demandé à Joseph II, car je ne veux pas être surprise, je veux voir venir la mort.

La mort qui la faucha donc dans sa soixante-quatrième année.

Sa fille, la reine de France, vivra vingt-cinq ans de moins qu'elle.

7

Madame Poitrine

La dernière lettre que Marie-Thérèse avait envoyée à sa fille de France, quelques jours avant sa mort, était une lettre de reproches et de mises en garde.

Comme à l'accoutumée.

Un courrier qui disait en substance : « Je souhaite que vous renonciez à tous vos amusements trop apparents… Si vous n'y mettez un vrai terme, vous courez à grands pas vers la ruine… Je connais tout l'ennui et le vide d'une grande Cour comme celle de Versailles, mais croyez-moi, s'il n'y en avait pas, les inconvénients qui en résulteraient seraient bien plus essentiels que les petites incommodités de la représentation, surtout chez vous, avec une nation si vive… »

Désormais, Marie-Antoinette ne recevrait plus de tels coups de semonce. Elle n'avait plus de comptes à rendre à la Hofburg.

Donc, plus de comptes à rendre à qui que ce soit.

D'ailleurs, eût-elle sincèrement décidé de changer de vie, il était sans doute déjà trop tard.

En dix années de Versailles, elle avait réalisé tant d'exploits !

Elle s'était mis à dos tous ceux dont elle s'était raillée, qu'elle avait dédaignés ou méprisés.

« Et ils étaient légion, selon Bachaumont, l'homme des *Mémoires secrets*, les gens qui n'avaient jamais pu faire partie de ses chers entours, soit parce qu'ils étaient trop âgés pour elle, soit parce qu'elle ne les trouvait pas assez primesautiers. »

Sans compter ceux qui avaient cessé de plaire, à l'instar de la princesse de Lamballe qui était devenue à ses yeux « un objet d'ennui et d'embarras, au point que cela tournait à la déplaisance ».

Elle avait aussi réussi à se fâcher avec le duc de Chartres – le fils du gros duc d'Orléans –, qui allait lentement mûrir sa vengeance en regroupant autour de lui, dans son Palais-Royal parisien, tous les refoulés de Trianon, et qui n'allait pas tarder à se jeter dans l'opposition.

Avant de devenir le triste Philippe Égalité de la Révolution.

Mais nous ne sommes qu'en 1780.

Et il reste neuf années pour se battre à coups de plume ou d'épingle à chignon, avant de passer aux règlements de comptes beaucoup plus sanglants.

D'ailleurs, Marie-Antoinette est à mille lieues de s'imaginer que tout pourrait mal finir.

— Si je n'étais pas reine, demande-t-elle alors en souriant à son peintre, Mme Vigée-Lebrun, on dirait que j'ai l'air insolente, n'est-ce pas ?

Elle l'avait.

— Oui, elle a le regard al... al... altier, voire arro... arroro... arrogant, observe un jeune étudiant en droit qui l'aperçoit à cette époque derrière les glaces de son carrosse.

Ce jeune homme qui bégayait horriblement s'appelait Camille Desmoulins.

Dans douze ans, il voterait la mort du roi.

En avril de 1781, Louis XVI se penche sur son journal.

« J'ai donné trois cent soixante livres à Gamain, pour gratifications, note-t-il, et deux mille quatre cents à la Reine pour l'homme qui a apporté de Vienne les legs de l'impératrice. »

Gamain était son professeur en serrurerie.

En avril de 1781, Marie-Antoinette annonce à son mari que, pour la deuxième fois, elle est grosse de ses œuvres.

Il est aux anges, Louis. À défaut d'être un bon amant, il est tout de même fier de pouvoir montrer qu'il est un bon époux.

— Et cette fois, j'en suis certaine, je donnerai le jour à un roi, lui dit la reine tout sourires.

Son amie, Louise de Hesse-Darmstadt, qui joue volontiers les pythonisses, ne lui a-t-elle pas promis qu'il s'agissait d'un fils ?

— Votre sorcellerie est bien aimable de me promettre un garçon, lui a-t-elle répondu, j'y ai beaucoup de foi et je n'en doute nullement.

Une chose la contrarie cependant par-dessus tout : c'est d'être encore obligée d'accoucher en public ! Si seulement elle pouvait mettre son enfant au monde dans sa petite chambre de Trianon, aux murs apaisants, recouverts de broderies de soie aux couleurs pastel !

— C'est impossible, lui rétorque la dame Étiquette, il faut que les témoins soient là pour assister à la coupure du cordon, que l'on soit sûr qu'il n'y aura pas substitution de progéniture.

Mais aussi, quelle horreur !

Se retrouver là, haletante, roidie par la douleur, le visage crispé, inondé de sueur et de larmes, les ongles griffant les draps, le ventre tétanisé, les jambes écartées comme celles d'un pantin, sous les regards de curieux qui étaient sans doute un peu pervers…

Ce fut le 22 octobre, à Versailles, au grand château, que Marie-Antoinette accoucha.

À guichets fermés !

Car une fois de plus on refusa du monde !

« Oui, raconte Louis XVI, pendant le travail, dans sa chambre, il y avait Mme de Lamballe, Monsieur le comte de Provence et la comtesse son épouse, Monsieur le comte d'Artois, mes tantes, Mme de Chimay, Mme de Mailly, Mme d'Ossun, Mme de Tavannes et Mme de Guémené qui allaient alternativement dans le salon de la Paix qu'on avait laissé vide. Dans le Grand Cabinet, il y avait ma Maison, celle de la Reine, et les Grandes Entrées et les sous-gouvernantes qui entrèrent au moment des grandes douleurs et se tinrent dans le fond de la chambre sans intercepter l'air… »

Après les cris de douleur, le silence.

Un silence si pesant que Marie-Antoinette pensait avoir donné une nouvelle fois le jour à une fille.

Elle s'apprêtait à fondre en pleurs quand elle vit Louis XVI s'avancer vers elle pour lui chuchoter à l'oreille :

— Madame, vous avez comblé mes vœux et ceux de la France : vous êtes mère d'un dauphin.

En disant cela, il avait les yeux tout embués de larmes.

— L'antichambre de la reine était charmante à voir, rapporte un des spectateurs. La joie était au comble ; toutes les têtes en étaient tournées. On voyait rire, pleurer alternativement des gens qui ne se connaissaient presque pas. Hommes et femmes sautaient au cou les uns des autres, et les gens moins attachés à la reine étaient entraînés par la joie générale… c'était à qui parviendrait à toucher l'enfant ou seulement ses langes et recueillerait le premier sourire – ou la première grimace – de celui qui allait assurer l'avenir de la dynastie.

La liesse ! Partout des visages rayonnants de bonheur !

Sauf ceux du comte et de la comtesse de Provence qui, eux, n'avaient toujours pas trouvé le moyen de se fabriquer un héritier.

Et que dire de la mine sinistre du comte d'Artois, qui avait grand-peine à cacher son dépit devant ce nouveau-né qui éloignait ses espoirs d'accéder un jour au trône !

À son fils de cinq ans et demi, le duc d'Angoulême, qui s'exclama alors : « Mon Dieu, qu'il est petit mon cousin, mon papa ! » Artois, agacé, répondit sèchement : « Le jour viendra, mon fils, où vous le trouverez bien assez grand ! »

Hélas ! non, il ne grandirait guère.

Car ce tout petit bonhomme, qui allait être baptisé sous les prénoms de Louis Joseph Xavier François, n'atteindrait même pas le cap de la neuvième année.

Ce ne fut pourtant pas faute d'avoir été bien allaité, car on l'avait immédiatement confié à une robuste paysanne recrutée par la Faculté, une brave femme dont les seins firent bientôt l'admiration de toute la cour et qui s'appelait joliment… Mme Poitrine.

Dans le royaume, l'allégresse fut bientôt générale. On fit gaiement sonner les clochers, on joua des Te Deum ; on fabriqua des guirlandes et des bracelets de fleurs – en papier, eu égard à la saison ! – ; les boulangers se mirent à pétrir des miches en l'honneur de la reine et les serruriers

103

parisiens offrirent à l'heureux papa une mécanique mysté-
rieuse qu'il ne parviendrait jamais à faire fonctionner.

Même avec l'aide de Gamain !

On banqueta un peu partout, aussi, en l'honneur du
dauphin, et ces festins s'achevaient inévitablement par des
chansons à boire qui disaient par exemple :

> *Ne craignez pas, cher papa,*
> *D'voir augmenter vot'famille,*
> *L'bon Dieu z'y pourvoira :*
> *Fais-en tant qu'Versailles en fourmille ;*
> *Y eût-il cent Bourbons cheux nous ;*
> *Il y a du pain, des lauriers pour tous...*

Jusqu'aux dames de la halle et aux filles publiques, que
l'on vit émues au point de se retrouver devant les grilles
du château pour réciter devant le roi quelques vers de mirliton bien sentis, du genre :

> *Notre charmante Antoinette*
> *Vient de faire un beau petit loup*
> *Et j'en avons vu la croquette...*

Louis XVI, qui ne détestait pas les plaisanteries un peu
grasses, applaudit en riant.

— Elle est fort jolie, cette chanson, dit-il, qui donc l'a
composée ?

— Pardingue, monseigneur, mais c'est moi, lance alors
une poissarde bien rougeaude.

— Toi ! s'exclama le roi, enthousiasmé. Alors *bis*, ma
fille, *bis* !

— *Bis* ? Mais qu'est-ce que ça veut dire, *bis* ?

— Cela veut dire que tu peux me la chanter une nouvelle fois.

La virago ne se fit pas prier, d'autant que Louis XVI venait de lui glisser dans la main quelques pièces à son effigie. Mais l'audacieuse bonne femme s'arrêta alors subitement et, montrant simplement son autre main, elle dit :

— *Bis*, sire, *bis* !

De passage à Rouen à l'époque de la naissance du dauphin, un comédien ambulant composa une chanson qu'il entonna sur la scène du théâtre des Arts, qui venait d'être inauguré cinq ans plus tôt. Cette bluette d'une touchante naïveté disait en substance :

> *Pour le bonheur des Français*
> *Notre bon Louis Seize*
> *S'est allié pour jamais*
> *Au sang de Thérèse.*
> *De cette heureuse union*
> *Il sort un beau rejeton.*

Et le refrain impérissable se scandait ainsi :

> *Conserve, ô ciel protecteur,*
> *Les jours d'Antoinette !*

Et quand on songe que l'auteur de ces mièvres vers écrira bientôt : « Il faut détruire tous les aristocrates, que les lieux de leur détention soient minés et la mèche toujours allumée pour les faire sauter ! » Un autre jour, il ajoutera : « Je suis fier d'avoir donné à la faux de la Mort un mouvement tel qu'elle a pu moissonner tous les traîtres à la fois ! »

Devenu membre de la Commune puis du Comité de salut public, il applaudira des deux mains les tragiques massacres de Septembre, qui seront fatals à la princesse de Lamballe, demandera l'abolition de la royauté et votera sans sourciller la mort de « notre bon Louis Seize ».

Cet homme-là, « le plus véhément des jacobins et le plus sanguinaire des terroristes », n'était autre que Jean-Marie Collot d'Herbois.

Ce « bourreau de la France » avait tout de même fait ses études chez les oratoriens !

Il mourra en déportation, à Cayenne, après avoir avalé une pleine bouteille de rhum.

En janvier de 1782, c'est inévitable, la reine doit officiellement se rendre à Paris pour y célébrer la naissance du royal bambin.

Elle n'est pas très enthousiaste, elle préférerait attendre les jours moins froids. Parce que les grands salons de l'Hôtel de Ville sont glacials en cette saison ; parce que l'on dit que l'on grogne et rogne un peu, actuellement, dans la capitale, notamment en raison de la cherté du froment.

— Pourquoi ne pas attendre que mon fils soit assez grand pour aller lui-même ouvrir le bal ? ose-t-elle.

La réponse est non.

Ainsi, au matin du 21, fait-elle son entrée porte de la Conférence, quai des Tuileries, accompagnée de Mme Élisabeth ; ainsi se dirige-t-elle vers la cathédrale Notre-Dame pour y réciter la prière des relevailles ; ainsi gagne-t-elle le vieil Hôtel de Ville où on lui a préparé tout spécialement, à grands frais, un cabinet de garde-robe tendu d'étoffes cramoisies et une chambre tapissée de damas bleu au plafond mêlé de fleurs – dans laquelle elle ne séjournera que deux petites heures.

Avant d'aller déjeuner en grande pompe, à côté de son mari, de ses beaux-frères et de toute la fine fleur de la noblesse, servie par « soixante-dix valets de chambre en habit écarlate agrémenté de brandebourgs d'or ».

Un banquet aussi fastidieux qu'interminable.

Que n'avait-elle pu aller se promener incognito, le nez au vent, dans les rues commerçantes de la ville ? Aujourd'hui, Marie-Antoinette serait femme à faire du « shopping » ; elle se jetterait sur les soldes, elle se régalerait de la semaine du blanc.

Comme elle était un peu fantasque, elle se serait sans doute amusée en découvrant les enseignes qui ornaient alors les devantures des bonnes échoppes de Paris. Ainsi celle de ce poissonnier qui représentait un merlan niché dans un soulier et qui annonçait : « À LA MARÉE CHAUSSÉE » ; ou celle de ce cordonnier appelé Nique, qui avait peint un magnifique bouquet de fleurs et de plantes au-dessous duquel il annonçait : « AUX AMATEURS DE LA BOTTE À NIQUE ». Et que dire de cette modiste qui avait fait dessiner un corset sur la porte de sa boutique, avec cette légende pittoresque à la clef : « Je soutiens les faibles, je comprime les forts, je ramène les égarés » ? Évidemment, elle aurait pu tiquer, par solidarité avec son cher mari, devant cette annonce faite par un gargotier qui, sous l'enseigne de *La Poule au Pot*, interrogeait :

Enfin la poule au pot sera-t-elle bientôt mise ?
On doit le présumer ;
Car, depuis cent cinquante ans qu'on nous l'avait promise,
On n'a cessé de la plumer.

Au soir du 23, toujours à l'Hôtel de Ville, ce fut le grand raout ! Un bal masqué gigantesque prévu pour treize mille invités !

Il en vint près de trente mille !

Derrière son domino noir et blanc, la jeune maman y dansa jusqu'à deux heures du matin.

Avant de regagner le château par la route qui commençait alors d'être plantée de lanternes.

Cela avait réjoui certain pamphlétaire qui avait imaginé ces quatre vers :

> *Sur le chemin qui conduit à la Cour,*
> *On établit maint et maint réverbère :*
> *De plus en plus, de jour en jour,*
> *Je vois avec plaisir que mon pays s'éclaire.*

Fut-ce le fait du propriétaire de la « Marée chaussée » ? Toujours est-il que, quelques jours plus tard, quand elle se mit à souffrir d'un méchant érysipèle qui lui rendit les joues cramoisies, Marie-Antoinette eut la surprise de recevoir un cadeau pêché dans la Seine, un poisson qui pouvait mesurer six pieds et demi et dont la chair tendre pouvait lui être salutaire.

Ce poisson était un esturgeon.

Un esturgeon de plus de deux mètres dix, pesant près de cent soixante livres !

Et pêché à Paris !

Il est vrai qu'à cette époque le roi, à l'instar de certain maire de la capitale du XXe siècle, aurait pu annoncer, sans se couvrir de ridicule, qu'il allait traverser un jour la Seine à la nage !

Mais *quid* de notre gigantesque esturgeon ?

Eh bien, les échevins parisiens se sont promis de le faire parvenir vivant à Versailles.

Un point d'honneur !

Alors, ils ont immédiatement fait fabriquer une manière de baignoire pour que la bestiole y baigne tout à son aise ; ils ont aussitôt prévu une cavalcade de mulets chargés de tonneaux d'eau de Seine « pour rafraîchir et changer de temps en temps l'élément du fruit du fleuve ».

Mais ce fut en vain.

La mère du caviar mourut avant même d'avoir effectué une petite lieue.

Ce fut donc en carrosse que l'esturgeon parvint au château.

Où, même mort, il fit l'admiration de tous « avant d'être envoyé à la bouche ».

L'histoire ne dit pas si la reine le goûta.

Probablement, non.

D'ailleurs Marie-Antoinette mangeait peu.

Il est vrai que c'était une telle corvée, pour elle, de passer à table.

Il faut dire qu'il y avait généralement plus de cent personnes pour la regarder avaler son repas ! Sans compter la dame d'honneur qui était figée là, à genoux devant elle, la mine coincée par l'arthrose, une serviette posée sur le bras, et la kyrielle de femmes en grand habit qui lui présentaient les assiettes !

Déjà, son petit déjeuner tenait du calvaire.

Elle y avalait seulement un peu de chocolat, mais il faut savoir que cela ne pouvait se faire qu'en présence de son premier médecin, du premier chirurgien, de son médecin ordinaire, et aussi des quatre premiers valets de chambre du roi, de leurs survivanciers, et des premiers médecin et chirurgien de son mari.

On imagine l'intimité !

Et sans maquillage, qui plus est, la tête sortant à peine de l'oreiller de plume !

Pour le dîner, quand elle était « seule », on lui servait trois potages, deux grosses pièces, douze entrées, deux moyens entremets, quatorze petits entremets et deux plats de pâtisserie.

Mais elle effleurait le tout du bout des lèvres.

Cela valait mieux, d'ailleurs, sinon elle aurait fini par ressembler à une grosse rombière, façon Marie Leszczyńska, l'épouse légitime de Louis XV, qui pouvait, elle, engloutir de gaieté de cœur – et d'estomac – quelque trois ou quatre douzaines d'huîtres, deux ou trois fricassées de poulet, des cuisses de lapin, des amoncellements de « bouchées à la reine », des corbeilles de figues et de pleines soucoupes de melon à la glace.

Le tout sans avoir envie de vomir !

Au souper, quand Marie-Antoinette retrouvait Louis XVI, on ajoutait toujours quatre entrées, deux rôtis, trois côtelettes, six œufs au jus et quelques tranches de jambon.

Il avait un bon coup de fourchette, le père de Mousseline et de Louis Joseph Xavier François.

Il souffrait d'ailleurs fréquemment d'indigestion.

Allez savoir pourquoi ?

Marie-Antoinette, elle, évitait aussi de trop manger à cause de sa propension à la constipation.

Chose qui arrive, même chez les reines !

« C'est vrai, confie Mercy, quoiqu'elle fût sobre, qu'elle ne prît aucune nourriture irritante et n'usât d'aucune boisson fermentée, elle avait, malgré cela, le sang fort échauffé ; ce qui se manifestait par des aphtes dans l'intérieur de la bouche, par une constipation fréquente et par un dérangement dans le sommeil. »

Le sommeil de Louis XVI, lui, était pour l'instant très perturbé. Il venait de connaître la terrible épreuve de l'inoculation.

Il s'était en effet résigné à se soumettre à cette barbare prophylaxie car il ne voulait pas connaître un jour, comme son grand-père, les affres de la petite vérole.

Cette opération consistait à se laisser finement entailler le bras afin que l'on pût déposer quelques gouttes de lymphe variolée sur les petites stries. Certains disciples d'Hippocrate affirmaient alors qu'on avait affaire à une intervention « aussi périlleuse que détestable », quand d'autres prônaient qu'il s'agissait d'un grand pas vers la santé éternelle.

Le premier vaccin de l'histoire !

Qui n'allait tout de même pas sans risque puisque le dépôt sous-cutané de la toxine pouvait parfois déclencher une infection grave, une véritable variole, et dans vingt à vingt-cinq pour cent des cas, l'inoculé succombait des suites de la scarification.

Louis XVI n'en mourut pas.

Mais, pendant sa convalescence, alors que la fièvre était basse et qu'il ne délirait pas, un après-midi, il eut une quasi-vision d'horreur : là, au moment où il se réveillait de sa lourde sieste, une sœur, voûtée sous sa robe de bure grise, s'était avancée vers lui et lui avait dit, avec un fort accent campagnard chevrotant :

— Sire, je viens de la part de ma communauté féliciter Votre Majesté sur l'heureuse issue de son inoculation. Puis-je maintenant solliciter sa bienveillance pour notre couvent qui se trouve dans le plus pressant besoin ?

— Prenez cela, ma mère, lui avait-il répliqué, en lui présentant son gousset.

Ce fut alors que la religieuse partit d'un éclat de rire sardonique.

— Qu'on l'arrête ! s'exclamèrent immédiatement les courtisans offusqués.

— Oui, dit le roi, qu'on l'emmène, mais qu'on prenne soin d'elle…

Mais la bonne sœur se débattit.

— Je vous interdis !

Et, soulevant son voile, elle laissa aussitôt apparaître un beau visage qui ressemblait comme deux gouttes d'eau… à celui de la reine.

— Cela lui va bien de jouer les nonnettes, grommelèrent les mauvaises langues ayant eu vent de cette scène. Ce qui est sûr, c'est qu'elle n'est pas novice !

Car, malgré la naissance d'un héritier pour la couronne, Marie-Antoinette continuait de faire jaser.

Les pamphlets qui circulaient sous le manteau, dans les couloirs de Versailles, atteignaient même les sommets de l'ordurier.

Celui-ci, par exemple, qui disait :

> *Dans ses lubriques attitudes*
> *Antoinette aurait bien voulu*
> *Que Louis l'eût mieux foutue ;*
> *Mais à cela que peut-on dire ?*
> *On sait bien que le pauvre Sire*
> *Trois ou quatre fois condamné*
> *Par la salubre Faculté,*
> *Pour impuissance très complète*
> *Ne peut satisfaire Antoinette.*
> *De ce malheur bien convaincu*
> *Attendu que son allumette*
> *N'est pas plus grosse qu'un fétu ;*
> *Que toujours molle et toujours croche,*
> *Il n'a de vit que dans sa poche.*

On imagine le chagrin de Louis XVI quand il tombait sur de tels libelles que quelques mains bien intentionnées savaient toujours laisser traîner à portée de son regard de myope.

On dit aussi qu'un soir, dans son cabinet, il avait découvert ces quatre vers :

> Louis, si tu veux voir
> Bâtard, cocu, putain,
> Regarde en ton miroir
> La Reine et le Dauphin

et qu'à la suite de cette lecture il avait regagné ses appartements en évitant soigneusement d'emprunter la galerie des Glaces !

8

Rignon et Joséphine

Le 23 juin de 1783, il est de retour à Paris.

Mais, mon Dieu, comme il a changé, Hans Axel de Fersen !

Elles ont laissé des traces, les trois années de guerre en Amérique, avec leurs nuits de garnison et leurs mauvaises cantines de bivouacs. Sans compter le soleil, qui a commencé de buriner sa peau de blond.

Pourtant, si son visage a pris quelques rides, celles de la maturité, sa séduction ne s'en trouve pas atténuée le moins du monde.

Et puis, il est revenu la poitrine couverte d'un médaillon ovale sur fond d'or et attaché par un ruban bleu et blanc : l'ordre de Cincinnatus, qui a été créé pour honorer les courageux combattants de Yorktown, cette ville de Virginie dans laquelle Washington, aidé par les Français de l'amiral de Grasse et de Rochambeau, avait porté un coup décisif aux armées anglaises. Yorktown avait sonné le glas de la guerre d'indépendance américaine.

— J'y étais, pouvait se vanter Fersen en bombant un torse sur lequel figurait donc Cincinnatus – ce courageux paysan, soldat et homme d'État romain du Ve siècle après Jésus-Christ – brandissant les armes en même temps qu'il poussait sa charrue.

À Versailles, cependant, on lui fit bientôt comprendre qu'il n'était pas de très bon goût d'arborer cette décoration – qui était tout de même républicaine !

— Ici, nous préférons de beaucoup l'ordre de Saint-Louis à celui de Saint-Cinnatus, ironisait-on.

Si Fersen s'était bien battu, il avait aussi beaucoup apprécié le repos du guerrier.

Dans les bras de quelques Newportaises, par exemple, qu'il avait trouvées « jolies, fort aimables et allégrement coquettes ».

— Elles avaient des cheveux admirables, se souvenait-il. Pour les entretenir, elles utilisaient du savon et non des poudres, comme en Europe.

Moreau de Saint-Méry n'hésitait pas à le contredire catégoriquement :

— Les Américaines ? Adorables à quinze ans, elles sont fanées à vingt-trois, vieillies à trente-cinq, décrépites à quarante ou quarante-cinq, elles perdent trop tôt leurs formes, leurs dents et leurs cheveux, et sont sujettes aux crises de nerfs… Et puis elles ont la fâcheuse habitude de laisser les hommes payer pour ce qu'elles ont acheté dans les boutiques et d'oublier de les rembourser.

Pendant ces longs mois loin de Versailles, Axel avait aussi caressé quelques projets de mariage. Avec une riche héritière anglaise, d'abord, une certaine demoiselle Layelle.

— Du moins, cette union me permettra-t-elle d'augmenter considérablement ma fortune, avait-il confié à son père.

Mais la jeune femme, qui était donc très belle « vue de dot », n'avait pas été longue à constater que le fringant officier suédois était plus intéressé par son compte en banque que par sa chute de reins et elle avait fini par céder aux avances du vicomte de Cantaloup. Il avait aussi imaginé épouser Germaine Necker, la fille d'un solide banquier genevois et directeur des finances de Louis XVI.

— Elle n'est pas désagréable de visage, elle n'est pas contrefaite et elle ne manque pas d'esprit, avait-il noté.

Avant d'apprendre que la fille du financier allait lui préférer son ami Erik de Staël.

Au vrai, il n'eut pas à regretter cette union manquée, car il lui aurait fallu une santé à toute épreuve pour vivre avec la chère Germaine, qui était une dame aussi exaltée que fougueuse.

— C'est vrai, conviendra Talleyrand qui sera un temps son amant, il faut avoir aimé Mme de Staël pour savoir ce que c'est que d'aimer une bête.

— J'ai pris mon parti, confie alors Fersen à son père, je me trouve fort bien de l'état de garçon. Je sens que celui du mariage ne me rendrait pas aussi heureux… Ce n'est pas la peine de se marier pour n'avoir que des embarras et des privations de plus.

Un peu plus tard, c'est à sa sœur Sophie qu'il explique :

— Je ne veux jamais former le lien conjugal, il est contre nature… Il n'est qu'une seule femme à qui je voudrais être, une seule qui m'aime véritablement, mais comme je ne le puis, je ne serai jamais à personne !

Il avait revu Marie-Antoinette !

Et tout avait été dit.

Tout ?

Ils s'étaient retrouvés dans le Salon doré, celui que préférait la reine parce qu'elle le trouvait un peu plus intime que les autres – si tant était que l'intimité fût possible, à Versailles –, et en un instant les années de séparation s'étaient

116

effacées. Quelques échanges de regards brûlants, un trouble exquis, deux ou trois mots tendres lancés furtivement au moment où nulle oreille indiscrète ne rôdait, et leur impossible histoire d'amour avait vraiment commencé.

Comme Axel ne pouvait pas lui parler librement, il décida de lui écrire. En trempant sa plume dans une encre sympathique qu'il achetait souvent chez un vieil apothicaire qui tenait boutique au numéro 115 de la chaussée de Saint-Honoré, à Paris.

Combien de billets lui fera-t-il parvenir ? On l'ignore. La plupart ont sans doute été brûlés. Mais elle a bel et bien existé cette correspondance dans laquelle la reine était devenue Joséphine – Josepha étant le troisième prénom de Marie-Antoinette –, et le Suédois, lui, avait hérité le nom de Rignon.

Rignon qui rime joliment avec mignon.

Une soixantaine de ces lettres ont été retrouvées plus tard, en Suède, au château de Stafsund, chez le baron de Klinckowström, un petit-neveu de Fersen.

« Mais les textes étaient incomplets, hélas ! raconte André Castelot qui s'est longtemps penché sur les travaux de l'archiviste Alma Söderjhelm. Des phrases entières se trouvaient remplacées par des points. Pourquoi ? Fersen lui-même, à moins que ce ne fût son frère Fabien, aurait-il biffé certaines lignes afin de les rendre illisibles ? »

Et puis, à la veille de sa mort, craignant sans doute que l'on ne parvînt à déchiffrer un jour les passages raturés, le vieux baron de Klinckowström jeta une à une les lettres de la reine dans les flammes de sa cheminée.

— Maintenant, dit-il à une amie qui assistait à l'autodafé, que le monde sache ce qu'il veut, il n'en saura pas plus !

Il se trompait.

Car un de ces billets, allez savoir pourquoi, avait échappé à la destruction massive, un feuillet écrit de la main de la reine au lendemain de la malheureuse équipée de Varennes de l'été de 1791, quelques lignes qui disaient : « Je peux vous dire que je vous aime et n'ai même le temps que de cela… Mandez-moi à qui je pourrais adresser les nouvelles que je pourrais vous écrire, car je ne puis vivre sans cela. Adieu, le plus aimé et le plus aimant des hommes. Je vous embrasse bien tendrement. »

Et que dire des liasses de documents qui furent un jour découvertes chez la comtesse Nordenfalk – une descendante de Sophie, la sœur d'Axel – parmi lesquelles on a pu découvrir les dernières pages du Journal intime du Suédois, ainsi que son Livre de correspondance, autant de textes qui laissent à penser que la liaison Marie-Antoinette Fersen, sans avoir été torride, fut un peu moins platonique que celle de Clélie et d'Artamène, les héros précieux et délicats de Madeleine de Scudéry.

Ce n'est pas sur la Carte du Tendre que l'on retrouve Axel, en novembre de cette année 1783, mais plus prosaïquement sur celle de l'Europe. Car il est parti rejoindre son ami le roi de Suède, Gustave III, qui voyage incognito en Allemagne et en Italie sous le nom de comte de Haga.

Il a donc dû s'éloigner de la reine.

— Jamais on ne m'a aimé comme cela, a-t-il confié à sa sœur au moment du départ.

La plus belle preuve d'amour n'est-elle pas le brevet de colonel du régiment Royal-Suédois qu'il vient d'obtenir de Louis XVI « après que la reine s'en fut mêlée » ?

Au début de novembre, à l'heure où Fersen galope vers Erlanger, à Fontainebleau, Marie-Antoinette est soudain prise de violentes douleurs. Elle s'alite précipitamment. La

Faculté se penche alors sur elle pour l'ausculter, et le verdict tombe très vite :

— Sa Majesté vient d'accoucher d'un faux germe, annonce le premier médecin consterné.

— J'avais si grand désir de porter un second fils, sanglote-t-elle.

À la suite de quoi, traumatisée par la perte de ce fruit, elle laissera passer plusieurs mois avant de renouer bibliquement avec son époux malchanceux.

Seules les lettres qui arrivent d'Italie – adressées à Joséphine – parviennent à la consoler. Car Axel lui écrit régulièrement et elle lui répond.

Ce qui n'empêche qu'entre deux courriers de Versailles arrivés à Florence ou à Naples, tout amoureux transi qu'il était, « le petit Rignon » de la reine ne souffrait pas de chasteté.

Il est vrai que la nature a quelques exigences, chez un garçon de vingt-huit ans plein de force et de santé.

Et quand ce garçon est d'une beauté irrésistible !

D'ailleurs, la jeune Anglaise Emilie Cooper, qui était alors en villégiature florentine, n'a pas cherché un seul instant à lui résister. Elle était une ravissante insulaire, Fersen s'est alors employé à lui prouver qu'il n'était pas continent !

Au point même, chose qui était pourtant contraire à l'usage, qu'elle en était venue à lui demander sa main.

— Cela ne peut avoir lieu, il n'y faut plus penser, lui avait répondu rudement le beau Suédois de ces dames.

À Naples, nouvelle demande en mariage. Formulée, cette fois, par la superbe Elizabeth Foster, fille du duc de Bristol et intime du duc et de la duchesse de Devonshire.

— Mais vous êtes déjà mariée, chère Elizabeth, avait-il répliqué, surpris.

— Je suis mal mariée. Je n'aime pas mon mari. Aussi, je vais le quitter pour vivre avec vous.

— Non. D'ailleurs je ne vous épouserai pas puisque j'aime déjà ailleurs, et j'aime passionnément.

Quand il la quitta, Elizabeth, tout comme Emilie, eut droit à son portrait.

En médaillon.

À défaut de l'original en pied !

À Versailles, pendant que son amant de cœur court de port en port et navigue d'une alcôve à l'autre, Marie-Antoinette est fort déprimée. Parce qu'il lui manque, évidemment : parce que le mois de janvier de 1784 est particulièrement glacial aussi, que le château est impossible à chauffer et que même les cheminées de Trianon s'essoufflent ; parce que son mari – qui n'est plus empêché ! – manifeste chaque soir son envie d'avoir un second fils et que de son côté, on le sait, elle répugne à reprendre la vie conjugale ; et enfin, hélas ! parce que la santé de Louis-Joseph, le petit dauphin, lui cause de vives inquiétudes.

Il ne grandit plus, souffre de fréquents accès de fièvre, gémit de douleur lorsqu'il s'agit d'évacuer le superflu de la boisson, et il est en proie à d'horribles névralgies dentaires.

Alors, quand il sanglote, elle le prend tendrement sur ses genoux et tente de l'apaiser en faisant jouer *Bon voyage, monsieur Dumollet* sur la boîte à musique qu'elle a rapportée d'Autriche.

Pendant que, de leur côté, les médecins affichent un optimisme béat !

À Vienne, son frère, Joseph II, manifeste immédiatement sa mauvaise humeur.

— Je voudrais que, de suite, vous missiez plus d'attention aux affaires sérieuses. Tâchez de ne point négliger tout ce qui pourrait vous procurer une succession et au moins encore un fils. L'idée seule de vous voir derechef sans dauphin me fait frémir.

Croyant entendre sa mère, elle fait la sourde oreille.

Elle n'est pas insensible, en revanche, à la misère qui s'est abattue sur la capitale en même temps que la température a chuté vertigineusement ; aussi décide-t-elle de prélever cinq cents louis sur sa cassette pour qu'on les distribue aux Parisiens démunis.

On imagine pourtant qu'il n'y eut qu'une petite poignée de miséreux pour en profiter, car, si l'on veut se risquer au jeu des équivalences, on apprendra que cinq cents louis de 1784 ne font guère plus que trente-cinq mille euros d'aujourd'hui !

Quelques enfants, parmi les heureux bénéficiaires sans doute, s'amusèrent alors à construire une pyramide de neige, face à la porte du Louvre, rue Saint-Honoré ; et sur ce grand monticule blanc, un mirliton déposa aussitôt une pancarte ornée de quatre vers de son cru :

> *Reine dont la beauté surpasse les appas,*
> *Près d'un roi bienfaiteur occupe ici ta place :*
> *Si ce monument frêle est de neige et de glace,*
> *Nos cœurs pour toi ne le sont pas.*

Mais Marie-Antoinette savait-elle seulement ce que représentaient cinq cents louis, elle qui collectionnait les dépenses avec une inouïe désinvolture ?

Elle flambait pour ses fêtes ou aux tables de jeu, pour ses robes griffées Rose Bertin ou pour ses habits brodés à Lyon, pour ses coiffures, ses souliers, ses bijoux ou ses « dépenses d'éclat ».

Cinq cents petits louis pour les mendiants de Paris alors qu'elle recevait chaque année entre trois et quatre millions de livres, soit près de un million et demi de notre moderne monnaie !

La seule robe du jour de l'an de 1784 n'avait-elle pas coûté seize mille livres ?

Soit plus de six mille euros !

Ce qui n'aurait presque rien de scandaleux, aujourd'hui, quand on songe aux tarifs pratiqués par certains grands couturiers.

De temps en temps, le roi osait lui faire remarquer qu'elle perdait des sommes folles en une malheureuse nuit passée à jouer au pharaon.

Des dépenses pharaoniques, évidemment !

Le pharaon était un jeu de cartes qui ressemblait beaucoup au lansquenet et au florentini. Avec un banquier et des pontes. On pouvait s'y ruiner. Le duc de Chartres, par exemple, s'y était délesté de plus de trente mille livres en deux heures.

— Ce ne sont que de petits amusements, minaudait-elle.

Et Louis XVI n'insistait pas.

Bien que les caisses du royaume fussent vides et que Necker s'apprêtât à lancer un emprunt de cent vingt-cinq millions pour faire face aux dépenses courantes.

Les dépenses des fêtes, plaisirs et divertissements de tous genres donnés pour la venue du comte de Haga – alias Gustave III – à Versailles n'ont pas été chiffrées.

Mais on n'a aucune peine à imaginer qu'elles furent somptuaires.

Car, ayant achevé son périple européen, le roi de Suède est arrivé, le 7 juin, sans tambour ni trompette !

Et avec lui, Axel.

Ils ont fait irruption au château où on ne les attendait pas. Louis XVI était en train de courre un cerf du côté de Rambouillet. Revenu d'urgence, il s'habilla en catastrophe, tant et si mal que, lorsqu'il se présenta devant son « frère » le souverain de Stockholm, il portait deux chaussures qui n'étaient pas de la même paire. L'une était à talon rouge et boucle d'or, l'autre à talon noir et boucle d'argent.

— Ah çà ! s'était esclaffé la reine, vous vous êtes donc paré pour le bal masqué !

La liste des réjouissances qui furent données pour célébrer Gustave III est impressionnante.

Outre les bals parés, les dîners, les soupers, les opéras, on avait aussi demandé à M. Pilâtre de Rozier de vouloir bien réaliser une expérience aérostatique en l'honneur de la Suède.

Ce fut ainsi que, le 23 juin, à Versailles, dans la cour des ministres, une gigantesque montgolfière de trente mètres de haut – et baptisée *La Marie-Antoinette* – s'envola allégrement avec à son bord Pilâtre, aérostier et courtisan, ainsi que le chimiste Proust.

On dit que ce fut la première fois dans l'histoire qu'un tel engin parvint à percer la couche nuageuse et à atteindre l'altitude de trois mille cinq cents mètres.

Avant d'aller atterrir à Chantilly, quarante-deux minutes plus tard, sous les yeux d'un jeune homme ébahi, un garçon de douze ans qui n'était autre que le duc d'Enghien.

Dans vingt ans, ce jeune homme-là mourrait dans les fossés de Vincennes.

À côté de son petit chien Mohilof et sous les balles de Bonaparte.

Quand on ne chauffait pas l'air des ballons, on se rendait au théâtre. Pour y entendre *Le Dormeur éveillé*, par exemple, ballet de Piccinni sur un livret de Marmontel.

Évidemment, avec le doucereux Marmontel on ne craignait pas le scandale. L'auteur des *Contes moraux* était tout de même plus jouable que ce Beaumarchais qui avait osé dire dans son *Mariage de Figaro* :

— Il faudrait détruire la Bastille pour que la représentation de cette pièce ne fût pas une inconséquence dangereuse !

— Ah non ! avait alors bondi Louis XVI. Moi vivant, on ne jouera jamais ce *Figaro* qui se moque de tout ce qu'il faut respecter dans un gouvernement !

Mais le *Mariage* fut tout de même donné à Paris – avec le triomphe que l'on sait.

Et à la demande expresse de Marie-Antoinette !

L'art de scier la branche sur laquelle on est assis.

À la fin de juin, il y eut aussi la fantastique fête de Trianon. L'apothéose.

— C'était un enchantement parfait, selon Gustave III. On soupa dans les pavillons des jardins et, après souper, le jardin anglais fut illuminé. La reine avait permis de se promener aux personnes honnêtes qui n'étaient pas du souper et on avait prévenu qu'il fallait être habillé en blanc. La reine ne voulut pas se mettre à table, mais fit les honneurs comme aurait pu le faire la maîtresse de maison la plus honnête. Elle parla à tous les Suédois et s'occupa d'eux avec un soin et une attention extrêmes...

Et parmi les Suédois...

La fête se prolongea tard dans la nuit, jusqu'à l'heure où l'obscurité devint propice aux apartés.

Alors là, au détour d'un massif, dans l'ombre d'un bosquet, Joséphine et Rignon...

On a parfois dit que le bambin – le futur Louis XVII – né le 27 mars de 1785, soit neuf mois nuit pour nuit après les folles réjouissances de Trianon, était le fils d'Axel.

Dieu seul le sait, assurément.

Mais comme il ne nous mettra jamais dans la confidence, il faut se résigner à douter.

Et à se dire qu'il est peu vraisemblable, malgré tout, que le futur enfant du Temple ait eu des gènes venus du Nord.

Pour deux raisons évidentes.

D'abord, parce que même si Joséphine a réussi à retrouver son Rignon derrière un figuier de Barbarie ou à l'ombre d'un cyprès de la Crète, étant l'héroïne de la soirée, elle n'a pu s'absenter plus de quelques minutes. Le temps de sentir une main fiévreuse se poser sur la sienne, le temps d'un murmure, le temps d'un baiser à la dérobée comme les aimait Fragonard.

Mais en quelques minutes les amants n'ont-ils pas pu... ? Un câlin hâtif ?

Non ! Car nous sommes au XVIIIe siècle, et pour parvenir alors jusqu'à l'intimité d'une dame en grand habit, c'était un véritable parcours du combattant.

Il fallait savoir habilement démonter le panier qui était recouvert sur tout son pourtour d'un décor surchargé de broderies, de rubans entrelacés, de draperies, de perles, de paillettes...

Et le remonter !

Il ne fallait pas être gauche, non plus, quand il s'agissait de desserrer la grappe de nœuds qui maintenait le bas de la robe.

Et de la renouer !

Il convenait aussi de veiller à ne pas trop malmener la coiffure, qui ressemblait à une véritable pièce montée.

Et quand on croyait pouvoir enfin crier victoire, il restait à jouer les fakirs pour parvenir à vaincre un escadron d'épingles fines plantées sur les ultimes obstacles de dentelle, comme des sentinelles de Vauban, en dernières gardiennes de la vertu.

Avec ou sans caresses de Fersen, l'amour la rendait belle. Mme Cradock, une Anglaise amie du duc de Lauzun, invitée à Trianon, a pu en témoigner :

— Plus que belle, très blonde et d'une taille moyenne, la reine était jolie. Toute sa personne respirait un air naturel de dignité sans fierté. Sa toilette, pleine de distinction, était très simple. Des paniers peu exagérés, une robe à la turque, nuancée de bleu, en taffetas gorge-de-pigeon, bordée tout autour d'un étroit ruban blanc ; le corsage garni de très petits boutons d'agate. Coiffés un peu bas, ses cheveux disparaissaient en partie sous un mélange de gaze et de rubans bleus…

Tout un appareil, donc, qui n'était pas vraiment fait pour favoriser une étreinte à la sauvette !

9

Le Chou d'Amour

Le 19 juillet de cette année 1784, le roi Gustave III déclara *ex abrupto* :

— Nous rentrons au pays !

Il ne partait pas les mains vides. D'abord, il avait en poche un juteux traité qui lui garantissait la possession de l'île Saint-Barthélemy, aux Antilles, « Saint-Barth », comme disent aujourd'hui les croisiéristes de la mer des Caraïbes. Ensuite, il emportait une merveilleuse tapisserie des Gobelins signée Carle Van Loo – toujours visible au palais royal de Drottningholm.

Mais hélas ! il emmenait aussi son officier préféré.

Car le roi de Stockholm, qui ne cachait pas sa passion pour les éphèbes, avait une attirance toute particulière pour Fersen.

— C'est vrai, avouera Axel, il avait coutume de me murmurer des mots doux à l'oreille. Un jour, même, où il m'avait convoqué dans sa chambre et qu'il était au lit, il m'avait embrassé mille et mille fois…

L'amoureux de la reine de France aurait-il donc un jour commis le péché de bougrerie, cette hérésie que les

Bulgares attribuaient aux Grecs, les Grecs aux Italiens et les Italiens aux Français ?

Il n'en dit mot, bien sûr, dans les correspondances qu'il se remet à adresser à Joséphine. Il lui dit simplement qu'il a hâte de rentrer en France, et s'emploie à lui trouver le chien qu'elle lui a demandé d'acheter.

« Quel nom faut-il lui donner ? Faut-il en faire mystère ? J'ai prié M. de Boye de m'en envoyer un qui ne fût pas petit, de la taille de ceux qu'avait M. Pollet. Je lui ai dit que c'était pour la reine de France… »

L'histoire ne nous a rien confié de la destinée de ce petit chien venu du froid ; ce que l'on sait assurément, c'est que Fersen passa l'hiver en Suède, auprès de son père qui venait d'être sérieusement malade, et qu'il piaffait d'impatience de rentrer en France.

Les bouches de l'Escaut allaient lui en donner l'occasion.

Depuis le traité d'Utrecht, signé en 1713, les Pays-Bas espagnols appartenaient à l'Autriche. Deux ans plus tard, l'embouchure de l'Escaut, ou de la Schelde comme on dit en flamand, avait été fermée par décision unilatérale de la Hollande.

Ce qui agaçait fortement Joseph II.

Qui décida subitement de régler leur compte aux Hollandais.

Et pour y parvenir, il espérait pouvoir compter sur la neutralité bienveillante de la France.

Mais pourquoi Louis XVI aurait-il laissé les Provinces-Unies se faire dévorer par Joseph II ?

Sous prétexte qu'il était son beau-frère ?

Pauvre Louis XVI qui, dans cette affaire des bouches de l'Escaut – qui ont bien failli enflammer l'Europe –, se trouvait tiraillé entre son Premier ministre, Vergennes, qui ne voulait rien concéder à Vienne, et son épouse qui poussait à la roue afin que son frère pût obtenir gain de cause.

On dit qu'à cette occasion il y eut plus d'une scène de ménage dans les petits appartements de Versailles, mais que le roi n'éleva jamais la voix, eu égard à la taille de la reine qui commençait de s'arrondir.

Comment s'est éteinte cette histoire de bouches en feu, qui avait tout de même nécessité le déplacement de deux corps d'armée, sous les ordres du prince de Condé, en Flandre et sur le Rhin, et pour laquelle la Suède amie se préparait aussi à mobiliser ?

Par un arrangement de marchands de tapis.

Joseph II – à qui l'on versa dix millions de florins – finit par renoncer à ses exigences.

Dix millions ! Dont deux payés par Versailles.

Ce qui ne fut pas du tout du goût de l'opinion publique, qui estimait – à raison – que Marie-Antoinette s'était plutôt comportée en Autrichienne qu'en reine de France. On alla même jusqu'à murmurer – à tort ! – qu'elle avait fait envoyer des caisses d'or à son frère – gorgées de deux cents millions de pièces ! – pour lui permettre de guerroyer contre les Turcs.

L'Autrichienne !

Ce terrible surnom qui la mènera un jour dans les bras d'un bourreau nommé Sanson.

De son côté, Gustave III avait donc imaginé dépêcher quelques troupes pour prêter main-forte à ses amis de Hollande. Mais avant de mettre son projet à exécution, le gros roi matois avait jugé bon d'expédier un émissaire à Versailles pour être fixé sur les intentions réelles du gouvernement de France.

— Je suis volontaire, avait aussitôt proclamé Fersen. Vous pouvez compter sur moi et sur mon Royal-Suédois, Majesté !

Et, ni une ni deux, le bel Axel fut bientôt de retour auprès de la dame qu'il aimait.

Pour quelques mois.

Il était en route pour Versailles, le 27 mars de 1785, dimanche de Pâques, quand Marie-Antoinette mit au monde un nouveau fils, le petit duc de Normandie, le futur prisonnier du Temple.

Un accouchement plus discret, cette fois.

Vers quinze heures, après une première contraction, la reine avait renvoyé tous les courtisans qui faisaient le pied de grue dans son antichambre.

— Je me sens bien, j'irai souper chez la princesse de Lamballe, leur avait-elle dit.

En réalité, une fois les importuns éloignés, elle avait fait prévenir ses amies, la duchesse de Polignac, Mme de Mackau, sous-gouvernante des enfants de France, la surintendante, et un minimum de témoins officiels ; elle s'était allongée à dix-sept heures trente et deux heures après on coupait le cordon.

Ce soir-là, beaucoup plus tard, besicles sur le nez, Louis XVI s'installait à son écritoire pour consigner laconiquement dans son journal : « Aujourd'hui, couches de la Reine du duc de Normandie à sept heures et demie. Tout s'est passé de même que pour MON fils. Le baptême a été célébré à huit heures et demie. Et le Te Deum. Il n'y avait de prince que Monsieur le duc de Chartres ; il n'y a eu ni compliment ni révérences. Monsieur et la reine de Naples parrains. »

Quelle exaltation !

Aucun enthousiasme non plus, deux mois plus tard, dans la capitale, où la maman se rendit pour les cérémonies traditionnelles des relevailles officielles. L'indifférence des Parisiens était telle, même, que le soir venu elle s'effondra dans les bras de son mari en sanglotant :

— Mais que leur ai-je donc fait ?

— J'ai été étonné de l'accueil que Paris a réservé à sa reine, confie Fersen de son côté. Elle a été reçue très froidement. Il y avait une foule énorme mais il n'y a pas eu une seule acclamation. Le silence était parfait.

« Que leur ai-je donc fait ? » Marie-Antoinette ne comprenait donc pas pourquoi elle était devenue aussi antipathique aux yeux de ses sujets.

Et pourtant !

Outre le scandale de l'estuaire de l'Escaut, qui avait fait couler beaucoup d'encre acide, il y avait eu l'affaire de la Bavière, quelques années plus tôt, lorsqu'elle s'était déclarée un peu trop favorable à son annexion par les Autrichiens de Joseph II ; il y avait eu l'achat du château de Saint-Cloud, également, qui avait soulevé un tollé général :

— Elle n'a pas assez de son Trianon ? s'étaient énervés les uns.

— Il est impolitique et immoral de voir des palais français appartenir à une Autrichienne, avaient hurlé les autres.

— Voilà un nouveau gouffre qui va engloutir notre argent, avait-on grogné méchamment.

Et dès lors, à Paris, on ne l'avait plus surnommée que « Madame Scandale » ou « Madame Déficit ».

Mais Dieu merci, Axel était là pour la consoler.

Car, dès qu'une occasion se présentait, il bondissait à Versailles pour la voir. Secrètement même, très souvent, si l'on en croit par exemple ce courrier qu'il envoie à sa sœur :

« ... Il est huit heures du soir, il faut que je vous quitte, je suis au château depuis hier, ne dites à personne que je vous écris d'ici, car je date mes autres lettres de Paris. Il faut que j'aille retrouver la Reine, adieu. »

S'il éprouvait, comme un lièvre aux aguets, le besoin de brouiller sa piste, c'était évidemment parce qu'il parvenait clandestinement à retrouver Marie-Antoinette.

Mais où ?

Dans les petits appartements secrets qui, selon Mme Campan, servaient « aux dames d'honneur en cas de couches ou de maladies » et que M. de Besenval avait un jour découverts avec stupéfaction ?

Sans doute.

Mais comme Louis XVI, même s'il n'avait pas la mesquinerie de contrôler les faits et gestes de son épouse, connaissait ce repaire dérobé, il est peu vraisemblable que les deux amoureux s'y soient lancés dans de folles minutes d'essoufflement.

Ils se promenaient aussi dans le parc, côte à côte, quand ils ne partaient pas galoper vers un étang.

Autant d'escapades qui alimentaient les mauvaises langues.

« Il est vrai que cela causait un scandale public, malgré la modestie et la retenue du favori, qui était, de tous les amis de la reine, le plus discret », raconte M. de Saint-Priest.

Si Fersen montait admirablement le demi-sang, Marie-Antoinette n'avait rien à lui envier. Aussi avait-elle tôt fait de semer son écuyer noir et de se retrouver seule, dans telle allée ou telle clairière où elle savait pouvoir croiser le chemin de son élégant officier.

Pour des retrouvailles innocentes ?

L'un et l'autre étaient des êtres de chair. Jeunes encore. Lui, on le sait, bien qu'homme d'honneur, tenait du chaud lapin ; elle, elle n'était guère friande – ni satisfaite – des grosses caresses balourdes de Louis XVI.

Elle avait une grande tendresse pour son mari mais elle aimait terriblement Axel.

Dans ces conditions, il semble invraisemblable qu'un jour ou l'autre, pendant leur longue liaison passionnée, ils n'aient pas perdu leur « self-control », comme aurait dit George III qui régnait alors sur l'Angleterre.

Et après tout ! Marie-Antoinette n'aurait pas été la première reine de France à tromper son mari !

Faudrait-il pour autant la clouer une nouvelle fois au pilori, la livrer constamment à la vindicte de l'histoire ?

On peut souhaiter, même, qu'elle ait connu la plus exaltante des libertés sensuelles, celle que les culs bénis autant que les staliniens, les réactionnaires autant que les jacobins, ont toujours crainte et persécutée en sachant que c'était grâce à elle – et non avec eux ! – que l'on pouvait réellement changer la vie.

Louis XVI, en revanche, peut compter parmi les très rares souverains, depuis Hugues Capet – et même Mérovée ! – à n'avoir pas eu d'aventures extraconjugales.

Le pauvre homme !

Le brave homme, aussi, car il ne pouvait ignorer, bien sûr, qu'il existait comme une anguille sous roche dans la relation de sa femme avec le sémillant officier venu des pays du Septentrion.

« Oui, rapporte Saint-Priest, Sa Majesté connaissait l'intimité de sa femme et du gentilhomme suédois, mais la Reine avait trouvé le moyen de lui faire agréer sa liaison avec le comte de Fersen ; en répétant à son époux tous les propos qu'elle apprenait qu'on tenait dans le public sur cette intrigue, elle offrait de cesser de le voir, ce que le Roi

refusa. Sans doute lui insinua-t-elle que, dans le déchaînement de la malignité contre elle, cet étranger était le seul
sur qui on pût compter. Et ce monarque entra tout à fait
dans ce sentiment... »

Louis XVI se doutait-il que les amours de la sœur de
Joseph II et du pimpant officier de Gustave III n'étaient
pas seulement platoniques ou « restreintes », selon le mot
de Pierre Audiat ?

La réponse est oui.

Mais il n'avait pas envie de se fâcher.

Ni de se battre.

Ce n'était pas dans sa nature.

Il avait préféré baisser les bras.

Abdiquer.

Déjà.

« Tout s'est passé de même que pour MON fils », avait-
il griffonné sur son agenda au soir du dimanche pascal qui
avait vu naître le futur séquestré du Temple.

Qu'on le veuille ou non, et même si les défenseurs
inconditionnels de Marie-Antoinette – ceux qui ont voulu
en faire une reine pure et presque chaste, voire une sainte
– arguent qu'il n'y a rien de surprenant dans cette phrase,
qu'il s'agit d'une expression protocolaire typiquement
Ancien Régime, il plane sur ce « MON fils » comme une
odeur de suspicion s'agissant de la légitimité du second
rejeton mâle, le cadet de Louis Joseph Xavier François.

Qui devenait d'ailleurs de plus en plus chétif, de
semaine en semaine.

— Sa santé me préoccupe, confiait Marie-Antoinette à
Fersen quand elle le retrouvait. Sa fragilité défie les soins
les plus attentifs. Alors que mon petit dernier, le duc de
Normandie, mon chou d'amour, est frais et gros comme
un vrai fils de paysan. Le roi a d'ailleurs coutume de lui

répéter : « Mon petit Normand, ton nom te portera bonheur ! »

Louis XVI n'avait manifestement rien d'un devin.

Fersen non plus.

Car lorsque la reine lui confiera un jour ses inquiétudes s'agissant du mauvais état du royaume, il lui répondra :

— Ne soyez pas inquiète. La France est malade, sans doute, mais c'est une malade de bonne constitution, et dans toute la vigueur de l'âge, à qui il faut de bons médecins ; mais il s'agit de les trouver.

On ne les trouvera pas, hélas ! avant Danton et Robespierre, dont la spécialité sera essentiellement la saignée, comme on le sait.

10

B. et B. de la rue de Vendôme

Avant les bains de sang, les gouttes d'eau.

D'eau pure.

Aussi pure que des diamants.

Comme ceux de ce satané collier qui allait commencer d'étrangler la monarchie !

En garnison à Landrecies, quand il aura vent de ce que l'histoire a appelé l'« affaire du Collier de la reine », Fersen n'aura pas une réaction très élégante.

— On dit que tout cela n'est qu'un jeu entre le cardinal de Rohan et la reine, confiera-t-il à Gustave III. On dit que la reine est fort bien avec lui et qu'elle l'a chargé de lui acheter le collier... On dit qu'elle faisait jusqu'alors semblant de ne pas pouvoir le souffrir afin de mieux cacher son jeu.

On dit, on dit, on dit ! Il est sans doute jaloux, le Suédois. Inquiet, aussi. Et si la reine avait succombé aux avances du prince cardinal Louis de Rohan, membre de l'Académie française, séducteur accompli et grand libertin devant l'Éternel ?

Il se trompait.

La reine détestait souverainement ce quinquagénaire « dont le regard vert, dit un témoin, ensorcelait les jeunes, les vieilles, les laides et les belles ».

Elle le haïssait depuis qu'il avait fait courir le bruit, à la cour de Vienne dix ans plus tôt, du vivant de sa mère, qu'elle avait été du dernier bien avec le comte d'Artois et qu'il avait même fourni force détails croustillants sur leur liaison.

Aujourd'hui, avide de rentrer en grâce, de devenir l'éminence du royaume, voire l'amant en titre de la reine, Rohan avait décidé de frapper un grand coup.

En couvrant de bijoux la femme qu'il convoitait.

Des pierres dont les feux seront comme les premiers éclairs de la Révolution.

Au vrai, il y a là tous les ingrédients d'un bon roman policier : deux ou trois malfaiteurs dont une garce qui n'hésite pas à faire du « X » quand il le faut ; deux vieux commerçants respectables qui se font détrousser au coin d'un bois comme des enfants de chœur ; un notable prêt à tout pour faire une carrière politique et assouvir ses pulsions sexuelles ; et une célébrité faisant régulièrement la une des journaux à scandale.

Tout éclate le jour où Boehmer, le bijoutier de la Couronne installé rue Vendôme, fait savoir à la reine qu'il tient à sa disposition le plus joli collier du monde.

— Cette parure de diamants est faite pour la plus grande et la meilleure des reines, la flatte-t-il.

Il n'ignorait pas que Marie-Antoinette adorait les rivières étincelantes. Quelques années plus tôt, elle avait acheté deux bracelets de trois cent mille livres et, tout récemment, des girandoles de six cent mille livres que

Louis XVI avait acquittées en plusieurs versements pris sur sa cassette.

— C'est fini, répond-elle au joaillier, je n'aime plus les diamants ! Je n'en achèterai plus de ma vie !

Déception de Boehmer, qui comptait pouvoir enfin se séparer de ce fabuleux « collier en esclavage » de cinq cent quarante pièces d'une pureté exceptionnelle et d'un poids total de deux mille huit cents carats. Collier qu'il avait confectionné autrefois, avec son associé Paul Bassenge, à l'attention du Bien-Aimé qui aurait voulu le glisser sur la gorge nerveuse de Mme du Barry.

Pour cause de mort du roi, la vente avait capoté.

Depuis lors, les deux célèbres égriseurs avaient vainement tenté de placer leur chef-d'œuvre dans toutes les cours d'Europe. Il est vrai qu'ils en voulaient tout de même un million six cent mille livres !

La bagatelle de six millions d'euros !

— Je suis sûr qu'en insistant la Reine finira par céder, confie alors Boehmer à son collègue. Il suffirait peut-être de trouver un intermédiaire qui parviendrait à la convaincre.

Et quelque temps plus tard – le 1er août de 1785, précisément – le bijoutier se représentait à Versailles.

— Je viens chercher l'argent que la reine doit me donner, dit-il à Mme Campan venue l'accueillir.

— De l'argent, monsieur Boehmer ? Il y a longtemps que nous avons soldé vos derniers comptes, je crois.

— Comment, madame ? Sa Majesté ne vous en a pas informée ? Elle me doit encore quinze cent soixante-dix mille livres.

— Vous avez perdu la raison, monsieur ! Et pour quel objet la reine vous devrait-elle cette somme exorbitante ?

— Pour mon collier, madame, pour mon collier.

— Votre collier ? Ne vous a-t-elle pas dit clairement, il y a des lustres, qu'elle n'en voulait pas, que c'était une dépense excessive, qu'avec cette somme-là le roi pourrait entreprendre la construction d'un navire de guerre ?

— Elle a dû revenir sur sa décision sans vous mettre dans la confidence, madame, car depuis lors, elle l'a fait acheter par Mgr le cardinal de Rohan.

— Le cardinal de Rohan ? Cela m'étonnerait, il n'y a pas d'individu plus en défaveur que lui à la cour, en ce moment.

— Alors, dans ce cas, pourquoi ce monsieur m'aurait-il déjà fait remettre trente mille livres en premier acompte, de la part de Sa Majesté ?

Informée quelques heures plus tard de cette histoire extravagante, Marie-Antoinette crut défaillir. Son sang ne fit pas trois tours, il n'en fit qu'un.

— Il faut, s'énerva-t-elle indignée, il faut que les menteurs soient démasqués ; quand la pourpre romaine et le titre de prince ne cachent qu'un besogneux et un escroc qui ose compromettre l'épouse de son souverain, il faut que la France entière et l'Europe le sachent !

Or, en l'occurrence, le cardinal de Rohan n'avait cherché à escroquer personne. Surtout pas Marie-Antoinette qu'il espérait tant séduire.

En réalité, il avait été lui-même la victime d'une supercherie de haute volée.

À l'origine de ce coup de Jarnac, il y avait une jolie petite comtesse blonde aux yeux bleus, Jeanne de La Motte-Valois, qui prétendait descendre d'un fils naturel de Henri II et possédait une aguichante chute de reins ainsi qu'une poitrine délicieusement dessinée.

139

Mais trop peu fournie.

— Hélas ! oui, songeait un connaisseur contemporain, chez elle la nature s'était arrêtée à moitié de l'ouvrage, et cette moitié faisait regretter l'autre.

À l'époque où Louis de Rohan l'avait rencontrée – en 1784 –, comme elle était perdue de dettes, Jeanne faisait commerce de ses charmes, fussent-ils peu pulpeux. Pour tout dire, elle gagnait sa vie à être connue ! Aussi, un jour où il était tourmenté par le terrible désir de la nature, le cardinal libertin avait sans doute eu l'occasion de vérifier *de visu et tactu* si ce que l'on disait « des mamelles de la Motte » était vrai. À la suite de quoi, la comtesse peu farouche était rapidement devenue sa confidente. Et quand il lui avait avoué que son unique rêve était de rentrer en grâce auprès de Marie-Antoinette – et plus si affinités –, elle avait flairé la bonne affaire.

— Quelle chance vous avez de m'avoir rencontrée, lui avait-elle déclaré à cet instant, son regard bleu subitement allumé de malice. Saviez-vous que la reine, ma cousine, m'honore de son amitié et fait souvent secrètement appel à moi pour ses missions les plus délicates ?

Trop heureux, Rohan la crut.

Il était aussi naïf qu'ambitieux. Ne s'était-il pas déjà entiché d'un fameux aventurier italien, occultiste et guérisseur, qui prétendait avoir découvert l'élixir d'immortalité et la pierre philosophale ? Le prélat était bien convaincu, en effet, que son ami Giuseppe Balsamo, alias le comte de Cagliostro, était capable de fabriquer de l'or et d'enfler les pierres précieuses.

Quelques jours plus tard, lors d'une nouvelle entrevue, la coquine comtesse lui annonça :

— Je la vois demain. Je lui parlerai de vos bons sentiments. Mais une idée m'est venue : il serait bon, d'ores et déjà, que vous fassiez un geste pour ses œuvres de charité. Sa cassette personnelle est vide, je le sais. Cela ne pourra que l'attendrir.

Trop heureux, Rohan paya.

Ensuite, il ne s'écoula guère plus d'une semaine avant que Jeanne de La Motte-Valois le retrouvât en criant victoire.

— Je lui ai parlé, elle consent à vous pardonner. Elle m'a simplement dit qu'il serait bon que vous lui adressiez, par mon intermédiaire, un petit mot de justification.

Trop heureux, Rohan le rédigea.

Et le jour où il eut sous les yeux une réponse signée « Marie-Antoinette de France », il crut défaillir de bonheur.

Pour être sûr de ne pas rêver, il la lut et relut à haute voix :

« Je suis charmée de ne plus vous trouver coupable. Je ne puis encore vous accorder l'audience que vous désirez. Quand les circonstances le permettront, je vous en ferai prévenir. Soyez discret. »

Et quand Cagliostro lui raconta qu'il avait distingué le profil de la reine dans une carafe d'eau claire, ce qui, selon lui, signifiait la consécration suprême, il ne douta plus de porter un jour la simarre écarlate et d'entrer dans l'histoire, par la grande porte, tel un nouveau Richelieu ou un Mazarin *bis*.

Peut-être aussi se voyait-il déjà se glissant par la petite porte d'un des boudoirs intimes de Trianon, avant d'inonder la reine de caresses, de celles que Louis XVI n'avait jamais été très expert à prodiguer ?

— Nous avons gagné ! exulta la pseudo-descendante de Henri II à la fin du mois de juillet. Sa Majesté accepte de vous rencontrer à la nuit tombée, dans le parc de Versailles, le 11 août prochain !

Trop heureux, Rohan faillit s'évanouir.

Mais entre-temps, la rouée n'avait pas gardé les deux pieds – qu'elle avait d'ailleurs fort menus – dans la même bottine. Elle avait en effet demandé à son mari d'aller errer nuitamment dans les jardins du Palais-Royal, qui étaient devenus une manière de bois de Boulogne avant l'heure, pour y lever une « caillette de mœurs légères » dont les traits pouvaient rappeler ceux de la reine de France.

Or, n'eût été sa croupe un peu trop ondulante, Marie Nicole Leguay, rencontrée sous les arcades, ressemblait étrangement à l'épouse de Louis XVI.

Un rapport de police rédigé à cette époque le confirme : « La Leguay est une fille entretenue, âgée d'environ vingt-six à vingt-sept ans, grande taille, de l'embonpoint sur les parties charnues, le visage à la romaine, le col assez long, d'assez belles dents, celles de devant fort larges, les cheveux blonds, les yeux bleus, les lèvres un peu avancées… »

Une véritable Habsbourg !

— Voulez-vous gagner quinze mille livres ? lui proposa Jeanne, toutes affaires cessantes.

Autant dire le pactole pour une « entretenue » qui tournait alors à dix ou douze livres la galanterie.

— Il vous suffira, une nuit, de vous asseoir sur le banc que je vous indiquerai, sur une des terrasses de Versailles, et d'attendre qu'un grand seigneur vienne vous y retrouver. Vous n'aurez rien d'autre à faire que de lui tendre une lettre accompagnée d'une rose et de lui glisser cette simple phrase à l'oreille : « Vous savez ce que cela veut dire. »

Et la nuit du 11 août de 1784 arriva.

Car c'était cette date qui avait été choisie pour l'aboutissement de la grande entourloupe.

Il est à peine minuit. Le silence qui s'est abattu sur le parc du château est à peine troublé par le clapotis des bassins. Louis de Rohan, le grand aumônier, le chapeau rabattu sur le visage, s'approche lentement du bosquet de Vénus, non loin de l'escalier des Cent Marches, où Elle lui a fixé rendez-vous.

— À l'heure indiquée, racontera-t-il plus tard, je vis paraître une femme avec une coiffe noire, tenant un éventail à sa main, avec lequel elle tenait sa coiffe qui était baissée. Je crus, à la clarté des étoiles, reconnaître distinctement la Reine. Je lui dis que j'étais heureux de trouver dans sa bonté une preuve qu'elle était revenue des préventions qu'elle avait eues contre moi. En m'offrant une rose, elle me répondit quelques mots ; et comme j'allais m'expliquer, on vint l'informer que Madame et le comte d'Artois étaient à deux pas d'elle. Alors, elle me quitta brusquement et je ne la vis plus.

Jusqu'au soir du 11 août, le cardinal était crédule ; dès lors, convaincu d'avoir entendu palpiter le cœur de la reine à l'ombre du bosquet de Vénus, il devint aveugle.

Vénus ! Elle sera invoquée en ces termes, quelques dizaines d'années plus tard, dans *La Belle Hélène* d'Offenbach – sur un livret de Meilhac et Halévy :

— Dis-moi, Vénus, quel plaisir trouves-tu à faire ainsi cascader-cascader-cascader la vertu ?

— La déesse m'a promis l'amour de la plus belle femme du monde, non ? ajoutera Pâris, fils de Priam, dans le même opéra bouffe.

Rohan et Pâris, même combat !

> *Oui, c'est un rêve,*
> *Oui, c'est un doux rêve d'amour !*
> *La nuit lui prête son mystère…*
> *Goûtons sa douceur passagère,*
> *Ce n'est qu'un doux rêve d'amour…*

Dans le mystère de la nuit et du doux rêve d'amour, le cardinal avait donc été suprêmement mystifié.

Et il continuera de l'être longtemps.

— La Reine vous a-t-elle dit qu'elle avait besoin de quelques milliers de livres pour ses pauvres ? lui demanda la comtesse Jeanne à l'issue de ce rendez-vous nocturne.

— Non, elle n'en a guère eu le temps, la faute au comte d'Artois. Mais vous allez lui faire parvenir ce qu'elle demande. Je peux compter sur vous, n'est-ce pas ?

Et on dit que dans les jours qui suivirent, chez les La Motte, qui avaient jusqu'alors tous leurs meubles au mont-de-piété, le train de vie changea singulièrement.

Avec l'irruption du sieur Laporte, la filouterie allait prendre des proportions gigantesques.

Le bonhomme Laporte, qui connaissait bien, lui aussi, les tout petits tétons de la fausse comtesse, avait un beau faciès de pendard. Par son beau-père, le procureur général aux requêtes Louis-François Achet, il était informé de tout ce qui se passait sur la place de Paris. C'est ainsi qu'il avait appris que Boehmer et Bassenge avaient sur les bras la riche pièce d'orfèvrerie que l'on sait, dont ils peinaient à se séparer et qui grevait dangereusement leur trésorerie.

— J'ai une idée, lui dit alors Mme de La Motte après qu'il lui eut rapporté ce potin émanant de la rue Vendôme.

Et quelques jours plus tard, le cardinal de Rohan, qui était alors en déplacement en Alsace, recevait cette lettre signée « Marie-Antoinette de France » : « Le moment que je désire n'est pas encore venu, mais je hâte votre retour par une négociation secrète qui m'intéresse et que je ne veux confier qu'à vous. La comtesse de La Motte vous dira de ma part le mot de l'énigme... »

Puisque l'épouse de Louis XVI avait « hâte de son retour », l'homme à la mitre quitta Strasbourg à bride abattue, bondit immédiatement chez Jeanne, y fut initié et, sans plus attendre, il se précipita chez les joailliers.

— Je suis autorisé à traiter avec vous dans « le plus grand secret », leur confia-t-il. Le collier est pour la reine. Il sera réglé à raison de quatre versements de quatre cent mille livres chacun. La première échéance est fixée au mois d'août [de 1785], les trois autres versements s'échelonneront ensuite tous les six mois que Dieu fait.

Et il entra immédiatement en possession du collier... qu'il s'empressa de remettre à la chère Jeanne.

Pour qu'elle allât le porter au château.

B. et B. auraient peut-être pu se méfier, non ?

Non. Car leur interlocuteur avait en main toute une liasse de feuillets qui avaient été signés et approuvés par « Marie-Antoinette de France ».

Évidemment, dans les semaines qui ont suivi, les ciseleurs de la rue des diamantaires furent un peu surpris d'apprendre que la reine ne portait toujours pas leur chef-d'œuvre de deux mille huit cents carats.

Avant d'être franchement étonnés, au matin du 1er août de 1785, quand ils reçurent la visite d'un Rohan venu leur annoncer – pièces manuscrites à l'appui – que la grande dame de France demandait un délai de trois mois pour le premier versement. Et ce n'étaient pas les trente-cinq mille petites livres déposées dans leur sébile par le grand aumônier – pour couvrir les intérêts – qui allaient les satisfaire.

Le 1er août de 1785 !

C'est le jour, on s'en souvient, où Boehmer aux abois se présentait à Versailles pour réclamer son dû et où Mme Campan le renvoyait dans ses foyers en le prenant pour un mythomane.

Mais alors ? Qu'était devenu ce « collier de la reine » qui n'appartint jamais à la reine ?

Eh bien, Jeanne de La Motte, aidée de son mari et du sieur Rétaux de la Villette, un de ses multiples amants, qui était aussi habile à « l'initier à des jeux subtils et savoureux » qu'à contrefaire l'écriture de Marie-Antoinette, l'avait consciencieusement démonté, « mis en pièces et lopins » pour pouvoir en faire ses choux gras.

Très gras !

Le premier coup de tonnerre éclata le lundi 15 août suivant.

Quelques minutes avant que le cardinal de Rohan ne commençât de célébrer l'office de l'Assomption, Louis XVI le convoqua dans son cabinet. Son épouse venait de lui raconter le « racket » dont elle avait été la victime.

— Je ne comprends pas, s'insurgea le prélat en soutane de moire écarlate et en rochet de dentelle, la reine en personne m'a chargé d'acheter ce collier ! Elle m'y a autorisé par un écrit signé de sa main.

— Il ment ! hurla Marie-Antoinette qui assistait à l'entretien au côté des ministres Breteuil, Vergennes, et de Miromesnil, le garde des Sceaux. Vous mentez, oui ! Moi qui ne vous ai pas adressé la parole depuis votre retour de Vienne ! Moi qui affiche en toute occasion pour vous le froid le plus glacial et l'éloignement le mieux caractérisé ! Moi qui n'ai jamais voulu vous accorder les audiences que vous m'avez demandées avec une opiniâtreté hardie !

— La signature de Sa Majesté, « Marie-Antoinette de France », ne vous a pas semblé suspecte ? demanda le comte de Vergennes. Vous seriez bien le seul, à la cour, à ignorer que les reines ne signent que de leur nom de baptême.

— Je vois bien, répondit Rohan consterné, que j'ai été cruellement trompé. Je paierai ce collier. L'envie que j'avais de plaire à Votre Majesté m'a fasciné les yeux. Non, je n'ai vu nulle supercherie et j'en suis fâché.

— Et moi je ne serais pas fâché que l'on vous mît sous les verrous, lança alors le baron de Breteuil qui détestait l'ecclésiastique.

À cet instant, Louis XVI échangea un regard avec son épouse. Il comprit immédiatement qu'elle était, elle aussi, favorable à une arrestation du cardinal énamouré. Aussi donna-t-il l'ordre au duc de Villeroi, le capitaine des gardes, de se saisir de l'homme en habits pontificaux.

Direction la Bastille !

Trois jours plus tard, à Bar-sur-Aube, on mettait la main sur Jeanne de La Motte-Valois.

Et l'on apprit qu'elle était bel et bien une descendante de Henri II. Par la cuisse gauche. Quatre générations la séparaient en effet de son ancêtre Henri de Saint-Rémy, un fils que le beau roi ténébreux avait fait un jour, comme par mégarde, à la petite Nicole de Savigny.

Ayant reconnu cet héritier, Henri II s'était évidemment attiré les foudres de Diane de Poitiers, sa belle maîtresse en titre. Il avait trouvé très vite le moyen de se faire pardonner en oubliant les Saint-Rémy, qui ne tardèrent pas à tomber dans la panade.

À un tel point, on l'a vu, que Jeanne, dans les veines de qui coulait donc un peu du sang des Valois, en avait été réduite à s'acoquiner avec des malfrats.

Quelques jours plus tard, Louis XVI recevait une lettre du cardinal emprisonné. Il lui demandait de comparaître devant le Parlement afin d'être jugé dignement. Toutefois, il achevait son courrier en laissant au roi le choix de décider de son avenir : « Si je pouvais espérer que les éclaircissements qu'on a pu prendre et que j'ignore eussent conduit Votre Majesté à juger que je ne suis coupable que d'avoir été trompé, j'oserais alors vous supplier, Sire, de prononcer selon votre justice et votre bonté... »

En clair, si le roi reconnaissait tout simplement que Rohan était « un grand innocent », « un grand benêt pourpré », on éviterait un procès public.

— Comment ? s'emporta Marie-Antoinette aveuglée par la vengeance. Non, je désire que cette horreur et tous ses détails soient bien éclaircis aux yeux de tout le monde.

Ce que reine veut...

L'affaire fut donc envoyée devant le Parlement, avec ouverture du procès à la date du 22 mai de 1786.

Et ce fut la catastrophe.

Pour Marie-Antoinette !

Parce que les parlementaires, « les robins frondeurs », furent trop ravis de pouvoir humilier la Couronne.

Et dix jours plus tard, le cardinal, par vingt-six voix contre vingt-deux, se voyait entièrement « déchargé de toute espèce d'accusation ».

Le soir même, en quittant la Bastille, il fut acclamé par la foule.

— Vive le cardinal innocent ! Vive le Parlement !

À la même heure, à Versailles, outragée, Marie-Antoinette pleurait à gros bouillons.

Pour tenter de la consoler, Louis XVI ordonna que Rohan quittât Paris dans les trois jours et qu'il se retirât dans son abbaye auvergnate de La Chaise-Dieu, sise entre Brioude et Craponne-sur-Arzon.

— J'espère qu'il n'y verra que très peu de monde, ajouta-t-il.

Or, c'était maladroit.

D'ailleurs, il ne se passa guère que quelques jours avant que tout Paris ne se mît à clabauder :

> Le Parlement l'a purgé,
> Le Roi l'a envoyé à La Chaise !

Quant à Jeanne, la Valois, elle fut condamnée à être fouettée publiquement, marquée au fer rouge, sur les deux épaules, de la lettre V, V comme voleuse, et à demeurer derrière les barreaux jusqu'à ce que mort s'ensuive.

Un témoin, le père Pingré, a décrit l'exécution de la sentence.

« Ce fut atroce, dit-il. Maintenue à genoux par six forts bourreaux, elle se défendait comme une lionne, des pieds, des mains, des dents et de telle façon qu'on fut obligé de couper ses vêtements et jusqu'à sa chemise, ce qui a été de la plus grande indécence pour tous les spectateurs. Quand on parvint enfin à la plaquer au sol, à plat ventre, pour presser le fer incandescent sur ses épaules, elle eut un tel soubresaut qu'elle parvint à se retourner et que le deuxième *V* fut appliqué en grésillant sur son sein. »

Évanouie, elle prit alors le chemin de la Salpêtrière, cet « énorme entassement de vies malsaines, de souillures de tout genre ».

La Salpêtrière d'où elle s'évadera dix mois plus tard.

Mystérieusement.

On sait qu'elle parviendra à rejoindre l'Angleterre, qu'elle y retrouvera son mari, et y publiera des Mémoires pour tenter vainement de se justifier.

Elle aurait pu couler des jours sereins au bord de la Tamise puisqu'en se sauvant à Londres, le comte de La Motte avait emmené avec lui la jolie petite cargaison des cinq cent quarante pierres taillées par Boehmer et Bassenge.

Elle aurait été ainsi bien remboursée de la méchante marque imprimée sur sa jolie petite gorge.

Mais non, bientôt, dans un accès de folie, elle se jeta par une fenêtre.

Folie ou remords ?

À moins que quelqu'un ne l'ait aidée à se défenestrer ?

Comme dans tout bon roman policier qui se respecte.

Pendant ce temps, au château, Marie-Antoinette est de nouveau enceinte.

Et de son côté, le sieur Fréteau de Saint-Just consigne dans son Journal : « Grande et heureuse affaire ! Un cardinal escroc, la Reine impliquée dans une affaire de faux… Que de fange sur la crosse et sur le sceptre ! Mais quel triomphe pour les idées de liberté ! »

11

Le bon temps de la soupe aux choux

Le dimanche 21 juin de 1786, le roi quitte la reine.

Ce même jour, au matin, en sentant son petit sein rôtir sous le fer rouge, Jeanne de La Motte-Valois n'avait pu s'empêcher de hurler :

— C'est elle qui devrait être ici, à ma place ! C'est la reine, la voleuse !

Marie-Antoinette, une voleuse ?

Oui, estimaient alors les Parisiens qui demeuraient persuadés qu'elle avait manigancé toute l'affaire du collier ; qui se montaient la tête avec les millions honteusement versés à son frère, sans compter les folles dépenses du château de Saint-Cloud acheté aux Orléans. Tout cela au moment où Calonne, le ministre des Finances, avouait qu'il touchait le fond de la caisse. Que le royaume n'avait plus un sol vaillant.

Il avouait même cent millions de déficit !

— C'est elle, la responsable ! insistaient les gorges chaudes. C'est elle « Madame Déficit » !

La haine ne lâche pas aisément sa proie.

Mme Campan, la première dame de chambre, avait alors surpris la reine allongée sur son lit et pleurant à chaudes larmes.

— Voulez-vous que je vous fasse apporter un peu d'eau de fleur d'oranger ? Cela vous apaisera.

— Non, si vous m'aimez, laissez-moi… Que leur ai-je donc fait ? Ce sont des monstres… Il vaudrait mieux me donner la mort…

Elle sombrait dans le désespoir et le roi n'était pas là pour la consoler.

Il était parti !

Toutes ces histoires l'avaient-elles irrité au point qu'il ait eu envie de claquer la porte ?

Non, s'il s'était éloigné de Versailles, c'était pour aller faire un périple en province. Un de ces voyages qu'affectionnent les présidents de la Ve République lorsqu'ils veulent prendre le pouls de « la France d'en bas » et tenter de se refaire une santé dans les sondages.

Louis XVI avait choisi la Normandie.

Il avait eu envie d'aller visiter les nouvelles installations portuaires de Cherbourg. Et puis, cette excursion était la bienvenue, elle allait lui changer les idées.

Mais la reine ?

Il était hors de question qu'elle fût du voyage. On ne roule pas sur le pavé quand on est entrée dans le dernier mois de sa grossesse.

Vingt-sept accompagnateurs, un équipage de cinquante-six chevaux, et fouette cocher !

À Caen, qui était alors la dix-septième ville du royaume, la réception fut extrêmement chaleureuse. On ne mollit pas sur les « Vive le roi ! ».

— Pourquoi reçois-je ici des témoignages d'amour auxquels je ne suis pas habitué ? demande Louis XVI à deux de ses compagnons de route, les maréchaux de Castries et de Ségur, lesquels ne savent évidemment que répondre et préfèrent baisser le front. Je vois bien qu'il faut que l'on m'ait fait une fort mauvaise réputation, à Versailles !

Le soir même, on atteint Cherbourg. Il est près de minuit. À cette heure-là, Marie-Antoinette broie des idées plus que noires.

Le lendemain, dès l'aube, le roi se dirige vers les chantiers où il doit inaugurer la nouvelle digue. Il n'hésite pas, alors, à prendre place dans un canot, et tant pis s'il macule son habit de goudron. À la mer comme à la mer ! S'il est venu en Cotentin, ce n'est pas pour parader, c'est pour apprécier de ses propres yeux l'état de relèvement de la flotte et la qualité du grand port qu'on va enfin pouvoir lui donner.

Il semble très à l'aise, aussi, à bord du *Patriote,* où il commente la manœuvre avec une rare pertinence.

— Où nous mènerait ce vent ? interroge-t-il.

— En Angleterre, sire, répond M. de Rions.

— Oh ! J'irais volontiers ! Les Anglais ne me recevraient pas mal et, dans ce pays-là, on ne trompe point les rois !

Nouveau silence de son auditoire.

Un peu plus tard, il ajoutera pourtant :

— Je n'ai jamais mieux goûté le bonheur d'être roi que le jour de mon sacre et... depuis que je suis à Cherbourg.

Hélas ! il faut bientôt rentrer.

Nouvel arrêt à Caen, sur la route du retour, les 26 et 27 juin, où il est prévu de poser la première pierre d'une nouvelle caserne. En réalité, en voulant la sceller, le roi la brisa. Cette aventure l'amusa beaucoup. À table, le soir venu, la duchesse d'Harcourt fit servir d'incroyables plateaux garnis de sucreries en forme de vaisseaux, pour rappeler le beau périple de Cherbourg.

Le dimanche 28 juin, neuvième et avant-dernière journée de sa randonnée provinciale, direction Honfleur, l'estuaire de la Seine, et fouette, cocher ! On roule vers Rouen. Louis y est formidablement acclamé. Le canon du vieux palais tonne de minute en minute et toutes les cloches carillonnent allégrement.

Toutes ?

Non, le bourdon de la cathédrale vient de se fêler, et il émet un tintement horriblement dissonant.

— C'est un mauvais présage, murmurent alors quelques Rouennais superstitieux.

De son côté, totalement insensible aux fausses notes, le roi se réjouit.

— L'amour de mon peuple retentit jusqu'au fond de mon cœur, jugez si je ne suis pas le plus heureux roi du monde.

Le lendemain, aux abords de Saint-Germain, l'accueil étant plus frais, il fera remarquer à son entourage :

— Ah, il y a des signes qui ne trompent pas, je m'aperçois que j'approche de Versailles… Mais j'en sortirai plus souvent, et j'irai plus loin que Fontainebleau !

Sa prochaine expédition, hélas ! ne le mènera que jusqu'à Varennes…

Pendant ce temps, Marie-Antoinette s'est contentée de voyager autour de sa chambre.

Vu son état, avec sa mine de déterrée, ses yeux rougis et son ventre aussi rond que tendu, elle n'a pas souhaité se montrer dans la plus petite des soirées. Pas un seul après-

midi elle ne s'est rendue à Trianon. Peut-être même a-
t-elle oublié Fersen ? D'ailleurs il est si loin de Paris…

Et puis il y eut le dimanche 9 juillet.

Au matin, en se levant, elle sut que ce jour-là serait
celui de la naissance de son quatrième enfant. Très tôt,
elle avait ressenti les premières contractions. Mais comme
elles étaient très espacées, elle se rendit à la messe comme
si de rien n'était. Ensuite, elle déjeuna d'une miette de
veau, prit un bain et alla s'allonger.

Avec une consigne à ses dames de compagnie : qu'on la
laisse en paix. Elle ne voulait plus de cohue, plus de
tumulte, plus de voyeurs.

L'enfant vint au monde en fin d'après-midi.

Avec précipitation, le maître de cérémonie annonça la
bonne nouvelle – la très bonne nouvelle ! – à la multitude
rassemblée sur la terrasse.

— Il s'agit d'un petit prince !

On applaudit, on lança des vivats.

Puis, deux minutes à peine s'étant écoulées, après
qu'un quidam fut venu le tirer par la manche et lui chuchoter quelques mots à l'oreille, l'homme de l'étiquette
reprit :

— Pardon, il s'agit d'une petite princesse.

Alors les cris de joie firent place à un lourd murmure de
désappointement.

Et pendant ce temps, Louis XVI consignait sur son
journal de bord : « Couches de la Reine à sept heures
trente. Naissance de Marie Sophie Hélène Béatrix. Baptême tout de suite. Archiduc Ferdinand, Élisabeth, parrains. Ni compliments, ni feu d'artifice, ni Te Deum. »

Toujours aussi exalté, le cher Louis !

Alors qu'il pouvait être drôle, quand il le voulait.

Comme ce jour, par exemple, où il avait croisé le maréchal de Richelieu dans les couloirs de Versailles et l'avait chaudement félicité en lui lançant, moqueur :

— Mes compliments, monsieur le maréchal, j'apprends que la duchesse votre épouse serait grosse ?

Or, Richelieu, qui venait de se marier pour la troisième fois (avec la veuve d'un lieutenant général irlandais, la jeune Mme de Rothe à la trentaine sémillante), était alors âgé de quatre-vingt-quatre ans.

Mais il avait encore la repartie fort gaillarde :

— Ah, je ne sais pas, sire, lui avait-il répondu, on ne m'en a point informé. À moins que ce ne soit d'hier soir ? Ou de ce matin, peut-être ?

Une autre fois, rencontrant le marquis de Bièvre, qui passait pour un fin lettré et pour une manière de précurseur de l'almanach Vermot, Louis XVI, hilare, lui avait demandé :

— Monsieur de Bièvre, vous qui savez tout, pourriez-vous me dire de quelle secte sont les puces ?

Courtisan jusqu'au bout des doigts, Bièvre avait admis son ignorance et s'était résolu à donner sa langue aux chiens.

Alors Louis XVI, triomphant, lui avait expliqué, en partant d'un formidable éclat de rire :

— Eh bien ! Monsieur le marquis, elles sont de la secte d'Épicure ! Vous comprenez… *des piqûres* !

— Très drôle, sire. Mais Votre Majesté voudrait-elle me permettre à mon tour une question ? De quelle secte sont les poux ? Sa Majesté hésite ? Eh bien, voyez-vous, sire, ils sont de la secte d'Épictète. *Des pique-têtes !*

Le cher marquis de Bièvre, prince du calembour.

C'est lui qui, au fond de son parc, avait fait installer un large banc entouré de six ifs plantés à la Le Nôtre. Quel endroit charmant pour y entraîner les jeunes femmes à qui il voulait faire un brin de cour !

— Eh bien voilà, leur disait-il quand elles s'asseyaient sur la pierre ombragée, vous êtes arrivées à l'endroit... *décisif*!

Quand il avait appris que le ciel du lit de Calonne – le ministre des Finances aux caisses vides – s'était détaché pendant son sommeil et lui était tombé sur le corps, il s'était écrié :

— Juste ciel !

Au moment de mourir, en exil, à Spa, en 1789, Nicolas de Bièvre trouvera encore la force de faire un mot :

— Je m'en vais de *c'pas*, murmurera-t-il avant de rejoindre l'au-delà.

— Le pauvre, lui qui n'aimait déjà pas l'eau d'ici ! aurait pu ajouter Alphonse Allais en digne fils spirituel du marquis.

À cette époque, les nombreuses lettres anonymes que reçoit Marie-Antoinette ne sont pas du même ton. Elles sont même franchement ordurières. Comment se fait-il, d'ailleurs, qu'on les laisse parvenir jusqu'à elle alors que tout est si protégé, surveillé, filtré, au château ? Quelques personnes bien intentionnées, sans doute. Quand elle les parcourt, elle est secouée de crises de nerfs. Même à Versailles, elle sent peser sur elle comme un climat de menace.

Un soir où elle se rend à l'Opéra, elle est accueillie par une bordée de sifflets.

« Quoique cette insolence ne pût provenir que de quelques fous ou d'hommes abominables, elle en fut extrêmement affectée », confie Bachaumont.

Une autre fois, au Théâtre-Français, quand Joad, dans *Athalie*, lance sa tirade :

Confonds dans ses conseils cette reine cruelle ;
Daigne, daigne, mon Dieu, sur Nathan et sur elle,
Répandre cet esprit d'impudence et d'erreur,
De la chute des rois funeste avant-coureur

il est acclamé avec une telle fièvre qu'elle se sent obligée de quitter la salle. Ainsi, on la prenait pour Jézabel !

Alors elle déclara qu'à l'avenir, lorsqu'elle viendrait au spectacle, seule sa suite serait admise et elle exigerait que l'on fermât les portes aux étrangers.

Quelle vie !

On ne pouvait plus entrer dans sa loge ? Restait l'extérieur de la porte, sur laquelle, un jour, elle trouva placardée une feuille où un « ami » avait griffonné à la hâte : « TREMBLEZ, TYRANS, VOTRE RÈGNE VA FINIR ! »

Il était loin, l'heureux temps où on la voyait à toutes les représentations du théâtre de la ville de Versailles, que dirigeait Mlle Montansier. Elle y avait même fait retenir à l'année une baignoire d'avant-scène et, accompagnée alors de la princesse de Lamballe, venait régulièrement y entendre un petit opéra ou une joyeuse comédie. *Les Moissonneurs* était l'opérette qui l'avait divertie par-dessus tout. Elle pouvait se souvenir qu'un soir la soupe aux choux que les acteurs mangeaient en scène remplissait d'un si bon fumet sa baignoire qu'elle avait osé interrompre la représentation pour demander la permission de prendre part au repas.

Depuis ce soir, c'était devenu une tradition : chaque fois qu'un théâtre donnait *Les Moissonneurs*, on réservait la part de la reine.

Années d'insouciance !

Durant ces années-là, elle se lamentait seulement de n'avoir pas d'enfants, lesquels aujourd'hui se mettaient aussi à la tourmenter.

Il ne se passa pas un an, par exemple, avant que sa dernière fille, Sophie, ne rendît à Dieu sa toute petite âme. Née le 9 juillet, elle mourut en effet le 19 juin suivant.

Et que dire du dauphin, qui s'étiolait de jour en jour ?

Aujourd'hui, un médecin diagnostiquerait une tuberculose osseuse, le terrible mal de Pott.

— Je suis inquiète pour lui, confie-t-elle alors à son frère Joseph. Quoiqu'il ait toujours été faible et délicat, je ne m'attendais pas à la crise qu'il éprouve. Sa taille s'est dérangée, et pour une hanche, qui est plus haute que l'autre, et pour le dos, dont les vertèbres sont un peu déplacées en saillie.

— Il est effrayant à voir, ajoute le marquis de Bombelles. Courbé comme un vieillard, il ouvre des yeux mourants au milieu d'un teint livide. S'il réchappe, il restera rachitique.

Il ne fallait donc pas être grand chiromancien pour prédire que cet enfant-là ne porterait jamais la couronne.

Le cadet, en revanche, lui était une douce consolation. Il fallait voir comme il pétillait d'énergie, le petit duc de Normandie, le Chou d'Amour.

Il débordait de tendresse, aussi, car il ne se passait pas un matin sans qu'il vînt très tôt, en catimini, déposer au chevet de sa mère, pendant qu'elle sommeillait encore, un petit bouquet de fleurs cueillies dans les jardins de Versailles.

On connaît cette scène, aussi, qui se déroula à Saint-Cloud : Marie-Antoinette s'était installée à la harpe et elle fredonnait. Le futur petit Louis XVII l'écoutait en rêvant, les yeux clos.

— Ah, pour le coup, le voilà endormi ! lança alors Madame Élisabeth, faisant irruption dans la salle.

— Non, ma chère tante, répondit le garçonnet en se redressant. D'ailleurs, peut-on dormir quand on entend maman Reine ?

Marie-Antoinette sourit.

Le sourire lui seyait bien.

Et elle n'allait pas tarder à le retrouver plus souvent, puisqu'on annonçait le retour en France du cher Rignon.

Mais dans le même temps on annonçait aussi l'ouverture des États généraux…

12

« La vérité sur notre amour… »

On raconte qu'à cette époque-là, un après-midi, alors qu'il chassait en forêt de Rambouillet, Louis XVI vit subitement un de ses écuyers bondir vers lui.

Que se passait-il ?

L'homme était porteur d'un paquet de lettres.

— Je les consulterai quand je serai de retour dans mon cabinet, rien ne presse. Je ne vais quand même pas laisser échapper un daguet nerveux pour une poignée de papiers !

— Il s'agit de lettres anonymes, Majesté.

— Ah !

Alors, Louis mit pied à terre et, en soupirant, il s'empara de la liasse. Comme il n'avait pas ses lunettes de myope sur lui, il approcha les feuilles de son visage jusqu'à les toucher du bout de son gros nez. Puis il s'assit dans l'herbe.

Et l'on put voir que, à mesure qu'il parcourait les feuillets, ses yeux se remplissaient de larmes.

Puis qu'il sanglota pour de bon.

Tant pis pour ses serviteurs, il ne parvenait plus à se contenir.

Car les lettres qu'il avait là, dans ses mains et sous les yeux, accusaient clairement son épouse d'entretenir des relations adultères avec Fersen.

Et quelle précision dans les détails !

Le pauvre homme en fut si bouleversé qu'il demanda même à regagner Versailles en voiture.

Les détails ? Il était question du château de Saint-Cloud, qui offrait un accès plus discret que la résidence royale officielle ; et de son pavillon, au fond du parc, baptisé le « pavillon de la Félicité ».

Tout un programme !

Simplement vêtue d'une robe blanche légère, comme celles qu'elle aimait à porter, naguère, dans les allées de Schönbrunn, la reine y accueillait l'homme venu du Nord. Elle lui confiait ses angoisses, lui seul savait les apaiser…

Une légère robe blanche ! Cette fois, à la Félicité, Marie-Antoinette n'était pas enfouie sous une pyramide de soie piquée d'or, sous des grappes de rubans entrelacés et savamment noués, sous des jupons de dentelle piquetés de mille épingles…

D'autres détails, encore ? Le corbeau faisait aussi allusion à un petit logement, à Versailles, dans lequel Rignon avait demandé à Joséphine de vouloir bien faire aménager une niche pour qu'on pût y glisser un poêle.

Est-ce qu'un soldat suédois se serait adressé ainsi à une reine de France, lui aurait demandé, à la bonne franquette, de veiller à l'aménagement de son deux-pièces, s'il n'avait été du dernier bien avec elle ?

Non, une telle intimité dans le ton ne pouvait exister que si l'on avait affaire à deux amants.

— Il faut bien l'admettre, observait alors la comtesse de Boigne qui était à l'affût de tous les potins de la cour, la

162

reine eut peut-être une faiblesse… oui, il n'était guère douteux pour les intimes qu'elle n'eût cédé à la passion de M. de Fersen. Lui, il ne respirait que par elle et toutes les habitudes de sa vie étaient calculées de manière à la compromettre le moins possible. Aussi, cette liaison, quoique devinée, n'a jamais donné de scandale.

Le roi lui-même ne le souhaitant pas.

Quel mari complaisant !

Avait-il réellement cru à la sincérité de son épouse, lorsqu'il lui avait posé la question de confiance et qu'elle lui avait répondu, en l'embrassant sur ses deux grosses joues et en laissant papillonner ses beaux yeux :

— Il n'y a rien entre M. de Fersen et moi. Rien que de l'amitié. Il est l'ami le plus fidèle qui nous reste. Mais si vous le souhaitez, je ne le reverrai plus.

La belle habile !

« Il y a des femmes qui se jettent à votre cou comme elles se lanceraient à la tête d'un cheval, pour vous faire croire que vous êtes emballé », sourira Sacha Guitry, qui un jour offrira le rôle de Marie-Antoinette à sa dernière épouse, Lana Marconi, dans *Si Versailles m'était conté*. « Il y a aussi des femmes dont l'infidélité est le seul lien qui les rattache encore à leur mari », ajoutera-t-il.

On connaît la dernière entrevue de la reine et de Fersen – de Lana Marconi et de Jean-Claude Pascal –, que Sacha a admirablement mise en scène :

MARIE-ANTOINETTE. – Dieu sait pourtant que je t'aime ! (*Elle approche son douloureux visage de celui du Suédois. Fersen lui tend sa bouche. Elle lui tend les lèvres.*) Personne, jamais, ne connaîtra la vérité sur notre amour ?

FERSEN. – Personne. Jamais.

(*Et l'on ne verra pas si leurs lèvres se joignent.*)

163

LA VOIX DU CONTEUR. – Et personne, jamais, n'a su la vérité.

Alors que tout le monde la connaissait !

Les Américains à Paris n'étaient pas dupes, si l'on en croit par exemple l'ambassadeur Gouverneur Morris, qui confiera un jour de 1791 :

— Pour la première fois depuis mon arrivée en France, je rencontre le comte de Fersen, dont tout le mérite consiste à être l'amant de la reine. Il a l'air d'un homme épuisé…

Les Anglais de Westminster en étaient convaincus, eux aussi, de même qu'on savait à quoi s'en tenir dans toutes les cours d'Italie, à Naples, à Turin ou à Gênes, ainsi qu'en Suède où les étudiants d'Uppsala publieront même, en 1811, un long poème titré *La Fersiade*, dans lequel ils ne laisseront planer aucun doute quant aux coquineries royales de l'homme qui avait présidé un temps leur université :

Qu'il ait profité de sa virilité, personne honnêtement
ne peut le nier,
Ni qu'il était général et décoré
Pour le mérite, bien sûr, qui était alors dans tout son éclat argenté.
Antoinette elle-même a ceint son front de lauriers
Pour toutes les heures de félicité qu'elle a trouvées dans ses bras.

Et quand on songe qu'aujourd'hui, en France, on en est encore à douter de cette belle histoire d'amour ! Ils sont rares, en effet, les spécialistes du XVIIIe siècle qui ont admis ou admettent que l'Autrichienne et le Suédois ont pu se connaître bibliquement, se distribuer quelques-unes de ces

164

caresses brûlantes que réprouve la morale judéo-chrétienne.

À cela il existe sans doute une explication.

Si Marie-Antoinette était morte en batifolant à Trianon ou en buvant une coupe de champagne, ou encore en disputant une folle partie de trictrac, voire paisiblement dans son lit, les Français auraient sans doute été plus enclins à lui accorder le droit d'avoir fait quelques folies de son corps, d'avoir tout simplement perpétué la tradition des jolies reines volages du temps des Capétiens directs ou des Valois.

Mais il y a eu la guillotine !

Et, inconsciemment peut-être, comme en manière de rachat, comme pour expier le crime commis par les fanatiques de 1793, ils se sont systématiquement employés à la coiffer d'une auréole.

Sans doute pour que l'expression consacrée « vierge et martyre » pût prendre toute sa valeur.

Noircie de son vivant, la malheureuse victime méritait bien d'être blanchie *post mortem*, voilà tout.

On faisait tout de même moins de faux-semblants, à la cour, dans l'entourage des deux amoureux. Jusqu'à Talleyrand, par exemple – qui passe pourtant pour un hypocrite consommé –, qui était convaincu que Louis XVI portait une paire de cornes que n'aurait pas eu à lui envier un des grands vieux cerfs du bois de Verrières !

Et, à défaut d'un bon pied, il avait l'œil vif, cet homme qui traversera brillamment tous les régimes tourmentés, de Louis XV à Louis-Philippe.

— Si vous le souhaitez, je ne le reverrai plus, avait déclaré Marie-Antoinette à son pauvre mari rentré précipitamment de la chasse, les yeux rougis.

Louis XVI s'était alors fâché.

— Non, je ne me laisserai pas influencer par cette nouvelle machination. Il n'est pas question, dans un tel déchaînement de malignité, que vous vous priviez d'un tel ami et je ne vois aucun inconvénient à ce qu'il poursuive ses visites au château.

Il est vrai que si le roi avait dû prendre le grand air de la calomnie au pied de la note !

Ne disait-on pas que le comte d'Artois était le géniteur du dauphin, M. de Coigny celui de Madame Royale et Fersen le père du petit duc de Normandie ?

Et le responsable du faux germe, alors ?

Il est vrai, aussi, qu'au XVIIIᵉ siècle, surtout dans la noblesse, l'amour conjugal était exceptionnel. Mieux, les époux se devaient presque d'être adultères ! Évidemment, pour des raisons dynastiques, un roi était tout de même en droit d'exiger que sa femme fût fidèle, mais avec deux fils vivants, Marie-Antoinette pouvait estimer qu'elle avait bien rempli ses devoirs de propagatrice de la race des Bourbons.

L'adultère était monnaie courante, alors, dans l'aristocratie ?

— Oui, répond le spirituel duc de Nivernais, un des ambassadeurs de Louis XVI, qui avait aussi été colonel du régiment Limousin, c'était une époque où l'on a tous plus ou moins servi dans le même corps !

Le duc de Nivernais – alias Louis Jules Barbon-Mancini-Mazarini – fut un temps follement épris d'une grande dame de la cour. Quand on lui demanda :

— Mais puisque vous l'aimez, pourquoi ne l'épousez-vous pas ?

Il répondit :

— J'y songe bien, mais une chose m'arrête : si je l'épouse, où passerai-je mes soirées ?

Nivernais était d'une courtoisie consommée avec la reine. Un jour où celle-ci s'étonnait qu'il n'y eût aucune légende sur une médaille portant d'un côté un portrait de la Vierge Marie et son propre visage au revers, le vieux duc qui assistait à la scène expliqua :

— Quand on verra la figure de Marie, reine du ciel, on dira : *Ave Maria* ; quand on verra celle de Marie, reine de France, on ajoutera *gratia plena*.

Comme c'était bon à entendre !

Car les louanges commençaient à se faire denrée rare.

« C'est vrai, écrit d'ailleurs Fersen à son roi Gustave III à la date du 27 décembre de 1787, la reine est assez généralement détestée, on lui attribue tout le mal qui se fait et on ne lui sait pas gré du bien. »

Mais elle ne se laisse pas abattre.

Pas encore !

— Je triompherai des méchants en triplant le bien que j'ai toujours tâché de faire ! annonce-t-elle alors à la princesse de Lamballe, avec laquelle elle a resserré les liens d'affection qui s'étaient un peu distendus durant les heures de gloire de Mme de Polignac.

Mais rien n'y fera.

Elle aura beau se démener, en fondant une Société maternelle, par exemple, dans le but de « sauver la vie et l'état à beaucoup d'enfants et de restituer à la nature, aux devoirs et à l'humanité un grand nombre de mères que la misère égarait » ; en incitant le roi à rappeler Necker – bien qu'elle le détestât ! – pour reprendre un portefeuille des Finances laissé tout dépenaillé par ses prédécesseurs Calonne et Loménie de Brienne ; en priant sa modiste Rose Bertin de vouloir bien mettre la pédale douce sur son métier et de raccommoder ses jupons, ses chemises et ses manteaux quand cela était possible plutôt

que de lui en tailler de nouveaux ; en demandant la suppression de la pension du directeur général de la poste aux
Chevaux – Polignac ! – et celle du grand fauconnier, tout
se révélera pis que mieux.

— Ces restrictions sont de véritables spoliations, s'énervera Besenval. Comment peut-on vivre dans un pays où
l'on n'est pas sûr de se réveiller le lendemain avec ce que
l'on possédait la veille ! Cela ne se voit qu'en Turquie,
madame !

Donc, Versailles gronde.

Paris et la province aussi, mais pour d'autres raisons :
parce qu'il est question d'augmenter les impôts, parce que
le pain est de plus en plus cher.

Et si le pain renchérissait, c'était parce que la farine,
devenue rare, était elle-même hors de prix ; la faute à la
planète, qui ne connaissait sans doute pas de radoucisse-
ment à cette époque, puisque depuis quelque temps les
hivers étaient sibériens et les printemps ne parvenaient pas
à réchauffer la terre.

« C'est vrai, écrira alors à Necker le brave curé de
Caligny, dans l'Orne, les campagnes connaissent une
situation tragique. Ici, personne n'a plus de bois, plus de
pain. On ne peut plus moudre de grains. Dans certains
endroits, les roues des moulins sont gelées. Les autres, par
le peu d'eau, ne moulent presque plus. Il faut aller jusqu'à
quatre lieues chercher des moulins et les chemins sont
comblés de neige ramassée par la force de l'air. Il faut
porter son grain sur son corps. Les vieillards ont presque
tous succombé au froid. Il est mort, aussi, une infinité
d'enfants. Les malheureux habitants, après avoir brûlé leur
petite provision de bois, ont brûlé tous les arbres fruitiers
qu'ils avaient et ensuite leurs meubles. Les provisions

168

s'épuisent, on craint beaucoup pour l'avenir. Dans les villes, on fait de belles choses parce qu'elles sont habitées par les riches, mais grand Dieu ! Toute la misère tombe sur ces malheureux peuples de campagne ! »

Pour l'instant, Marie-Antoinette n'est pas encore mise au banc des accusés, citée à comparaître comme responsable du climat polaire, mais ça viendra.

Axel est là, heureusement, qui ne s'éloigne jamais trop de Versailles.

Si le roi Gustave le rappelle en Suède où gronde la révolte des sénateurs, sous prétexte d'affaires urgentes il pose son congé annuel. Comme il ne peut évidemment pas vivre maritalement vingt-quatre heures sur vingt-quatre auprès de la reine, certains soirs il lui arrive de soupirer devant sa sœur Sophie :

— Dieu, que je suis heureux d'être ici ! Mais si seulement je pouvais la voir ! Alors rien ne manquerait à mon bonheur.

Cela étant, chassez le naturel il revient au galop, quand il estimait que ses belles amours royales étaient un peu trop « restreintes », il lui arrivait de passer sa fantaisie sous d'autres ciels de lit.

Sous celui d'Eleonora, par exemple, une brûlante aventurière italienne « aux yeux d'onyx, à la peau de satin blanc et à la chevelure d'ébène », qui était « aussi voluptueuse que sensuelle ». Il est vrai qu'elle avait du métier, la belle Eleonora Franchi ! Fille d'un costumier du théâtre de Lucques, elle avait déjà connu les assauts du duc de Wurtemberg, les étreintes nerveuses de Joseph II et les vieilles caresses d'un barbon irlandais, un certain Sullivan, qui était même devenu son mari officiel et l'avait emmenée aux Indes.

Ensuite, à Manille, elle avait succombé au charme d'un nommé Quentin Craufurd, un homme qui était « beau comme Crésus » et qui l'avait rapatriée à Paris pour la loger dans un superbe hôtel de la rue de Clichy.

Un hôtel qui n'eut bientôt plus de secrets pour Axel.

Marie-Antoinette se doutait-elle des infidélités de son sémillant chevalier servant ?

L'amour rend aveugle, dit-on.

Fersen n'était pas le seul à soupirer pour les beaux yeux de la reine. Et il fut en mesure de le constater, un soir où ils se promenaient tous deux tendrement dans les allées de Trianon.

Soudain, là, derrière un arbre, le bruit d'une branche cassée.

— Qui va là ?

Fersen bondit aussitôt.

— Qui êtes-vous ?

Agenouillé au pied d'un noyer d'Amérique, il découvrit un vieil homme étrangement fagoté. Avec des cheveux tout embroussaillés, une barbe d'ermite, une cravate nouée de guingois et des bottines qui n'avaient pas été décrottées depuis des lustres, le vieillard ressemblait à un gueux. Comme Axel lui intimait sèchement l'ordre de déguerpir, lui expliquant qu'il n'avait rien à faire à cet endroit, dans les jardins de la reine, qu'il ferait mieux de se rendre dans un bureau de bienfaisance, Marie-Antoinette s'interposa.

— Laissez-le en paix, c'est le vieux Castelnau, je le connais. C'est mon éternel amoureux. Il est fou, sans doute, mais il n'est pas dangereux. Il rôde ici du matin au soir, il cherche à m'apercevoir mais il ne s'approche jamais de moi. Laissez-le. Même s'il m'ennuie, je ne veux pas

170

qu'on lui ravisse le bonheur d'être libre. Louis a voulu le faire enfermer, je m'y suis opposée.

Puis, se tournant vers le triste sire, d'un petit geste de la main, elle lui fit signe de s'éloigner.

Ce qu'il fit sans dire un mot, après s'être incliné fort révérencieusement.

Il restait donc au moins deux hommes encore pour aimer la reine à la veille de l'ouverture des États généraux.

Deux hommes fous d'amour.

Un jeune et un vieux.

13

« Plus de larmes que de pain »

Au printemps de 1789, Marie-Antoinette donne le sentiment d'avoir retrouvé la confiance et la tranquillité. La princesse de Lamballe en est le témoin privilégié.

— Je pars dans l'instant avec la bonne Élisabeth pour les jardins de Trianon. M. de Jussieu doit venir les visiter. J'y ai fait de grandes plantations nouvelles. J'espère bien, ma chère Lamballe, que j'aurai la consolation d'y aller avec vous la prochaine fois. Nous sommes assez tranquilles dans ce moment, le bourgeois et le bon peuple sont bien pour nous. Adieu, mon cher cœur, je vous embrasse.

Pour les deux femmes, c'est l'époque de l'amitié retrouvée. Les tendres liens se sont resserrés, qui ne se dénoueront plus. Marie-Thérèse de Lamballe a su adroitement profiter de la mauvaise humeur que la reine ressentait alors envers la Polignac, que l'on disait de plus en plus vénale et licencieuse.

— Voulez-vous parier qu'elle couchera avec le dauphin ? ironisait-on.

— Elle couchera avec qui elle voudra !

Coucher avec le dauphin ! Avec ce pauvre petit bonhomme de sept ans qui devait être à cent lieues de s'imaginer que l'on misait sur la Polignac pour le déniaiser !

Pauvre petit prince, dont l'état empirait de jour en jour.

— Il était déchirant, comme une ombre pâle que la mort guettait, soupira un jour la comtesse de Lâge de Volude venue le visiter en compagnie de la surintendante. Quand nous sommes arrivées, on lui faisait la lecture. Il avait eu la fantaisie de se faire coucher sur un billard ; on y avait étendu des matelas. Nous nous sommes regardées, la princesse de Lamballe et moi, avec la même idée que cela ressemblait au triste lit de parade après la mort.

Il était évidemment hors de question que le souffreteux pût se montrer lors des cérémonies du lundi 4 mai.

Le lever de rideau de la Révolution !

Avant l'ouverture officielle des États, le protocole avait en effet prévu que tous les députés défilent en une lente procession depuis l'église Notre-Dame, à Versailles, jusqu'à celle de Saint-Louis, au château.

Allongé sur un tas de coussins moelleux disposés sur le balcon de la petite Écurie, le pauvre valétudinaire rabougri devrait se contenter d'apercevoir le cortège.

Alors que sa mère allait se retrouver dans le feu de l'action.

Pour l'occasion, Marie-Antoinette avait revêtu un superbe habit violet pailleté d'or et une jupe blanche filée d'argent.

De leur côté, tous les députés du Tiers État, un cierge à la main, avaient adopté un uniforme noir et austère.

Mais aussi, quel étonnant cortège ! Et bien malin eût été celui qui aurait pu deviner que tous les derniers rois de France étaient réunis, là, autour de Louis XVI. À commencer par le ventripotent duc de Provence qui allait devenir le podagre Louis XVIII. À son gros côté paradait le fringant comte d'Artois, le futur orgueilleux et réactionnaire Charles X ; le jeune duc de Chartres, l'opportuniste, qui chasserait un jour ses cousins Bourbons du trône pour diriger la France pendant dix-huit années sous le nom de Louis-Philippe, cheminait un peu plus loin. Quant au petit bonhomme qui avait l'air de s'ennuyer mortellement, c'était le duc d'Angoulême, le fils aîné du comte d'Artois, celui qui, au matin du 2 août de 1830, à Rambouillet, après l'abdication de son père, régnerait pendant deux minutes, le temps d'une signature, sous le nom de Louis XIX.

Donc, on défile.

Et, alors que Louis XVI est follement acclamé, son épouse n'a droit qu'à un silence « injuste et sacrilège », comme le notera un témoin.

Si le « micro trottoir » avait alors existé, on aurait sans doute recueilli ce genre de propos haineux :

— La voilà, cette drôlesse d'Antoinette ! Elle n'est pas restée dans son Trianon avec ses moutons et ses poules ?

— Ses poules ? Tu veux dire la Polignac, la Lamballe et compagnie ?

— Avec ses coqs, aussi ! Coigny, Rohan et les autres !

— Il paraît que les murs de sa chambre sont tapissés de diamants !

— Et pourquoi elle ne porte pas de cierge, elle ?

— Elle saurait pourtant comment s'en servir !

— Vous voulez dire que ça lui permettrait de faire amende honorable ?

— Tiens, voilà le duc d'Orléans ! Lui, c'est un homme bien ! Vous savez qu'il a annoncé son intention de rejoindre les rangs du Tiers État ! Ça mérite tout de même qu'on l'acclame !

— Vive le duc d'Orléans ! Orléans à jamais !

Marie-Antoinette reçut ce cri de la foule comme une gifle sèche. N'était-ce pas Orléans, son ancien compagnon de plaisirs, qui commanditait contre elle, aujourd'hui, depuis le Palais-Royal, les pamphlets les plus cruels et les chansons les plus obscènes ?

Alors, subitement, en portant la main à son front, elle blêmit. Une défaillance, un malaise ? Dans l'instant, Mme de Lamballe se précipita vers elle. Non, laissez, ce ne sera rien. Sous le bandeau de diamants orné de roses et de plumes de héron, sa tête s'était déjà redressée, courageuse et altière.

Mais elle n'était pas au bout de ses peines.

Car ce fut bientôt au tour de Mgr de La Fare, l'évêque de Nancy, de tonner du haut de la chaire de l'église Saint-Louis contre les gaspillages et le luxe outrancier de la Cour. Tous les regards ne se tournèrent-ils pas vers elle, lorsqu'il vitupéra :

— C'est sous le nom d'un bon roi, d'un monarque juste, sensible, que ces misérables exacteurs exercent leur barbarie !

Elle tressaillit de nouveau en pinçant ses jolies lèvres.

— « Mais cette fois, elle parvint à conserver son sang-froid le plus intrépide », observa Mme Campan.

Avant de craquer dès son retour au château.

Où elle fut prise d'une crise de nerfs si violente qu'elle en brisa même les attaches de ses bracelets de diamants.

— Ces indignes Français ! Ces indignes Français ! hurla-t-elle en tambourinant ses coussins.

— Dites plutôt *indignés*, madame, lança alors la tante Adélaïde, la vieille narquoise qui ne manquait jamais une occasion de verser un peu d'huile sur le feu.

Le lendemain, même scénario.

Pour l'ouverture solennelle des États, dans la salle des Menus-Plaisirs, le roi fut vivement applaudi, ainsi que son cousin Philippe d'Orléans devenu l'« idole de la populace » depuis qu'il avait fait ami-ami avec les élus du Tiers de sa province.

— Ici encore, pas une voix ne s'éleva pour la reine, observa le gouverneur Morris, l'ambassadeur des États-Unis à Paris.

Mais cette fois Marie-Antoinette ne vacilla pas.

Et si son visage était empreint d'une infinie tristesse, ce n'était pas sous le coup de ce nouveau camouflet, c'était à l'idée de savoir son fils agonisant à Meudon, où elle avait décidé de le faire soigner parce que l'air y était moins chargé d'humidité qu'à Versailles,

Le soigner ? Avec des médecins d'une nullité absolue, qui l'accablaient de cautères et de vésicatoires ?

La cérémonie à peine achevée, elle bondit dans un carrosse pour aller le retrouver.

— Ce pauvre enfant lui fendait le cœur, s'émut Mme de Lage de Volude qui assistait aux retrouvailles. Il était d'une tendresse extrême pour elle. Il l'a suppliée de dîner dans sa chambre… Elle a avalé, hélas, plus de larmes que de pain.

Alors, au diable les États, ce jour-là elle prit la décision de ne plus quitter le chevet du malade, devenu méconnaissable tant son visage était couvert de bouffissures.

Dans l'après-midi du 3 juin, alors qu'il peinait à respirer parce que, selon la Faculté, « sa poitrine s'était remplie de sérosités », en entendant les sanglots de sa mère que son gouverneur, le duc d'Harcourt, tentait de couvrir en toussotant, Louis Joseph Xavier François trouva encore la force de murmurer :

— Éloignez-vous, monsieur le duc, afin que j'aie le plaisir de voir pleurer ma mère.

Selon l'étiquette, en effet, une reine n'était pas autorisée à verser sa larme en public. Même devant le presque cadavre de son fils ! La mort d'un prince royal ne devait être qu'une formalité.

« Le plaisir de voir pleurer ma mère ! » C'était trop beau ! Il n'en fallut pas plus pour que les mauvaises langues fissent leurs choux gras de ce dernier bredouillage du petit mourant, allant jusqu'à répandre la rumeur que le pauvre gosse avait reproché à sa mère de ne l'avoir jamais aimé.

Une marâtre ! Et de là à affirmer qu'elle avait empoisonné son fils, il n'y avait qu'un pas.

Qui fut bientôt franchi.

Le petit Bourbon qui aurait dû être l'héritier de la couronne de France s'éteignit le 4 juin, à une heure du matin.

Son rapport d'autopsie – le fatal procès-verbal d'ouverture, comme on disait alors – nous apprend que le triste martyr avait « les vertèbres cariées, bombées et déviées, les côtes arquées et les poumons adhérents… ».

Et on aurait voulu que la Polignac initiât ce mort vivant aux plaisirs de la chair !

14

Le Jeu de paume

Le vendredi 12 juin, la dépouille du feu dauphin est descendue dans la crypte de Saint-Denis.

Le 13, Necker s'efforce d'expliquer au roi et à son épouse qu'il serait bon que les trois ordres se réunissent en assemblée générale.

— Il y va de l'intérêt du royaume, sire.

— Vous n'y pensez pas, s'arc-boute Marie-Antoinette, qui pressent que cette réunion-là prendra vite des allures d'Assemblée nationale avec la fin de la monarchie traditionnelle à la clef.

Le 15, le tonitruant Mirabeau enthousiasme ses amis du Tiers en hurlant qu'ils sont les seuls véritables représentants du peuple.

Le 17, sur proposition de l'abbé Sieyès, les députés du Tiers État se constituent en Assemblée nationale.

C'était couru.

Le 18, Necker tente à nouveau de convaincre les souverains. Cette fois, il parle d'un vote par tête, de l'égalité fiscale, du droit de tous les citoyens à accéder à n'importe quelle charge publique.

— Vous n'y pensez pas !

— Vous conserverez le pouvoir exécutif, avec droit de veto, sire.

— Cela est hors de question, blêmit Marie-Antoinette.

Le samedi 20, Louis XVI se décide à un coup de force. Il fait fermer la salle des Menus-Plaisirs où les députés du Tiers ont coutume de se réunir.

Puis il part chasser le cerf au Butard.

— Qu'à cela ne tienne, tranche alors le docteur Guillotin, allons nous réunir dans la salle du Jeu de paume !

Ils n'y compteront pas le nombre de pieds – quinze, trente ou quarante – qui rapprochait les joueurs du filet à chaque point marqué contre l'adversaire, mais ils feront une ovation à l'arbitre, en l'occurrence Mounier, le député du Dauphiné, lorsqu'il s'exclamera, monté sur une chaise et la main sur le cœur :

— Jurons tous, jurons à Dieu et à la patrie de ne jamais nous séparer que nous n'ayons fourni une constitution solide et équitable !

Avantage au Tiers.

Qui joue bientôt en double, d'ailleurs, puisque les députés du clergé arrivent en renfort.

Le roi pourra-t-il égaliser d'un coup droit, en déclarant nulle, illégale et inconstitutionnelle les décisions de l'Assemblée nationale et en décidant de faire évacuer la salle ?

— Nous ne sortirons d'ici que par la force des baïonnettes ! bondit alors le gros Mirabeau, au visage aussi rubicond que vérolé.

Jeu !

Et en regagnant sa chaise, le roi soupira :

— Ils veulent rester. Eh bien ! Foutre, qu'ils restent !

La partie reprendra le mardi 23.

Cet après-midi-là, sous les yeux de Marie-Antoinette et devant les trois ordres réunis, Louis XVI tentera un « ace » :

— Oui à l'égalité devant l'impôt, déclare-t-il. Oui à la liberté individuelle, à la liberté de la presse, à la création dans toute la France d'États provinciaux. Oui à la disparition totale du servage, à la réorganisation de la justice et des douanes, mais il est hors de question de supprimer les droits seigneuriaux et la dîme du clergé.

Chacun voit bien qu'il joue « lifté ».

Quinze-zéro.

— Si, par une fatalité loin de ma pensée, vous m'abandonniez dans une si belle entreprise, seul je ferais le bien du peuple, seul je me considérerais comme son véritable représentant.

Trente-zéro.

En clair, il annonce qu'il n'hésitera pas à dissoudre les États généraux.

Quarante-zéro.

Puis il quitte la salle, suivi de la reine qui affiche ostensiblement son plaisir.

Jeu blanc.

Comme l'étaient les drapeaux des partisans de l'équipe à la fleur de lis.

Balles neuves le 26.

Balles explosives, même, puisque, avant d'entrer sur le court, le roi a donné des ordres pour que trois régiments de cavalerie et trois autres d'infanterie – soit trente mille hommes – se rapprochent de Versailles et de Paris.

Au cas où il faudrait disperser les supporters récalcitrants.

Service « slicé », le samedi 27, quand, à la stupéfaction générale, Louis XVI ordonne « à son fidèle clergé et à sa fidèle noblesse » de se réunir au Tiers.

L'issue du match est maintenant de plus en plus indécise.

Poussé par Marie-Antoinette qui a décidé de le « coacher », le roi accepte l'idée d'assener un long « passing-shot » en fond de court.

En forme de coup d'État.

Mais, derrière sa ligne de service, Mirabeau va remarquablement anticiper.

— Éloignez les troupes de la région parisienne ! lance-t-il à l'attention du serveur. Cette concentration d'hommes en armes risque fort de précipiter les esprits les plus sages hors des limites de la modération.

— Ces troupes ne sont destinées qu'à réprimer ou plutôt à prévenir de nouveaux désordres, réplique Louis XVI, à maintenir le bon ordre et l'exercice des lois, à assurer et à protéger même la liberté qui doit régner dans les délibérations des États généraux.

Ce que le mari de la reine ignore encore, à l'heure où il monte au filet, c'est que nombre de ses équipiers ont décidé de changer de camp.

Des centaines de hussards et de dragons arrivés à Paris pour maintenir l'ordre se sont en effet mis à crier « Vive la Nation ! » et ont refusé de charger les émeutiers.

Quand ils n'ont pas jeté leurs armes et leurs munitions avant de courir vers le Palais-Royal, vers le fief du duc d'Orléans !

Et, de point en point, d'égalité en avantage, on finira par arriver au fatal 14 juillet.

Jour où Louis XVI ne se présenta pas sur le terrain. Il préféra aller courre un cerf du côté du Vésinet.

Mais il revint bredouille.

Et, sur son journal de bord, il nota : « rien ».

Jeu.

Car ce mardi-là, cinquante mille supporters du Tiers, équipés d'armes pillées aux Invalides, se sont rués vers la Bastille, la vieille forteresse de Charles V, symbole de l'arbitraire royal, en ont fait chuter les ponts-levis et sont parvenus à en faire ouvrir les portes.

Le premier bain de sang.

La nouvelle arrivera à Versailles dans la nuit.

Avec le grand maître de la garde-robe, le duc de La Rochefoucauld-Liancourt, qui bondit aussitôt au chevet du roi – qui ronflait seul – et le réveille sans ménagement en lui criant :

— Sire, sire, la Bastille est prise !

— Comment ? Que dites-vous ? La Bastille ? Prise ? marmotte Louis XVI tout ensommeillé.

— Oui, Sire, par le peuple ! Le gouverneur a été assassiné. On porte sa tête sur une pique par toute la ville.

— Mais c'est une révolte, alors ?

— Non, sire, c'est une révolution !

Jeu, set et match.

Cette nuit-là, au fond de sa soupente parisienne, à la lueur d'une bougie, un homme, un Normand venu d'Alençon, rougeaud, grosse moustache et fort en gueule, un homme qui avait été successivement marchand de fourneaux, laquais et contrôleur de billets dans un théâtre, mettait la dernière main à un article qu'il allait publier le lendemain dans son journal, *Le Père Duchesne*, tiré à cinq mille exemplaires.

— Elles vont tomber ces tours affreuses, ces tours épouvantables qu'un tremblement de terre seul pouvait remuer !

Tout le temps que durera la Révolution, cet Alençonnais aura plaisir à la commenter avec cynisme ou avec lyrisme, avec fougue aussi, mais le plus souvent avec une grossièreté inouïe.

Et le *Père Duchesne* du patriote Hébert ne sera pas la seule publication dans laquelle l'ordure régnera en maîtresse absolue.

Avec la liberté accordée à la presse, on va en effet très vite être inondé sous un déluge de feuilles plus cruelles pour la reine les unes que les autres.

Pornographiques, aussi.

Tel ce livret d'opéra proverbe intitulé *L'Autrichienne en goguette ou l'Orgie royale*, qui la met en scène en compagnie de son beau-frère le comte d'Artois :

LE COMTE D'ARTOIS (*poussant légèrement la Reine par-derrière, en lui prenant les fesses*). – Entrez donc aussi. (*À l'oreille de la Reine*) Ah ! quel cul ! qu'il est ferme et élastique !

LA REINE (*bas au comte d'Artois*). – Si j'avais le cœur aussi dur, nous ne serions pas si bien ensemble !

LE COMTE D'ARTOIS. — Taisez-vous, folle, ou je donne encore ce soir un nouveau fils à mon frère.

LA REINE. — Oh ! non, pas ça. Cueillons les fleurs du plaisir, mais n'y mêlons plus de fruits.

Les rédacteurs de ces libelles ne faisaient pas dans la dentelle. Tant dans *Les Fureurs utérines de Marie-Antoinette* que dans *Les Bordels de Lesbos*, *Le Génie de Sapho*, *Le Diable dans le bénitier*, *La Journée amoureuse ou les Derniers Plaisirs de la reine*, *Les Nouvelles du ménage royal*, ou dans *La Messaline française, ouvrage fort utile à tous les jeunes gens qui voudraient prendre un cours de libertinage*, on atteindra, en effet, la quintessence du stupre et de la fornication.

Et que dire du *Portefeuille d'un talon rouge*, d'*Antoinette dans la souricière où les matous ne peuvent pas entrer*, du *Bordel royal* ou des *Confessions*, dans lesquelles la reine n'a aucune honte à avouer :

— J'avais beau multiplier mes amoureux, rien ne pouvait apaiser la soif dont j'étais dévorée. Foutre était un besoin si grand pour moi, que je fus forcée de prendre à mon service la Jules de Polignac, la femme la plus lascive, la plus libertine, la plus intrigante et la plus fastueuse qui ait jamais existé. Adroite dans l'art de me chatouiller le clitoris, elle me fit passer des moments délicieux…

Avec *Marie-Antoinette dans l'embarras*, on ne la sent pas tellement gênée, non plus, quand le rédacteur lui fait dire :

— À dix ans et demi, entraînée par une fureur utérine que je ne pouvais réprimer, et d'autant plus étonnante qu'elle est plus rare dans les climats qui m'ont vue naître, je m'amusai successivement avec dix ou douze comtesses lombardes, florentines ou milanaises…

Quant à l'auteur de *L'Essai historique sur la vie de Marie-Antoinette, reine de France et de Navarre*, imprimé quelques poignées de jours après la chute de la Bastille, il ne lésine pas sur l'horreur en publiant cette interview imaginaire de l'épouse de Louis XVI :

— Catherine de Médicis, Cléopâtre, Agrippine, Messaline, mes forfaits surpassent les vôtres, et si le souvenir de nos infâmes horreurs excite encore le frémissement, si son affreux détail fait dresser les cheveux et verser des larmes, quels sentiments naîtront à la connaissance de ma vie cruelle et lubrique et quelles furies pourront lui être comparées ? Reine barbare, épouse adultère, femme sans mœurs, souillée de crimes et de débauches, voilà les titres qui me décorent. Ils ne me sont point prodigués par la méchanceté, l'équité me les décerne. Sans doute ils orneront un jour mon buste et, placé au temple de l'immortalité, l'univers apprendra par lui quel était le monstre infâme qui désola la France au XVIIIᵉ siècle. Et la révélation de mes fureurs atroces, attestées par la vérité, saura le convaincre de la possibilité de mon horrible existence.

Elle commence dès le 15 juillet, sa véritable horrible existence. Ce mercredi-là, la peur au ventre, à côté de Louis et des enfants royaux, le nouveau dauphin qui allait toucher ses trois ans dans quelques jours et la petite Madame Royale qui comptait neuf printemps pimpants, Marie-Antoinette est obligée d'apparaître au balcon.

Sans Mme de Polignac, la gouvernante des enfants de France.

Parce qu'elle est en train de préparer ses malles, Madame Jules !

Comme tout le monde !

Il ne se passera que quelques heures, en effet, avant que « tous les étourneaux ne s'égaillent ».

Ou que les rats ne quittent le navire, c'est selon.

Pour aller trouver refuge, qui en Italie, qui en Allemagne, en Belgique, à Londres, en Autriche, à Turin, en Suisse ou ailleurs.

Louis XVI lui-même a hésité. Devait-il quitter Versailles pour aller tenter d'organiser, loin du front et avec l'aide de ses alliés européens, une manière de contre-révolution ?

— Oui, l'avait encouragé Marie-Antoinette, soustrayons-nous à la fureur de nos ennemis. D'ailleurs les troupes ne sont-elles pas disposées à nous escorter jusqu'à Metz ? Nous y serons plus en sûreté.

— Non, avait rétorqué le maréchal de Broglie, secrétaire d'État à la Guerre. Dans l'état actuel des choses, je déclare n'être pas en mesure d'assurer votre sécurité pendant le voyage.

— Alors restons, soupira mollement Louis XVI.

Pendant que les d'Artois, Vaudreuil, Coigny, Condé, Breteuil, Castries, Lambesc, Luxembourg et les autres avalaient la poussière des chemins du royaume.

La plus belle partie de « decampativos » jamais donnée à Versailles !

Avant de monter à bord de sa voiture, Yolande de Polignac fit une dernière fois sa mijaurée :

— Je ne peux pas vous abandonner, sanglota-t-elle en se jetant aux pieds de Marie-Antoinette.

— Si, partez, mon cher cœur. Au nom de notre amitié, partez. Il est encore temps de vous soustraire à la fureur de mes ennemis. Ne soyez pas la victime de votre attachement et de mon affection.

Et la comtesse Jules ne se le fit pas dire deux fois !

La fille de l'air pour l'abbé de Vermond, également !

La princesse de Lamballe, quant à elle, refusa obstinément de boucler ses valises.

D'autant qu'à l'hôtel de Toulouse, à Paris, où elle passait quelques jours avec son beau-père le duc de Penthièvre, elle avait reçu un courrier de Versailles qui sentait fort la détresse. Un vibrant appel au secours.

— Ne perdez pas un instant pour venir me rejoindre, ma chère Lamballe. Tous mes amis fuient. Puissent-ils échapper à la fureur du peuple. La consternation et l'effroi m'environnent. Le roi cède à la dure loi de la nécessité. Il abandonne tout projet de défendre les droits de la monarchie... Une solitude affreuse nous environne ; il ne nous reste de fidèles que les gardes du corps et les suisses... Venez, mon amie, j'ai besoin de vous, j'ai besoin d'épancher dans votre cœur la douleur qui m'accablerait si mon courage et ma résignation n'étaient pas au-dessus des malheurs que j'appréhende.

Le 17 juillet au matin, le roi quitte Versailles pour Paris. Il n'a pas le choix, on l'y réclame à grands cris.

Par la fenêtre, Marie-Antoinette l'observe : il traîne les pieds, il avance péniblement vers son carrosse, « comme un condamné marche au supplice ».

Et elle a peur.

D'autant qu'un silence de mort règne maintenant sur le palais.

— Vite, commande-t-elle, que l'on pose des cadenas à toutes les portes de mes cabinets !

Elle tourne en rond. Une idée noire chasse l'autre. Et si Louis ne revenait pas ? Si les Parisiens lui faisaient un mauvais sort ? N'ont-ils pas déjà cruellement coupé la gorge du marquis de Launay, le gouverneur de la Bastille, avec la lame émoussée d'un tout petit couteau ?

— S'ils en font leur prisonnier, je galoperai moi-même vers Paris pour aller le délivrer, confie-t-elle à Mme Campan qui n'a pas déserté, elle non plus. Mais je prendrai d'abord la parole à l'Assemblée. Je leur dirai : « Messieurs, je viens vous remettre l'épouse et la famille de votre souverain ; ne souffrez pas que l'on désunisse sur la terre ce qui a été uni dans le ciel. » Oh, mon Dieu ! et s'ils ne le laissaient pas revenir...

Mais il revint !

Il revint à neuf heures du soir, transpirant, brisé de fatigue et contrarié. Le maire de Paris, le nommé Bailly, ne l'avait-il pas obligé à accrocher sur son chapeau la cocarde rouge et bleu de sa ville à côté de la blanche, celle de la monarchie ?

Bleu, blanc, rouge.

Le drapeau de la France moderne est donc né le 17 juillet de 1789 sur les marches de l'hôtel de ville de la capitale.

— J'ai été acclamé pendant une demi-heure à la fenêtre quand j'ai lancé à la foule : « Vous pouvez toujours compter sur mon amour ! » confia-t-il à son épouse qui l'avait accueilli, soulagée, en le couvrant de caresses.

Mais il se garda bien de lui raconter que, dans les rues de la grande ville, bordées des deux côtés par une haie de gardes nationaux armés de fusils, d'épées, de lances, de faux et de matraques, il avait aperçu quelques groupes de femmes, des poissardes sans doute, équipées de fusils elles aussi, et brandissant des affiches sur lesquelles il avait pu lire que la tête de son épouse était mise à prix.

Et pendant ce temps-là, Axel est en garnison à Valenciennes.

Et il y trépigne.

Surtout depuis qu'il a reçu ce minicourrier de Marie-Antoinette dans lequel elle lui avouait : « Ici, je pleure souvent. Tout le monde a fui. »

— Comme elle doit être malheureuse, confie-t-il alors à sa sœur Sophie. Son courage est au-dessus de tout et la rend encore plus intéressante. Mon seul chagrin est de ne pouvoir la consoler de tous ses malheurs et de ne pas la rendre aussi heureuse qu'elle mérite de l'être… Elle pleure souvent, jugez si je dois l'aimer.

Fersen était donc cantonné sur les bords de l'Escaut quand une nuit, comme emportée par un vent fou, l'Assemblée décida de saper toutes les institutions de la vieille France.

La fameuse nuit du 4 août !

— Ce fut incroyable, raconte un témoin, l'Assemblée offrait l'aspect d'une troupe de gens ivres placés dans un magasin de bibelots précieux, qui cassaient et brisaient à l'envi tout ce qui se trouvait sous leurs mains !

Des gens ivres ?

Ivres morts, même, si l'on en croit Montjoye :

— Les ducs d'Aiguillon et de Liancourt se partagèrent un nombre de députés suffisant pour qu'il pût composer la forte majorité de l'Assemblée, raconte-t-il. Ces députés, ainsi divisés en deux branches, se rendirent, les uns chez le duc d'Aiguillon, les autres chez le duc de Liancourt. Ces deux gentilshommes leur donnèrent un festin splendide et tel que Louis XIV dans les jours de sa plus grande magnificence n'en donna pas de semblables. Toutes les sortes de vins y furent versées avec une telle profusion qu'on ne compta que par tonnes (!) la consommation qui en fut faite… L'orgie dura jusqu'à neuf heures du soir et ce fut à cette heure, qu'on peut bien appeler indue, que l'Assemblée nationale commença une séance qui dura toute la nuit.

— Cette nuit-là, le pétulant patriotisme des jeunes législateurs à la mode était fort exalté par les fumées du vin et la digestion d'un long dîner, confirme Bertrand de Molleville.

— Et c'était sans compter sur les nombreux députés qui avaient bu du vin de Champagne au Palais-Royal, ajoute l'abbé Vallet.

Alors on imagine l'haleine vineuse du vicomte de Noailles quand, en titubant, il se hissa à la tribune pour mettre le feu aux poudres en proposant tout de go l'égalité devant l'impôt, l'abolition des droits féodaux et la suppression des corvées et des servitudes.

Étant lui-même endetté jusqu'au coup, il n'avait rien à perdre dans l'opération.

Et les surenchères vont aussitôt commencer.

— Supprimons le droit exclusif de la chasse ! lance l'évêque de Lubersac.

— L'évêque a raison, s'écrie alors le duc du Châtelet, qui passait sa vie à traquer le gibier, mais dans ce cas-là, on lui supprime sa dîme !

— Plus de droits de colombiers !

— Plus de droits garennes !

— Plus de banalités, ce fichu impôt sur les moulins et sur les fours à pain !

— Plus de ceci, plus de cela !

Et à trois heures du matin, après cette véritable nuit de délire, il ne restait plus rien de la vieille armature du royaume.

Bacchus l'avait bel et bien démantibulée !

« Tous les liens sont rompus ! Quelle catastrophe ! confiera alors Fersen à son père. L'abolition des droits féodaux a persuadé le peuple des provinces qu'il ne faut plus rien payer. Partout on se porte à des excès affreux contre les châteaux que l'on pille et brûle avec tous leurs papiers. On maltraite les propriétaires. Les impôts ne peuvent plus se percevoir ; les troupes sont gagnées ou séduites par l'espoir de la liberté ou de l'argent… Le clergé est comme frappé de démence, la noblesse est au désespoir, et le Tiers État est tout à fait mécontent… Il n'y a que la canaille qui règne et qui soit satisfaite, car elle ne peut que gagner. Personne n'ose plus commander et personne ne veut plus obéir. Voilà la liberté de la France et l'état où elle est à présent. Je frémis en voyant ce qui se passe et il est impossible de prévoir comment ces choses finiront. Tout cela me rend bien malheureux… L'inquisition épistolaire est extrême, au château, la reine ne peut guère écrire… »

En réalité, au fil des jours, l'ancien palais du Roi-Soleil va progressivement se transformer en camp retranché. Avec un petit millier d'hommes fidèles pour monter au créneau le moment venu.

À savoir une compagnie de gardes du corps et deux compagnies de suisses.

Ce qui ne serait pas suffisant en cas de coup dur ! Et on l'avait bien mesuré, au soir du 31 août, quand une meute de Parisiens échauffés avait voulu marcher sur Versailles pour aller s'emparer du roi et du dauphin.

S'agissant de Marie-Antoinette, leur intention était tout simplement de l'enfermer dans un cloître, à Saint-Cyr.

Dieu merci, cette fois, la garde nationale de Saint-Cloud était parvenue à les stopper au pied du pont de Sèvres.

Chat échaudé craignant l'eau froide, Louis XVI va immédiatement s'employer à faire venir le régiment de Flandre.

L'arrivée de ces renforts méritait bien un banquet. Il fut donné le 1er octobre dans la grande salle de l'Opéra de Versailles.

En présence de Marie-Antoinette qui, en parfaite maîtresse de maison, tenant son fils par la main, fit le tour de toutes les tables, distribuant ici ou là quelques petits mots gentils.

Et, à la fin du repas, elle eut droit à un tonnerre d'ovations. Enfin !

Du baume au cœur.

Mais il n'en fallut pas plus pour que, dans les quarante-huit heures qui suivirent, les journaux parisiens tels *Le Fouet national* ou *Les Actes des Apôtres* ne transforment cette chaleureuse soirée en orgie contre-révolutionnaire.

— Je vais vous le dire, moi, ce qui s'est passé ce soir-là, raconte un gazetier : la reine a donné l'ordre que l'on arrache des chapeaux la cocarde de la liberté et qu'on la foule avec mépris, puis elle a applaudi en riant à gorge déployée devant cet acte de fureur et d'aveuglement. Voilà qui est insupportable, non ?

— Oui, hurla bientôt un député de l'Assemblée, il est grand temps de ne plus nous laisser abuser par une Autrichienne en goguette, une bacchante qui a copulé avec tout un régiment de traîtres ! Et quand on songe qu'on manque de pain à Paris alors qu'on se goberge à Versailles ! La Messaline antipatriotique va bientôt avoir des comptes à nous rendre, je vous l'affirme !

La pauvre Marie-Antoinette aura sans doute été la reine la plus calomniée de l'histoire.

— C'est vrai, confie-t-elle alors à Mme Campan, pour tuer les gens, la calomnie vaut beaucoup mieux que le grain de poison, et c'est par elle qu'on me fera périr.

Le 5 octobre, pour se détendre un peu, elle décide de passer l'après-midi dans la grotte de Trianon où « un lit de mousse invitait au repos », selon l'expression du comte d'Hézecques, un jeune page de la Cour.

Mais elle ne va pas s'y éterniser.

Parce qu'un homme ne tarde pas à faire irruption et à se précipiter vers elle en lui lançant :

— J'arrive de Paris à francs étriers ! Tous les magasins d'armes ont été pillés et les enseignes des marchands de vin prises d'assaut ; cinq à six mille femmes ont quitté la capitale et elles font actuellement route vers Versailles. C'est une masse humaine, c'est un flot qui réclame du pain, qui vient chercher le boulanger, la boulangère et le petit mitron ! Je me suis d'abord mêlé aux émeutiers, je les ai abandonnés pour venir vous prévenir.

Évidemment, pour ne pas trop affoler « la boulangère », l'homme se garde bien de lui raconter que toutes ces femmes énervées, ces mégères, ces viragos armées de manches à balai ou de hachoirs à viande ne sont que des boules de haine contre « l'Autrichienne ». L'une de ces harpies ne lui a-t-elle pas déclaré, en lui montrant ses vêtements maculés de boue :

— Tu as vu comme je suis arrangée ? Mais la bougresse me le paiera cher.

Car la reine, évidemment, ne pouvait être que la seule responsable de la pluie diluvienne qui détrempait le cortège.

Une autre, en sortant de sa poche un vieux quignon moisi, lui avait lancé :

— Je vais lui faire avaler ça et après je lui couperai le cou !

Et puis il y avait cette soudarde, aussi, qu'il avait surprise en train d'aiguiser un couteau de cuisine contre une borne de pierre et qu'il avait entendue hurler :

— Comme je serais heureuse si je pouvais lui ouvrir le ventre avec ce couteau et lui arracher le cœur en fourrant le bras jusqu'au coude !

Combien d'injures et de menaces n'avait-il pas entendues en chevauchant à côté de cet horrible cortège :

— Sa peau pour en faire des rubans et son sang dans mon encrier !

— Et moi je ferai des cocardes avec ses boyaux !

— Il faut qu'elle ait le bol coupé !

— J'en aurai une cuisse !

— J'en aurai les tripes !

Marie-Antoinette questionne maintenant son visiteur :

— Qui mène cette méchante horde ?

— Un certain Maillard, un bandit qui s'est déjà tristement illustré le 14 juillet dernier à la Bastille. Mais le général La Fayette est là, lui aussi…

— La Fayette ? Le blondinet ?

— Il a été porté à la tête de la garde nationale de la capitale…

— Il joue pour lui.

— Il faut que vous quittiez Versailles au plus vite, Majesté.

— Allons voir ce qu'en dira le roi.

Et, accompagnée de Fersen – car c'était lui, le visiteur ! –, Marie-Antoinette quitta son Trianon.

Pour n'y jamais revenir.

Et pendant ce temps-là, la meute des poissardes s'approchait inexorablement du château.

— Je ne vois aucun danger à laisser cette foule venir jusqu'à vous. Elle vous aime, elle vous acclamera, estime

194

Necker, qui était sans doute meilleur banquier que psychologue.

— Allez vous réfugier à Rambouillet, conseille de son côté M. de Saint-Priest, le ministre de la Maison du roi.

— Oui, dit Louis XVI, Rambouillet, c'est une bonne idée. Allez, faites vos paquets, préparez les voitures !

Puis, après avoir tapé du pied, sautillé et pirouetté sur lui-même, il ajoute :

— Mais moi, je reste. Je ne veux pas être un roi fugitif.

— Dans ces conditions, je reste aussi, soupire Marie-Antoinette. On vient de Paris pour demander ma tête ? J'ai appris de ma mère à ne pas craindre la mort ; je l'attendrai avec fermeté… ma place est ici, près du roi, j'y resterai.

Fersen, lui, fut effondré.

Il redoutait le sort que « la populace » réservait à la femme qu'il aimait.

Effondré et impressionné.

— La contenance de la Reine était noble et digne, racontera-t-il, son visage demeurait calme et, quoiqu'elle ne pût se faire d'illusions sur tout ce qu'elle avait à craindre, personne n'y put percevoir la plus légère trace d'inquiétude. Elle rassurait chacun, pensait à tout et s'occupait beaucoup plus de ceux qui lui étaient chers que de sa propre personne. On la voyait, pendant cette soirée du 5 octobre, recevoir un monde considérable dans son grand cabinet, parler avec force et dignité à tous ceux qui l'approchaient, et communiquer son assurance à ceux qui ne pouvaient lui cacher leurs alarmes.

À minuit, quand on annonça l'arrivée de La Fayette – qui avait suivi les émeutiers plus qu'il ne les avait menés –, Louis XVI lui confia tout simplement la garde du château. Puis il ajouta :

— J'ai sommeil, je vais aller me coucher. Vous devriez en faire autant, conseilla-t-il à son épouse.

Le pauvre homme « se reposait de tout sur un général qui n'était sûr de rien », pour reprendre l'expression de Rivarol.

— Je vais passer la nuit devant la porte de votre chambre, proposa alors Fersen à la reine.

Et pourquoi pas derrière la porte ? Pour une première vraie nuit d'amour ! Quelle belle occasion !

Non, ce n'était assurément ni le lieu ni l'heure. Marie-Antoinette était à bout de nerfs et lui-même, on s'en doute, ne se sentait pas franchement d'humeur guillerette.

D'ailleurs la nuit fut courte. Très courte.

Couchée à deux heures du matin, la reine fut réveillée trois heures plus tard par des bruits de coups de fusil et des cris horribles qui montaient du rez-de-chaussée.

Et puis Mmes Auguié et Thiébaut, deux de ses femmes de chambre, firent irruption à son chevet en criant :

— Sortez du lit, madame, et ne vous habillez pas ! Sauvez-vous chez le roi, passez par l'Œil-de-Bœuf !

Alors vite, sur sa chemise de nuit elle enfila un jupon qu'elle ne prit pas le temps de nouer, elle se jeta une redingote sur les épaules et elle cavalcada, ses bas à la main, dans le corridor obscur au fond duquel résonnaient déjà les clameurs de ses poursuivants :

— Où elle est, cette sacrée putain, qu'on l'emmène au Val-de-Grâce pour la couper en morceaux ?

— On va lui fricasser le cœur et le foie à cette foutue garce !

— Il nous faut sa tête, pour la promener dans Paris !

Là, une porte. C'est celle du cabinet de toilette. Vite !
Sa vie ne tient plus qu'à un fil, elle le sait. Vite ! Pousser
cette porte.

Non.

Elle est fermée.

Elle tambourine, la reine, elle crie, elle supplie :

— Ouvrez-moi ! Sauvez-moi !

Ouf ! Quelqu'un se décide enfin à actionner la clef dans
la serrure. Et elle fonctionne bien, cette serrure-là, sans le
plus petit grincement, sans la moindre anicroche ! N'est-
on pas chez le roi dont la passion est de monter, démonter
et remonter les palastres et de graisser les pênes ?

C'est un valet de chambre qui a reconnu sa voix et qui
s'est enfin décidé à la libérer.

— Où est le roi ?

Elle sanglote, elle tremble, elle suffoque.

Pas de roi !

— Il est parti à votre rencontre !

— Et mes enfants ?

— Leur gouvernante, Mme de Tourzel, s'en est allée les
chercher.

Ah, justement, les voilà tous !

— Maman ! J'ai faim ! piaule le dauphin.

Mais sa mère ne l'entend pas. Car elle s'est discrètement approchée de la croisée et elle a vu.

— Elle a vu que la cour du château présentait un spectacle horrible, racontera Madame Royale : une foule de
femmes presque nues et des hommes armés de piques
menaçant les fenêtres avec des cris affreux.

— Vous entendez ? dit La Fayette qui vient de faire
irruption. Vous entendez, sire, ils vous réclament. Montrez-
vous, rien ne pourrait leur faire plus plaisir. Tenez, suivez-
moi.

Et, comme un automate de Vaucanson, Louis XVI se laisse mener jusqu'au balcon.

— Le roi à Paris ! Le roi à Paris !

— Mes amis, lance-t-il alors, j'irai à Paris avec ma femme et mes enfants ! C'est à l'amour de mes bons et fidèles sujets que je confie ce que j'ai de plus précieux !

— La reine au balcon ! La reine au balcon ! Antoinette au balcon !

Elle hésite.

Mettons-nous à sa place !

Et puis, dans la redingote de toile à raies jaunes qu'elle a enfilée à la hâte, le visage pâle, le cheveu défait, elle finit par s'avancer vers la foule en tenant ses deux enfants par la main.

— Pas d'enfants ! Pas d'enfants ! Toute seule !

— Rentrez, ordonne-t-elle alors au petit Louis-Charles et à Marie-Thérèse.

Et elle se retourne de nouveau vers la multitude.

Impressionnante de dignité.

Sans doute a-t-elle imaginé mourir à cet instant en voyant un fusil et deux ou trois pistolets se pointer vers elle ?

— Il y a bien eu deux coups de feu, racontera un des gardes de la compagnie du Luxembourg ; le premier a frappé un des balustres et le second a atteint le plafond d'où quelques débris sont tombés sur le comte de Neuilly.

Était-elle figée de peur ? Toujours est-il qu'elle ne bougea pas d'un pouce.

Et la foule fut impressionnée de la voir aussi crâne.

La foule qui, par essence, est d'une incroyable versatilité.

À tel point que, alors qu'une minute plus tôt elle vouait la « foutue putain » à la mort, elle s'est mise d'un seul coup à hurler :

198

— Vive la reine ! Vive la reine !

Et quand La Fayette apparut comme un diable blond jaillissant de sa boîte pour venir baiser la main de celle qui venait d'être graciée par « les poissardes ivres de fureurs et de vin », l'enthousiasme fut à son comble.

— Maintenant, ils vont nous conduire à Paris avec les têtes de nos gardes plantées au bout de leurs piques, bredouilla Marie-Antoinette en rentrant dans la salle, pâle comme un linge, à l'attention du comte de Saint-Priest.

— Oui, convint-il, Votre Majesté doit se considérer comme prisonnière et subir la loi qu'on lui impose.

— Pourquoi ne sommes-nous pas partis hier soir, comme me l'avait conseillé M. de Fersen ?

La faute à la décision du roi.

Ou à sa funeste indécision ?

15

La Belle et la Bête

Au soir du 7 octobre, soit quarante-huit heures après les événements de Versailles, un courrier tout essoufflé fait irruption au château d'Eu, la belle résidence du duc de Penthièvre plantée à un vol de goéland du Tréport, où se repose Marie-Thérèse de Lamballe.

Le brave homme a peine à trouver ses mots.

— La reine, mon Dieu, la pauvre reine, si vous saviez !

— Mais que s'est-il passé, monsieur ? Racontez, je vous prie !

— Sa Majesté a été emmenée à Paris, de force… Mais aussi, quel horrible défilé depuis Versailles jusqu'à la capitale ! Des maritornes, des soiffardes ! Oui, autour d'elle tout un cortège de pochardes fières d'arborer les têtes de quelques gardes du corps fichées sur des piques, comme des trophées… Elles étaient assises à califourchon sur les fûts des canons, les bougresses, et elles gueulaient ! Et elles ont gueulé sans se fatiguer pendant quatre lieues !

— Mais où est la reine, maintenant ? demande Marie-Thérèse.

— Aux Tuileries, ma pauvre dame !

— Aux Tuileries ? intervient le duc de Penthièvre qui connaît l'histoire de la monarchie française sur le bout du doigt. Mais ce n'est pas possible ! L'ancien palais de Catherine de Médicis n'a pas été habité depuis l'enfance de mon aïeul le Roi-Soleil ! Tout y est nu, démeublé, lugubre, froid et humide…

— Eh bien, c'est pourtant là que la reine de France attend son amie, la surintendante.

Fortaire, le fidèle valet du vieux duc, raconte qu'à cet instant la jeune princesse se réfugia dans les bras de son beau-père en sanglotant :

— Oh ! mon papa, quel horrible événement ! Il faut que je parte sur-le-champ.

— Ma fille, soupira Penthièvre, je voudrais pouvoir partir en même temps que vous, mais je ne le peux ; je ne partirai que demain et je passerai par Aumale où je coucherai. Ma santé ni mes forces ne me permettent de pouvoir aller à Paris en un jour.

À minuit, la princesse de Lamballe quittait le château d'Eu. Un gentilhomme du duc, M. de Chambonas, l'accompagnait : les routes étaient peu sûres. Le 8, tard dans la soirée, elle arrivait aux Tuileries.

En effet, le palais était dans un état lamentable.

— Le principal ameublement consistait en grandes tapisseries plutôt destinées à couvrir les marches des autels qu'à servir de tentures, selon le comte d'Hézecques. Il y avait peu de lits et les portes, quand on en trouvait, grinçaient mais ne fermaient pas.

On imagine l'intimité !

Mais on n'a pas été long à faire intervenir une légion de menuisiers, un bataillon de laveurs de carreaux, une escouade de peintres et de ramoneurs, et à ramener de Versailles de pleines voitures de vêtements, de meubles,

201

de vaisselles, de miroirs, de tableaux et de bibelots précieux pour que la résidence de la grosse Médicis pût héberger à peu près dignement « le boulanger, la boulangère et le petit mitron ».

Et l'on n'a pas tardé à poser une baignoire, aussi, car Marie-Antoinette était devenue maniaque de la propreté.

Les temps avaient bien changé, depuis son enfance viennoise où elle ne se trempait guère plus d'une fois par mois ! À Versailles, elle avait même pris l'habitude de déjeuner dans le bain.

Son meuble de toilette, transporté hâtivement aux Tuileries, était garni de flacons coiffés de bouchons d'argent, dans lesquels reposaient les différentes eaux de toilette que lui avait distillées Fargeon, son parfumeur. L'eau cosmétique de pigeon destinée à lui nettoyer la peau, par exemple ; l'eau des charmes, aussi, un tonifiant concocté « avec les larmes de la vigne qui coulent en mai », ainsi que l'eau d'ange qui blanchissait si bien le teint.

— Ce qui est sûr, c'est que l'eau de Ninon de Lenclos n'est pas faite pour vous, Majesté, lui avait dit un jour l'homme qui était aux parfums.

Avec sa galanterie coutumière, Fargeon voulait tout simplement signifier à la reine qu'elle n'avait nul besoin de cette décoction qui passait pour conserver la jeunesse.

Il l'avait baptisée du nom de la plus célèbre des courtisanes du XVIIe siècle parce que, à l'instar de Diane de Poitiers, la belle Ninon – plus belle que jolie, d'ailleurs – était demeurée éternellement désirable, même dans son extrême vieillesse.

— Plaignons les tourterelles qui ne baisent qu'au printemps, disait Mlle de Lenclos qui était persuadée que l'amour seul lui permettait de conserver sa fraîcheur.

À l'abbé de Châteauneuf qui lui avait fait, pendant quelques semaines, une cour effrénée et qui s'était étonné qu'elle lui eût accordé si tardivement ce qu'elle offrait généralement beaucoup plus rapidement, avec un malicieux sourire aux lèvres elle s'était contentée d'expliquer :

— C'est que, voyez-vous, j'ai voulu attendre de pouvoir célébrer ce soir, dans mon lit, avec vous, mon soixante-dixième anniversaire.

Il y eut sans doute comme un froid.

Aux Tuileries, le lit de Marie-Antoinette – qui vient, elle, de fêter son trente-quatrième printemps – ne connaît guère de bouleversements. D'ailleurs, depuis la naissance de son dernier bambin, elle n'entretient plus la moindre relation physique avec son mari. Quatre maternités, cela suffit. Elle estime avoir assez donné dans l'accomplissement de ce qui n'était pour elle qu'un devoir conjugal.

Et puis son gros débonnaire de roi l'énerve souverainement ! Il se plie à tout sans rechigner, il baisse les bras, il est apathique. Il accepte les humiliations comme si c'était la main de Dieu qui les lui imposait. Il signe les décrets qu'on lui présente sans trop sourciller, renonçant chaque jour un peu plus aux prérogatives de la vieille monarchie.

— L'essentiel n'est-il pas que le peuple nous aime ? disait-il avec résignation.

Ce qui contrarie par-dessus tout le père du dauphin, c'est de ne plus pouvoir chasser. Alors, quand il n'erre pas comme une âme en peine dans les couloirs des Tuileries, il se lance dans d'interminables parties de billard.

— Et lorsqu'on l'entretient des affaires, il semble qu'on lui parle de choses relatives à l'empereur de Chine, note alors un de ses ministres.

Il donne parfois l'impression d'être ailleurs.

On lui rapporte qu'Axel de Fersen vient quasiment tous les jours visiter son épouse ? Il semble s'en moquer éperdument.

Mais comme elles sont douces, les minutes d'intimité que Marie-Antoinette passe alors auprès de son amoureux ! Car il est certain qu'ils arrivent à s'isoler quelques instants, dans ce grand palais où le protocole n'est plus aussi rigoureux qu'à Versailles. Cette confidence du Suédois à sa sœur n'en est-elle pas, encore une fois, la preuve ?

— La Reine est extrêmement malheureuse, mais très courageuse. C'est un ange de bonté. Je tâche de la consoler discrètement, le mieux que je le peux ; je le lui dois, elle est si parfaite pour moi.

Et tant pis si l'on jase !

Si M. de Saint-Priest, par exemple, recommande vivement à Axel de ne pas s'attarder aux Tuileries, prétextant que sa liaison ne peut que nuire à la famille royale !

À Dieu vat ! Les amants ne peuvent se passer l'un de l'autre.

En réalité, le cher comte de Saint-Priest vouait une haine féroce au beau comte blond, depuis qu'il avait appris que son épouse légitime avait vécu avec lui quelques heures aussi crapuleuses que torrides.

Car, on le sait, le vigoureux Fersen, qui n'était pas un parangon de vertu, avait caressé plus d'une chute de reins.

Et précisément celle de la jolie Constance, la femme du ministre de la Maison du roi.

Mais quoi qu'il arrivât, Axel préférait le seul cœur de la reine aux corps de ses nombreuses maîtresses.

Le cœur de la reine ?

Il aimait tant à le sentir battre tout contre lui.

Le plus contre possible.

À ce propos, sa sœur Sophie continue d'être notre témoin privilégié. Car c'est à elle qu'au lendemain de Noël de 1789 il confie : « J'ai passé toute la journée du 24 décembre avec Elle. Une journée entière ! C'était la première fois, jugez de ma joie. »

« C'est un ange pour la conduite, le courage et la sensibilité, ajoute-t-il dans les premiers jours de 1790. Je la vois librement, chez elle, cela nous console un peu de tous les maux qu'elle éprouve… Jamais on n'a su aimer comme cela… Jugez comme je jouis. »

Il parle d'une journée entière, d'aimer librement, de jouissance…

Et l'on voudrait qu'en pleine sève trentenaire ces deux êtres épris l'un de l'autre, qui étaient tout sauf granitiques, se soient toujours contentés de se regarder dans le blanc des yeux !

Très vite, Axel caresse le projet d'éloigner de Paris la femme qu'il aime. Car depuis que l'Assemblée nationale s'est installée à la salle du Manège, à deux pas des Tuileries, la capitale est devenue une poudrière.

— Le roi Henri III effrayé par les barricades ou le jeune Louis XIV terrorisé par la Fronde ont été bien inspirés de prendre la poudre d'escampette, explique-t-il à Marie-Antoinette.

— Non, lui répond-elle, je crois que le temps ramènera les esprits.

Fersen est très lucide, pourtant, quand il affirme que « le courant révolutionnaire est irréversible », ou lorsqu'il écrit dans son bloc-notes que « le royaume de France est dans une affreuse situation, parce que ceux qui ont donné l'exemple de la désobéissance en sont les premières victimes. Résultat, les châteaux sont brûlés, les bourgeois, les ouvriers, les artisans sont ruinés et la populace est armée. N'ayant rien à perdre, elle a tout à gagner ».

Le discours prononcé par Louis XVI à l'Assemblée, le 4 février de 1790, semble apporter un peu d'eau au moulin de la reine.

— Je défendrai, je maintiendrai toujours la liberté constitutionnelle, dont le vœu général, en accord avec le mien, a consacré le principe, lance-t-il alors d'une voix émue. Je ferai davantage, et, de concert avec la reine qui partage tous mes sentiments, je préparerai de bonne heure l'esprit et le cœur de mon fils au nouvel ordre des choses que les circonstances ont amené.

À cette occasion, il est acclamé, et dans les gradins du Tiers on entend même s'élever quelques « Vive la reine ! » aussi fougueux que chaleureux.

— Depuis un an je n'avais pas connu une journée aussi délicieuse, confie alors Marie-Antoinette à son amie Mme de Lamballe.

Mais dans les jours qui suivent, la publication par l'Assemblée nationale du *Livre rouge* remet la tragique pendule à l'heure.

Ce *Livre rouge*, une manière de rapport des comptes de la Maison du roi, affiche en effet un bilan désastreux et explique tout bonnement, en conclusion, que « les véritables sources de l'immense dette de l'État [sont] le fait des prodigalités de la reine et de ses favoris ».

Un jour avec et un jour sans…

Sans, comme ce 13 avril au soir, quand des coups de feu se sont mis à claquer sur les terrasses des Tuileries. Allait-on assister à un « remake » de la terrible nuit versaillaise du 5 au 6 octobre ? Le roi, qui venait de se coucher, bondit aussitôt chez Marie-Antoinette.

Son lit était vide.

Il se précipita alors chez le dauphin. Ah ! Dieu soit loué, ils étaient là, tous les deux.

— Madame, je vous cherchais, vous m'avez inquiété.

— J'étais à mon poste, comme vous le voyez.

À l'extérieur, la fusillade n'a pas duré. Une fausse alerte.

Un jour avec que ce 4 juin, quand la famille royale se voit autorisée à aller passer la belle saison à Saint-Cloud.

Sous haute surveillance, tout de même.

La preuve en est qu'un des aides de camp de La Fayette ira même jusqu'à installer son bivouac dans l'antichambre de Marie-Antoinette.

Ce qui, selon Saint-Priest toujours aux aguets, n'empêchera nullement Fersen de continuer son « commerce coupable » avec la maîtresse de maison.

— Le Suédois s'était établi au village d'Auteuil, chez un de ses amis, d'où il se rendait à Saint-Cloud sur la brune, raconte-t-il. Je fus averti qu'un sergent des gardes-françaises, le rencontrant à trois heures du matin, sortant du château, avait été sur le point de l'arrêter. Je crus devoir en parler à la reine et lui observai que la présence du comte de Fersen et ses visites au château pouvaient être de quelques dangers. « Dites-le-lui, me répondit-elle, si vous le croyez à propos. Quant à moi, je n'en tiens compte. » Et, en effet, les visites continuèrent comme de coutume.

Une journée avec, encore, que celle de la gigantesque fête de la Fédération célébrée sur le Champ-de-Mars, sous une pluie torrentielle, un an jour pour jour après la prise de la Bastille. Ce fut même du délire à la fin du défilé, quand, ayant soulevé dans ses bras le dauphin enveloppé d'un long châle, Marie-Antoinette entendit s'élever les

207

voix de près de cinq cent mille Français venus des « quatre coins de l'Hexagone[1] » et lancer de retentissants « Vive la reine ! Vive la reine ! Vive le dauphin ! ».

Alors ? Fédération pluvieuse, fédération heureuse ? La Révolution serait-elle finie ?

Non, car en courant se renfermer à l'abri de Saint-Cloud, en fuyant tout contact avec le peuple, le roi et la reine de France vont gâcher la chance qu'ils avaient réellement, au soir du 14 juillet de 1790, de reconquérir le pouvoir.

— C'est bien vrai, confiera Barnave, le député de Grenoble qui travaillait alors à la rédaction de la Constitution civile du clergé, si Louis XVI avait su profiter de la Fédération, nous étions perdus !

Tout est calme, à Saint-Cloud, à la fin de l'été. La surveillance de la garde nationale semble même se relâcher un peu. Et si l'on en profitait pour s'évader, comme le conseille Fersen ? Non, aux yeux de Louis XVI, qui estime n'être pas captif et qui fonde alors de grands espoirs sur Mirabeau, ce n'est pas une bonne idée.

Mirabeau ! L'homme qui, le 5 octobre, a incité les poissardes au meurtre de la reine ! On croit rêver.

Mirabeau, ce nobliau débauché, franc-maçon, au visage bouffi, rubicond, et tout grêlé de petite vérole ! On croit rêver.

Mais Mirabeau avocat et orateur de génie, qui caresse maintenant secrètement le rêve de réconcilier la monarchie et la Révolution et qui se verrait bien jouer les Premiers ministres.

---

1. Cette expression est d'Edgar Faure.

Et avec l'appui de Marie-Antoinette elle-même, s'il vous plaît !

Car ce fougueux amateur du beau sexe – dans sa jeunesse il a même été condamné à mort par contumace pour rapt, séquestration et adultère – n'ignore pas que ce que femme veut…

Alors on le retrouve un soir, entre chien et loup, à Saint-Cloud où on lui a négocié un tête-à-tête avec la reine, dans le parc, sur un banc, dans l'ombre d'un vieux marronnier.

L'entrevue de la Belle et de la Bête, selon l'expression du comte de La Marck.

— J'ai vu le diable en personne, confiera Marie-Antoinette, qui n'a pu maîtriser « un mouvement d'horreur et d'effroi » lorsque l'énorme Mirabeau, immédiatement touché par son charme mélancolique, s'est lourdement effondré à ses pieds après lui avoir fait un baisemain d'anthologie.

Et le diable, alors, était tout disposé à lui acheter son âme.

— Le comte de Mirabeau m'a affirmé qu'il m'informerait régulièrement des événements et qu'il orienterait les travaux constitutionnels dans un sens favorable au pouvoir royal, expliqua-t-elle à Fersen.

— Fuyez, fuyez si m'en croyez, lui conseilla Axel, qui se méfiait sérieusement du « grand coquin » à la faconde vertigineuse.

Cependant « le Tonneau » tiendrait parole.

Il pouvait se le permettre, d'ailleurs, puisque, en échange des informations qu'il allait ponctuellement livrer à Saint-Cloud, on s'était proposé de lui éponger toutes ses dettes et de lui verser un traitement occulte de six mille livres.

La réconciliation nationale ? Le tribun exalté ne fut pas long à s'apercevoir que la tâche était quasiment insurmontable. Et on ne tarda pas à constater que son enthousiasme se dégradait au fil des notes qu'il envoyait régulièrement à la reine. Celle du 13 août, par exemple, est catastrophique :

« Quatre ennemis arrivent au pas redoublé, écrit-il ce jour-là, l'impôt, la banqueroute, l'armée et l'hiver. Il faut prendre un parti ; je veux dire qu'il faut se préparer aux événements en les dirigeant. En deux mots, la guerre civile est certaine et peut-être nécessaire. »

— Fuyez, fuyez pendant qu'il en est temps, supplie de nouveau Fersen.

Et c'est dans ce climat pour le moins malsain que la petite famille royale va devoir regagner les Tuileries, à l'automne.

Les Tuileries où La Fayette-Blondinet commence vraiment à avoir la grosse tête. Ne se voit-il pas déjà, au pis généralissime, au mieux régent, allant même jusqu'à laisser entendre à Marie-Antoinette qu'il pourrait la contraindre à divorcer sous prétexte d'adultère ! Ce qui dans l'opinion publique provoquerait un choc psychologique favorable à Louis XVI.

— Et on vous enfermera au fond d'un couvent, ajoute-t-il.

Est-ce lui, le glorieux soldat de la guerre d'indépendance des États-Unis, qui laisse alors traîner négligemment dans les couloirs du palais un assortiment de gravures licencieuses sur lesquelles on voit la reine en train de forniquer gaiement dans les bras d'un solide grenadier moustachu de la garde nationale ? Avec une légende réjouie commentant en ces termes la copulation : « Bravo, bravo, bravo ! Elle se pénètre bien de la patrie ! »

— Il faut fuir, vous m'entendez ! piaffe Fersen monté en boucle.

— Le moment est arrivé de se décider entre un rôle passif et un rôle actif, s'énerve de son côté Mirabeau.

Fuir ? Louis XVI semble s'être définitivement installé dans le refus, et de son côté la reine persiste à ne pas vouloir partir sans le père de ses enfants.

L'action ou la passivité ? Le roi est parfaitement dépassé par les événements et Marie-Antoinette ne veut toujours pas entendre parler d'une monarchie constitutionnelle.

— Je sais que c'est le devoir d'un roi de souffrir pour les autres, dit-elle, nous le remplissons bien. Puisse-t-on un jour le reconnaître. Je défie l'univers de me trouver un tort réel. J'attends de l'avenir un jugement équitable et cela m'aide à supporter mes souffrances.

Fuir ? C'est ce que font les vieilles filles de Louis XV, Madame Victoire et Madame Adélaïde, les deux survivantes de la grande époque. Adieu les Tuileries, direction Rome. Mais leur berline est arrêtée à Arnay-le-Duc et on les garde à vue le temps que l'Assemblée prenne sa décision : que faut-il faire ? s'interrogent alors les députés. Les ramener à Paris ou les laisser lentement trotter sur les chemins de l'Italie ?

— Ah çà, oui ! ironise alors un chroniqueur, l'Europe sera vraiment émerveillée quand elle saura qu'une grande chambre de législateurs a mis plusieurs jours à décider si deux vieilles dames, l'une de cinquante-neuf ans, l'autre de cinquante-huit, entendraient la messe à Rome ou à Paris !

En fin de compte, Adélaïde et Victoire seront autorisées à aller faire leurs dévotions sur les bords du Tibre.

Mais cela ne se fera pas sans conséquences fâcheuses pour les pensionnaires des Tuileries. Le 24 février de 1791, en effet, un millier de Parisiens énervés se présenteront aux marches du palais, réclamant à tue-tête la présentation du dauphin.

Car le bruit courait que les vieilles tantes du roi l'avaient camouflé dans leurs bagages pour lui faire passer la frontière.

Encore une journée de peur bleue !

— Courage, il faut fuir ! prêche désespérément Axel de Fersen.

D'ailleurs, côté Mirabeau, il n'y a maintenant plus d'espoir puisque l'épais tribun a rendu son âme au diable.

Juste au lendemain du 1er avril !

Et sans doute d'avoir fait trop d'excès, à table, au lit et à la tribune.

— J'emporte dans mon cœur le deuil de la monarchie, dont les débris vont être la proie des factieux, avait-il soupiré avant de réclamer une feuille de papier sur laquelle il avait griffonné ce mot définitif : « Dormir ».

— La Bête est morte, elle a pris le parti d'aller voir dans l'autre monde si la Révolution était approuvée, ironisa à cette occasion Madame Élisabeth, la sœur cadette de Louis XVI.

Marie-Antoinette a décidé d'aller passer les fêtes de Pâques à Saint-Cloud, où son mari pourra sans doute recevoir discrètement l'eucharistie des mains d'un prêtre qui n'a pas prêté serment à la Constitution civile du clergé.

Quelle horreur, cette nouvelle loi qui a pour ambition de ramener Dieu au niveau de l'État !

Mais non, car au matin du lundi de la semaine sainte, le 18 avril vers onze heures, au moment où elle s'apprête à quitter les Tuileries, une marée humaine déferle sur son carrosse.

— On ne passe pas ! Halte-là ! Vous ne sortirez pas de Paris !

— Avouez à présent que nous ne sommes pas libres ! lance-t-elle aux soldats de la garde nationale pendant que Louis XVI tente de parlementer en se dandinant balourdement, comme il en a l'habitude.

— Il serait étonnant que, après avoir donné la liberté à la nation, je ne fusse pas libre moi-même pour prendre simplement l'air à deux lieues de Paris, proteste-t-il mollement.

Mais pour toute réponse, il n'obtient que des injures :

— Gros cochon ! Foutue bougresse ! Affameurs ! Pourritures !

Et chacun de se réfugier au palais à grandes enjambées pendant qu'une poignée d'excités s'empare de la voiture, se jette sur les rênes, coupe les traits, et se vautre sur les banquettes.

— Fuyez ! Fuyez, je vous le demande pour la dernière fois, supplie Fersen qui vient d'assister au tragique spectacle.

Et cette fois, enfin, le roi répond oui.

— Il le désire encore plus que moi, je vous l'assure, lui murmure Marie-Antoinette frémissante. Il vous donne carte blanche, il compte sur votre zèle et votre amitié.

— Je m'occupe de tout, lui répond le comte amoureux et ivre de joie.

16

Il était une fois dans l'Est

S'occuper de tout !

Il le fallait bien, puisque tous les souverains d'Europe faisaient la sourde oreille.

— Nous sommes trop pauvres pour vous aider, avaient prétexté les Bourbons de Madrid.

— Nos caisses sont vides, s'étaient misérablement excusés leurs homologues de Naples.

La tsarine de Russie, la grande Catherine II, était, elle, trop affairée avec les Polonais.

Côté Prusse, pourquoi pas, mais à la condition d'obtenir quelques bonnes compensations territoriales, expliqua Frédéric-Guillaume II. Rien à attendre du roi de Sardaigne qui avait déjà peur de son ombre. Les Anglais ? N'en parlons pas. Louis XVI n'avait-il pas précipité leur chute au Nouveau Monde ?

L'Autriche, alors, cet empire que Léopold – le frère cadet de Marie-Antoinette – venait de reprendre en main à la mort de Joseph II, au moins de février précédent ?

— Je suis déjà en guerre contre les Turcs, contre la Russie aussi, et je n'ai pas fini de mater la rébellion des

214

Pays-Bas, atermoie le nouvel empereur, alors si en plus il faut que je me mêle des affaires de ce royaume, qui s'est dangereusement éloigné de l'absolutisme et qui a favorisé l'émergence des idées nouvelles outre-Atlantique ! Non, dit encore Léopold, j'ai une sœur en France, mais la France n'est pas ma sœur.

Or, il fallait au moins quinze millions de livres ! Pour payer des soldats, trouver des voitures, acheter des silences, fabriquer de faux papiers, en bref pour mettre sur pied le scénario de ce qui allait devenir un véritable western.

Un « eastern » plutôt, puisqu'il était question de prendre la route de la Meuse, la direction de Montmédy, précisément, où les fugitifs trouveraient des troupes à leur dévotion.

Quinze millions de livres ! Fersen fut loin du compte.

Même après avoir englouti toutes ses économies dans l'aventure, emprunté des dizaines de milliers d'assignats à de vieux amis, trois cent mille autres livres à sa généreuse maîtresse Eleonora Sullivan et réquisitionné les fonds de tiroir de son concierge !

« Eastern », roman d'espionnage et série noire à la fois.

Le premier contact d'Axel, en passe de devenir le James Bond de Marie-Antoinette, fut pris avec Louis de Bouillé, le fils du vieux marquis vétéran de la guerre de Sept Ans, un homme qui passait pour tenir son armée de Lorraine dans une main de fer.

Et sans gant de velours !

Un rendez-vous nocturne, « dans une maison très retirée au coin de la rue Matignon, faubourg Saint-Honoré », en décembre de 1790.

— Votre père est-il sûr de ses hommes ? demande d'abord Fersen.

— Il peut compter sur une dizaine de bataillons allemands ou suisses et sur une trentaine d'escadrons de cavalerie. Mais il n'y a plus rien à espérer de l'artillerie et de l'infanterie, qui sont passées à la Révolution.

— Le roi ne veut pas passer la frontière, il n'est pas question pour lui de déserter. Dans ces conditions, où croyez-vous qu'il puisse se réfugier ? À Metz ?

— Non, Metz est une ville trop grande et devenue peu sûre. Avec mon père, nous avons plutôt pensé à Montmédy, répond le fils Bouillé. C'est une petite place fortifiée et sa proximité avec la frontière nous permettra d'y rassembler des troupes sans trop attirer l'attention.

— Quand pensez-vous être prêt ?

— Pas avant le printemps.

— Si tard ? Enfin, bon, voilà qui me laisse le temps de trouver une voiture, de faire fabriquer des passeports et d'organiser la sortie des Tuileries.

— Seulement une voiture ? Ne vaudrait-il pas mieux utiliser deux de ces charrettes anglaises qui sont plus rapides et si légères ?

— Peut-être, mais la reine ne le souhaite pas. Elle ne veut pour rien au monde se trouver séparée de son Chou d'Amour, de Mousseline et de son mari. Lui, de son côté, vous le pensez bien, il ne saurait voyager comme un simple particulier.

Avant de se quitter, les deux conspirateurs convinrent encore d'un langage chiffré qui devait leur permettre de rester en relation pour la mise au point du grand projet et qui rendrait incompréhensibles leurs correspondances à quiconque ne possédait pas leur code.

On atteint d'ailleurs ici les sommets du roman d'espionnage façon Ian Fleming, Jean Bruce ou Paul Kenny.

Il s'agissait en effet d'être muni d'un ouvrage de Plu-

216

tarque, de l'ouvrir à telle ou telle page – jamais la même ! – et d'y trouver le mot déterminant la combinaison. Du grand art ! Sauf quand le malheureux Fersen oubliera – et dans sa dernière lettre, qui plus est, celle qui annonçait le jour du départ ! – de désigner le fameux mot clef. Si bien que Louis de Bouillé se grattera nerveusement la perruque toute la nuit avant de trouver enfin la bonne combine.

À la suite de cet entretien, Axel bondit quai des Quatre-Nations et se fit annoncer à la grille de l'hôtel particulier de Mme de Korff.

Il connaissait bien Anna de Korff, une élégante baronne russe qui aurait pu être sa mère mais dans les bras de laquelle il avait parfois été un brin incestueux. Paya-t-il encore un peu de sa personne pour obtenir de la vieille et richissime émigrée de Saint-Pétersbourg qu'elle accepte de commander une berline à six places chez Jean Louis, un carrossier du faubourg Saint-Germain ?

— Il faudrait qu'elle me soit livrée pour la fin de février.

— Comptez sur moi, dit la baronne.

— Il me faudrait aussi des papiers…

Car à cette époque il fallait être muni d'un passeport pour voyager, même sans quitter le territoire du royaume.

— Je les obtiendrai facilement de mon ambassade.

La berline fut prête le 12 mars. C'était un chef-d'œuvre ! Évidemment, s'agissant de la discrétion, on aurait peut-être pu faire mieux. Peinte en vert et jaune citron, elle ne risquait en effet pas de passer inaperçue. À l'intérieur, le grand luxe : capitonnage en velours blanc d'Utrecht, moquette rouge, coussins en maroquin vert et taffetas blanc. Quant aux coffres, ils permettaient largement d'engloutir le nécessaire et le superflu.

Surtout le superflu !

À savoir, le nécessaire de voyage de Marie-Antoinette qui allait de la bassinoire à la cuillère d'argent en passant par deux cuisinières en tôle de fer, une cantine, quelques trousseaux complets, des monceaux de frivolités, un gigantesque « vanity-case » plein à ras bord des produits odorants de Fargeon et… deux pots de chambre en cuir bouilli.

Allons, il n'était pas dit qu'au château de Thonelle, près de Montmédy, la reine ne devrait pas être aussi élégamment attifée qu'à Versailles !

Fersen se chargerait lui-même des provisions de bouche, à savoir du veau froid, du bœuf mode, quelques bouteilles de vins de Champagne et une caisse d'eau de Ville-d'Avray.

L'eau préférée de la femme qu'il aimait.

On imagine que, pour tirer cette énorme voiture, pleine comme un œuf, les six chevaux n'allaient pas être à la fête. D'autant qu'elle se lesterait encore de six passagers et du cocher Balthazar !

Les passagers ? Il y aurait là Mme de Tourzel, la gouvernante des enfants de France, qui voyagerait donc sous le nom de Mme de Korff, aristocrate russe censée se rendre à Francfort avec ses deux enfants ; Louis XVI, devenu un valet de chambre baptisé Durand, comme tout le monde ; Marie-Antoinette serait Mme Rochet, transformée pour l'occasion en préceptrice des enfants de Mme de Korff, et Madame Élisabeth, la sœur du roi, endosserait une tenue de simple dame de compagnie.

Mais que de tergiversations avant d'en arriver là !

Et que de maladresses, aussi ! À tel point qu'à certains moments on peut se demander s'il n'y a pas erreur sur le scénario, si d'un thriller à la John Le Carré on ne glisse pas sensiblement vers *Les Tontons flingueurs*.

D'abord, on sait que Fersen met quelques maîtresses dans la confidence et que, souvent, maîtresse rime avec traîtresse.

Ensuite, on l'a vu, il carillonne à la porte de toutes les ambassades pour essayer de trouver quelques subsides.

Ce qui a fini par se remarquer.

Aux Tuileries, quand il aurait fallu avancer à pas feutrés, tout excitée, Marie-Antoinette sonne le branle-bas de combat.

— Je ne partirai pas sans au moins deux femmes de chambre, exige-t-elle. Et les gardes du corps, y avons-nous songé ? Et que vais-je devenir sans M. Léonard, mon coiffeur ? Il faut absolument qu'il nous accompagne ! Ces gens-là pourraient voyager dans un cabriolet. Ai-je assez de chemises, de robes et de peignoirs ? Allez donc m'en acheter quelques-unes, madame Campan, voulez-vous ? Et que vais-je porter pour une si longue route ? Ma robe de soie grise, peut-être, avec mon mantelet noir, un chapeau noir et une large voilette tombante, noire elle aussi, qu'en pensez-vous ? Pour ma fille, une robe d'indienne mordorée à fleurs bleues et blanches, une tenue de petite fille, aussi, pour le dauphin, il sera si mignon !

Le grand chic, en clair ! Tout un nouvel art de vivre que l'on aurait fort bien pu griffer « Exil de chez la Reine » ou « Destination Montmédy » !

Des imprudences ? Les visites quotidiennes de Fersen aux Tuileries ne manquent pas d'intriguer les gardes, évidemment, ainsi que les gens de maison.

Parmi lesquels Mme Rochereuil, une femme de la garde-robe du dauphin, celle qui était chargée de la chaise percée.

Mais quand elle ne vidait pas le vase de nuit du petit prince, elle s'accordait du bon temps dans les bras d'un nommé Gouvion, un des aides de camp de La Fayette.

— J'ai bien l'impression qu'il se prépare quelque chose de pas très constitutionnel, confie-t-elle un jour à son amant qui a tôt fait d'en informer son chef.

À la suite de quoi, Blondinet double les sentinelles et fait sévèrement contrôler les voitures qui entrent et sortent des Tuileries.

Un soir du début de juin, alors que Marie-Antoinette rentre un peu tard du bois de Boulogne où elle s'est promenée durant quelques heures avec sa belle-sœur et ses deux enfants, La Fayette s'étonne de ce retour tardif.

— Ce n'est pas prudent de ne rentrer qu'à la fin de l'après-midi, Majesté, vous pourriez vous perdre dans le brouillard.

— Du brouillard au mois de juin ? Vous plaisantez, j'espère. Je ne saurais vraiment en trouver, à moins d'en faire exprès pour cacher notre fuite, car je pense qu'on en parle toujours, non ?

— On en parle plus que jamais, Majesté.

On en parlait d'autant plus qu'elle avait encore eu la fâcheuse idée d'expédier en Belgique un nécessaire de voyage « énorme par sa dimension », selon Mme Campan, dans lequel on trouvait tout ce qui n'était pas transportable dans la grosse voiture d'Axel.

— C'est un cadeau que j'envoie à ma sœur l'archiduchesse Marie-Christine, avait-elle expliqué, dans l'espoir de déjouer les soupçons.

La grosse voiture d'Axel ?

— C'était un carrosse contenant chaise percée et cave, raconte un témoin.

— Un abrégé du château de Versailles, dit un autre.

— Il n'y manquait que la chapelle et l'orchestre des musiciens, sourit un troisième chroniqueur du temps.

Initialement, le départ était fixé au lundi 6 juin.

Mais, ici aussi, on va aller d'anicroche en cafouillage.

— Reportons-le au 10, dit le roi, puisque entre le 7 et le 9 nous devons toucher notre argent de la liste civile.

Il s'agissait tout de même de deux millions de livres.

— Dans ce cas, attendons le samedi 11, conseille Fersen, puisque c'est le jour où Mme Rochereuil quitte son service. Nous serons plus tranquilles sans elle.

Hélas, la méfiante Mme Rochereuil, maîtresse, comme on le sait, d'un officier de La Fayette, annonce ce jour-là qu'on lui a demandé de travailler jusqu'au 19.

— Alors convenons du lundi 20, dernier délai, décide Axel qui ne cesse d'envoyer des messages codés à Bouillé pour le tenir informé de tous les contretemps.

Malgré tout, il est confiant, le Suédois.

On le constate à la lecture de son bloc-notes :

« Jeudi 16 : chez la Reine à neuf heures et demie. Transporté moi-même des effets. Ils ne soupçonnent rien, ni en ville.

« Vendredi 17 : reconnu le début de la route à Bondy et au Bourget.

« Samedi 18 : seul chez la Reine à deux heures et demie jusqu'à six heures. Donné l'ordre que la berline soit amenée dans mes remises, grande rue du Faubourg-Saint-Honoré, trois portes cochères en dessus de la rue de Matignon.

« Dimanche 19 : emporté 800 livres. Resté au château, seul avec la Reine, de onze heures à minuit. »

Seul avec la reine !

Profite-t-il alors de ces tête-à-tête pour lui parler d'amour et lui redire des choses tendres ? Car l'un et l'autre savent maintenant qu'ils vont être séparés pendant de longues heures, plusieurs jours même, peut-être. En effet, si Axel a souhaité accompagner les fugitifs jusqu'à ce qu'ils soient hors de danger, le roi s'y est catégoriquement opposé.

Sous le prétexte qu'il ne voulait pas exposer davantage la vie du colonel suédois.

Mais en réalité, il est vraisemblable qu'il ne tenait pas à être éternellement suivi et chapeauté par l'amant de sa femme.

« Lundi 20 juin : en me quittant, écrit Axel, le Roi me dit : "Monsieur de Fersen, quoi qu'il puisse m'arriver, je n'oublierai pas tout ce que vous faites pour moi." La Reine pleura beaucoup. À six heures je la quittai ; elle alla avec les enfants à la promenade. »

Au jardin Boutin de la Chaussée-d'Antin, où le dauphin et la petite Madame Royale prirent leur goûter comme si de rien n'était.

Ou presque.

Presque, parce que Marie-Antoinette tenta bien d'expliquer à sa fille, la petite Mousseline de treize ans, qu'elle allait connaître des heures mouvementées.

Mais celle-ci ne comprit rien à rien.

— Mon esprit était bouché, confiera-t-elle plus tard en se souvenant de cette fin d'après-midi, et quand je rentrai dans ma chambre, aux Tuileries, je me demandais encore ce que ma mère m'avait dit.

Maintenant, on attaque le compte à rebours.

19 heures, H moins cinq. Marie-Antoinette expédie son coiffeur Léonard chez le duc de Choiseul, neveu du défunt Premier ministre.

— Il va vous confier une mission capitale, lui dit-elle.

— Mais ce n'est pas possible, Majesté ! Je suis en bas et en culotte de soie, et Mme de Lâge attend ses frisettes !

— Je vous en prie, monsieur, vous me devez bien cela.

En réalité, le figaro de la reine se verra chargé de convoyer les diamants de celle-ci jusqu'à Bruxelles et de les y mettre en lieu sûr.

H moins quatre. Présentation au roi et à la reine des trois gentilshommes qui vont leur servir de gardes du corps, trois grands gaillards qui se nomment Moustier, Valory et Valden.

Le spectacle mérite le détour.

Dans leurs livrées aux manches trop courtes, aux pans imboutonnables et à la culotte qui menace de céder à l'entre-jambe dès le premier éternuement, le tout d'un jaune éblouissant, on les prendrait volontiers pour de grands dépendeurs d'andouilles.

On saura par la suite que ces uniformes – d'une discré-tion réellement absolue ! – ont été hâtivement achetés chez un fripier qui les avait récupérés dans la penderie des ser-viteurs des princes de Condé, émigrés au lendemain de la prise de la Bastille.

— Vous connaissez Paris ? demande-t-on aux trois embauchés pour l'épreuve décisive.

— Un peu, répond Valden, un grand dégingandé.

— Dame, non, dit Valory, du moins pas dès qu'on s'éloigne du Palais-Royal…

— Moi, je ne sais pas lire, et en plus de cela je suis myope, explique Moustier, le troisième homme.

Voilà qui promet.

H moins trois trente. Louis XVI dissimule Valden « dans un cabinet entre deux portes » tandis que Moustier et Valory rejoignent Fersen au Pont-Royal. Ils vont aller récupérer la berline de Mme de Korff. Ils ont pour consigne de la garer à l'entrée de la route de Metz, tout en haut du faubourg Saint-Germain, et d'attendre patiem-ment en compagnie du cocher, Balthazar.

H moins trois. Le comte et la comtesse de Provence – le futur Louis XVIII et son épouse Marie-Joséphine, dont on connaît le vigoureux système pileux – arrivent pour souper. Ils comptent parmi les rares proches de la reine à n'avoir pas encore pris la poudre d'escampette. Ils la prendront cette nuit, en direction de Bruxelles qui était alors la capitale des Pays-Bas autrichiens.

H moins deux trente. Fersen, qui a revêtu les habits d'un simple cocher, pénètre dans la cour des Princes, aux Tuileries ; il conduit une citadine banalisée.

H moins deux quinze. Au rez-de-chaussée du château, dans le salon de compagnie, Marie-Antoinette regarde une pendule :

— Nous approchons du terrible quart d'heure, soupire-t-elle.

H moins deux. La reine monte au premier étage chez sa fille et la réveille. Elle se rend ensuite chez le dauphin qu'elle déguise en petite fille.

— Nous partons dans une place de guerre où il y aura beaucoup de soldats, lui dit-elle.

— Mais alors, ce n'est pas une robe qu'il faut me donner, répond le petit Louis-Charles, ce sont mes bottes et mon sabre dont j'ai besoin !

— Vite, vite, dépêchons-nous ! le secoue-t-elle.

H moins une trente. La Fayette se présente pour assister au coucher du roi dans la chambre de parade. Étiquette oblige, même si elle ne colle plus vraiment. Conversation banale s'il en est.

— Ne pensez-vous pas, sire, que nous pourrions dresser un reposoir dans la cour du Louvre pour la procession de la Fête-Dieu, jeudi prochain ?

— Oui, c'est une très bonne idée…

Au même instant, la reine retrouve Fersen dans la cour des Princes et lui confie ses enfants, baptisés Aglaé et Amélie pour l'occasion. Mme de Tourzel les accompagne.

— Nous vous attendons comme convenu devant l'hôtel de Gaillarbois, rue de l'Échelle, au coin de la place du Petit-Carrousel, lui dit Axel.

Elle regagne le palais.

H moins une. Enfin seul, Louis XVI peut se glisser hors de ses draps et gagner l'entresol, l'appartement de son épouse, où il va endosser un costume très simple, celui-là même qu'il portait naguère lors de son beau voyage en Normandie. Puis il coiffe une perruque grise, un chapeau rond, attache paisiblement la boucle de ses souliers, délivre de son réduit le bonhomme Valden qui commençait d'étouffer, et se dirige vers l'appartement de M. de Villequier qui possède une sortie discrète sur la cour.

H moins trente minutes. Madame Élisabeth quitte les Tuileries sans encombre. Marie-Antoinette distribue quelques consignes à ses dames pour le lendemain, comme si de rien n'était.

Puis elle se laisse déshabiller, se couche et reste seule.

Alors, elle jaillit de son lit, se vêt à la hâte, rédige un billet à l'attention de la princesse de Lamballe et se glisse dans un long couloir.

Au bout de ce couloir obscur dans lequel elle chemine à tâtons et qui doit la mener jusqu'au logement de M. de Villequier, il y a une porte. Elle en fait doucement glisser le verrou. Son cœur bat à tout rompre. Pourvu que la sentinelle qui se trouve là, dans l'obscurité, n'entende pas cette chamade.

Car il y a une sentinelle !

H moins quinze minutes. Fersen commence à s'impatienter. Il fait les cent pas autour de la voiture. Le dauphin, lui, somnole dans les jupes de Mme de Tourzel. Qui est cette femme, là, assise sur un banc de pierre ? Axel s'approche d'elle et l'aborde.

— Ah, c'est vous !

C'est Madame Élisabeth, qui prend son mal en patience en attendant l'arrivée de son frère et de sa belle-sœur.

— Attention, cachez-vous ! Voilà M. de La Fayette !

Ouf, la voiture passe, le général n'a rien vu.

Minuit sonne à l'église voisine de Saint-Roch.

Enfin, le roi arrive en compagnie de M. de Valden.

Mais que fait la Reine ! piaffe le Suédois.

Arrêt de la mise à feu.

On n'attend plus qu'elle, on n'attend plus que la femme qu'il aime au point de risquer pour elle sa fortune et sa vie.

Reprise du compte à rebours.

Il est maintenant *minuit et demi*.

Faudra-t-il partir sans elle ?

Non, le roi ne le voudra pas.

Là, une silhouette ! Oui, c'est Marie-Antoinette, il reconnaît sa démarche altière et gracieuse à la fois.

— Vite, vite, montez, lui dit Fersen en lui serrant tendrement la main.

Elle s'excuse :

— J'ai dû attendre plus d'un quart d'heure pour sortir du couloir, attendre que la sentinelle me tourne le dos… Puis, dans l'obscurité, je me suis égarée. Au lieu de me diriger vers la rue de l'Échelle, je suis allée vers la rue du Bac. En revenant sur mes pas, j'ai croisé le carrosse de Blondinet, j'ai dû me dissimuler sous une porte cochère. Pour en finir, comme je ne trouvais plus mon chemin, j'ai même demandé à un garde de me l'indiquer.

— Vite, vite, montez, nous partons !

Vite, vite ! Il n'empêche que lorsque, à la hauteur de la barrière Saint-Martin, les fugitifs retrouveront enfin leur grosse berline vert pomme et bouton-d'or, ils compteront déjà plus de deux heures de retard sur le plan de route initial communiqué à Bouillé grâce au fameux code à la Plutarque.

Mardi 21 juin, deux heures du matin. La voiture est à Bondy. C'est fini pour Axel, il descend du siège cocher, ouvre la portière de la berline, prend congé du roi, qui l'embrasse « avec effusion de cœur et le remercie avec une bonté touchante », et il regarde longuement Marie-Antoinette en lui disant :

— Adieu, madame de Korff.

Alors qu'en réalité la reine voyageait sous le nom de Mme Rochet !

L'émotion, sans doute.

Allez, fouette, cocher !

Nuit du 20 au 21 juin, la nuit la plus courte de l'année. *Deux heures du matin.* Dans sa maison de Passy, Marie-Thérèse de Lamballe, qui vient de se coucher après avoir passé la soirée chez son amie lady Kerry en compagnie de la marquise de Lâge (qui, même sans Léonard, avait donc trouvé le moyen de se faire coiffer !), est réveillée en sursaut.

Des coups résonnent à sa porte. À pareille heure ! Qui cela peut-il être ?

— Un message de la reine, madame !

Tremblante, la princesse l'ouvre et le lit :

« Mon cœur, nous serons déjà bien éloignés de la détestable ville de Paris quand vous parviendront ces lignes. Il était nécessaire que nous gardions le secret sur notre départ ; tâchez de vous sauver le plus vite possible, car un massacre pourrait bien être la conséquence de cette démarche longtemps préméditée et qui doit avoir pour résultat le rétablissement du pouvoir royal. »

Elle tombe des nues ! Hier encore elle a vu son amie ! Elle n'avait pas « l'air plus préoccupée qu'à l'ordinaire » ! Non, rien ne pouvait laisser supposer ce départ, rien, si ce n'est, peut-être – mais Marie-Thérèse n'y a pas pris garde sur le moment –, que son adieu « avait été prononcé d'un ton plus tendre que de coutume ».

Mais quelle inconscience, aussi, chez la reine, d'avoir laissé circuler ce billet dans les rues chaudes de Paris ! Si un garde national l'avait intercepté !

Six heures, quatrième heure de route. Marie-Antoinette est à Meaux, les rues sont désertes, les enfants dorment, le roi aussi. Marie-Thérèse de Lamballe passe la barrière de Saint-Denis et sa voiture prend la direction d'Aumale où elle espère retrouver son beau-père.

Cinquième heure de route. Aux Tuileries, le valet Pierre Hubert s'aperçoit que Louis XVI n'est pas dans sa chambre.

Sixième heure de route. La Ferté-sous-Jouarre. Le roi se réjouit du bon tour qu'il a joué à son « geôlier » :

— En ce moment, M. de La Fayette n'a peut-être plus sa tête sur les épaules, s'amuse-t-il, en tout cas il doit être bien embarrassé de sa personne.

Huitième heure de route. Un relais à Viels-Maisons. Petit casse-croûte dans la bonne humeur. La fuite – qui devrait se faire à bride abattue – semble prendre des allures de rallye touristique. Louis XVI s'attarde longuement hors de la voiture et bavarde avec les paysans.

— Croyez-vous que la moisson sera bonne, cette année ?

Quand Marie-Antoinette lui fait les gros yeux, en lui expliquant qu'il n'y a pas une minute à perdre et qu'il devrait être plus discret, il lui répond :

— Je ne crois plus ces précautions nécessaires. Notre voyage me paraît à l'abri de tout accident.

Neuvième heure de route. Escale à Montmirail. Le roi veut encore se dégourdir les jambes. Nouvelles poignées de main aux laboureurs. Ce n'est pourtant ni le lieu ni l'heure de faire une campagne électorale à la façon de certain président de la République ! Moralité, les fugitifs ont maintenant plus de trois heures de retard sur le programme communiqué par Fersen à Bouillé.

Douzième heure de route. Au relais du Petit-Chaintry, le maître de poste reconnaît Louis XVI.

— Vous ici, Majesté ! Quel honneur !

Et pendant que Marie-Antoinette s'impatiente, s'énerve et soupire, le roi accepte d'aller se rafraîchir chez le brave homme. Il fait si lourd ! Résultat, trois heures et demie de retard.

Quatorzième heure de route. Entrée à Châlons. Comme, entre-temps, la voiture de Mme de Korff a connu un incident mécanique, on a encore perdu une demi-heure.

Alors que, pendant ce temps, les hommes de La Fayette galopent à vive allure aux trousses des fuyards et que Choiseul et Léonard, avec quarante hussards, commencent à trouver le temps long. Songez qu'ils attendent à Pont-de-Somme-Vesle depuis onze heures du matin !

Seizième heure de route. La berline vert et jaune entre précisément dans Pont-de-Somme-Vesle… d'où Choiseul a levé le camp depuis une heure. Louis XVI fronce les sourcils.

— Ne devait-on pas nous attendre ici ? Je vais aller me renseigner.

— Non, lui conseille Marie-Antoinette de plus en plus anxieuse. Cela risquerait de donner l'alerte. Il faut au plus vite gagner Sainte-Menehould où, selon M. de Fersen, quarante dragons seront là pour nous accueillir.

Dix-huitième heure de route. Sainte-Menehould, sur les bords de l'Aisne. Arrêt devant la maison de poste. Pas l'ombre d'un petit dragon, mais la présence effective d'un maître de poste, le nommé Jean-Baptiste Drouet, qui recommande simplement au cocher « de ne pas crever ses chevaux pendant la traversée de l'Argonne ».

En réalité, les soldats étaient bien arrivés en ville, mais comme les Ménéhildiens redoutaient une dragonnade, ils avaient jugé bon de les immobiliser en dessellant leurs chevaux.

Puis ils les avaient désarmés.

Dix-neuvième heure de route. Il fait encore très clair, solstice oblige. La grosse voiture de Mme de Korff s'arrête à Clermont. De son côté, Drouet, qui vient d'être informé par une estafette de La Fayette que la famille royale a quitté Paris, cravache sa monture pour tenter de rejoindre les fuyards. Il a tout compris et il n'est pas royaliste.

Marie-Antoinette dort profondément.

Et pendant ce temps, en froufroutant, en trépignant, le coiffeur Léonard, qui vient d'arriver à Varennes, annonce à Bouillé, qui n'en peut plus d'attendre, que la grande affaire a tourné court. Qu'au dernier moment Louis XVI et sa cliente préférée ont renoncé à quitter Paris.

— Vous pouvez rentrer chez vous, claironne-t-il de sa voix efféminée, la belle aventure est terminée !

D'où tient-il ses informations, pour être aussi sûr de lui ?

Vingt et une heures trente. La princesse de Lamballe arrive à Aumale. Elle fait arrêter sa voiture devant la maison du vieux bailli – M. du Authier – chez qui elle retrouve le duc de Penthièvre, son beau-père.

— La famille royale est en fuite ! s'écrie-t-elle. Nous sommes en danger. Il faut partir sans perdre un instant.

— Partir ? lui dit Penthièvre. Non, pourquoi m'en irais-je maintenant ? Le peuple m'aime et m'épargnera sans doute. Je préfère risquer le tout pour le tout. Mais vous, rejoignez Boulogne, si vous le souhaitez, et de là vous gagnerez l'Angleterre. Vous y serez plus en sûreté. Mais avant cela, tenez, ne partez pas les mains vides.

Et la surintendante de la maison de Marie-Antoinette se voit gratifier d'un petit paquetage au fond duquel elle découvrira quelques paires de bas, des mouchoirs, un châle, de la viande froide et des couverts en argent.

Pour la route.

Vingt-troisième heure de route. Marie-Antoinette entre dans Varennes-sur-Argonne. Un cahot réveille tout le monde en sursaut. Que se passe-t-il ? Où sommes-nous ? Où est la troupe ? Où est le comité d'accueil de Bouillé ?

Il n'est pas là.

Tout est fini.

Léonard a tout gâché.

Comme quoi l'histoire peut tenir à un cheveu !

En parvenant un jour à s'introduire clandestinement aux Tuileries, Fersen finira par retrouver Marie-Antoinette.

Un jour de février de 1792.

Soit huit mois après les adieux de Bondy et l'arrestation de Varennes.

Et une nuit passée dans l'arrière-boutique d'un épicier !

17

« Je vous aime »

Marie-Antoinette est donc tombée de la cour de Versailles dans la Basse-Cour de Varennes.

La Basse-Cour de Varennes, c'est une petite rue au fond de laquelle se dresse une épicerie : la boutique du nommé Sauce. Cet épicier-chandelier des bords de l'Aire est aussi procureur de la commune dans laquelle, bientôt réveillés par le tocsin, les indigènes se sont armés de fourches pour descendre sur le pavé.

Car la nouvelle s'est répandue comme une traînée de poudre :

— Le roi est en fuite ! Le roi est en fuite ! Il paraît qu'il s'est arrêté en ville !

Mais, Dieu merci, Choiseul est là, qui vient d'arriver avec ses quarante hussards.

— Nous pouvons tenter un coup de force, Majesté, propose-t-il.

— Non, répond Louis XVI, comme assommé, je ne veux pas risquer la vie des miens.

Le coup de force aurait d'ailleurs risqué de tourner court car lesdits hussards, autour de quelques petits pichets de vin

232

frais du pays, n'avaient pas tardé à sympathiser avec les Varennais.

Après avoir poussé les fugitifs dans son arrière-boutique, sans doute pris de scrupules, Sauce leur propose de s'installer à l'étage, dans une petite pièce qui lui sert de chambre. Il y aura au moins un lit pour les enfants. Ce sera plus confortable en attendant.

En attendant quoi ?

Le bonhomme Sauce ne sait sur quel pied danser. S'il écoutait son cœur, s'il ne tenait qu'à lui, il laisserait volontiers la berline filer vers Montmédy, mais il y a la foule qui gronde sous les fenêtres et il y a Jean-Baptiste Drouet, aussi, qui le menace :

— Si vous les laissez partir, vous vous rendez coupable de crime et de trahison.

— Mon Dieu, madame, explique de son côté l'épouse du commerçant-procureur, je sais que votre position est très fâcheuse, mais mon mari est responsable et je ne veux pas qu'on lui cherche noise.

Alors le père Sauce va se transformer en Ponce Pilate.

Et le chemin de croix de Marie-Antoinette va pouvoir commencer.

Première station à l'épicerie de la Basse-Cour, donc – le palais de Pilate ! –, quand, à l'aube, un officier d'ordonnance de La Fayette fait irruption, grimpe quatre à quatre le petit escalier qui mène à la chambre et lance :

— J'ai un ordre écrit de faire arrêter tous les individus de la famille royale ! Il est voté par l'Assemblée !

— Il n'y a plus de roi en France, soupire Louis XVI en lisant ce décret de ses yeux de myope, avant de s'effondrer sur le bord du lit où reposent le dauphin et sa sœur.

Et comme, à cet instant, il laisse tomber le feuillet fatal sur le drap du lit, Marie-Antoinette jaillit comme une furie, s'en empare, le froisse et le jette rageusement à terre en criant :

— Je ne veux pas que ce papier souille mes enfants !

Au moment de remonter dans la berline pour reprendre la route de Paris, on la voit se tourner discrètement vers Choiseul :

— Croyez-vous M. de Fersen sauvé ? lui demande-t-elle.

Choiseul, évidemment, est incapable de lui répondre.

Comment aurait-il pu savoir, en effet, qu'après avoir paisiblement traversé la frontière à Saint-Waast il s'était installé à Mons, le mercredi 22 juin, à six heures du matin, soit à l'heure où Marie-Antoinette voyait tous ses espoirs s'effondrer ? Immédiatement, d'ailleurs, Axel avait rédigé ce petit mot à l'intention de son père :

« J'arrive ici dans l'instant, mon cher père. Le Roi et toute sa famille sont sortis de Paris heureusement le 20 à minuit. Je les ai conduits jusqu'à la première poste. Dieu veuille que le reste de leur voyage soit aussi heureux... Je vais continuer ma route le long de la frontière, pour rejoindre le Roi à Montmédy s'il est assez heureux pour y arriver. »

C'est à Arlon, le lendemain jeudi, à onze heures du matin, qu'il apprendra de Bouillé lui-même l'échec de son projet. « Tout est perdu, je suis au désespoir. Jugez de ma douleur et plaignez-moi », ajoutera-t-il en post-scriptum au courrier destiné à son père.

Jeudi, onze heures du matin. Ce matin-là, à cette heure-là, sous un soleil de plomb, la femme qu'il aimait avait déjà franchi quelques stations sur le chemin qui la mènerait un jour au golgotha dressé en place de la Révolution.

Après la traversée de Sainte-Menehould, par exemple, le comte de Dampierre avait été massacré sous ses yeux par une bande de braillards dépenaillés et avinés. Mais ils ne s'étaient pas contentés de le tuer, ils l'avaient aussi coupé « en pièces et lopins » et avaient amené leurs trophées sous les fenêtres de la berline en criant : « Vive la Nation ! »

À Châlons, elle avait entendu la canaille qui hurlait :

— Il faut faire des cocardes de ses boyaux et des ceintures de sa peau !

— Ouais ! Et nous mangerons son cœur et son foie !

À Chouilly, elle avait été accueillie par une autre tempête de hurlements et par quelques jets de pierres sur la voiture vert et jaune. L'un des énervés s'était même payé le luxe de sauter sur le marchepied et de cracher à la face du roi.

Mais sainte Véronique n'était pas là pour lui essuyer le visage…

Chemin de croix, toujours, le jeudi 23 juin, avec une douloureuse station à l'hôtel de Rohan d'Épernay. Dans la cour, essayant d'avancer au milieu des manifestants, la reine avait distinctement entendu un émeutier dire à son camarade :

— Cache-moi bien pour que je tire sur elle, sans que l'on sache d'où le coup sera sorti.

Le coup n'était pas parti.

— On t'en fera voir d'autres, ma petite belle, quand tu seras à Paris, lui avait lancé une mégère échevelée.

Avant d'arriver à Dormans, escortée par une foule grouillante d'où émergeaient des fusils, des serpes, des piques et des faux, la voiture avait rencontré celle des trois députés dépêchés par l'Assemblée, La Tour Maubourg, Jérôme Pétion et Antoine Barnave.

235

Ouf ! Avec eux on s'était senti un peu plus en sécurité.

Plus tassé, aussi, puisque Pétion et Barnave s'étaient immédiatement installés sur les banquettes.

Le premier avait été fort grossier, le second avait paru intimidé.

Et sous le charme de Marie-Antoinette.

Château-Thierry, La Ferté-sous-Jouarre, Meaux... et une dernière étape, le samedi 25 juin, pour entrer dans Paris.

Meaux-Paris, neuf lieues, soit à peine quarante kilomètres.

Et il ne faudra pas moins de treize heures pour les parcourir ! Des heures relativement paisibles, en début de journée, durant lesquelles Barnave s'emploie fort galamment à rassurer la reine ; des heures d'angoisse quand on arrive dans la forêt de Bondy, le fameux repaire des brigands historiques. Mais ce ne sont pas des coupeurs de bourses qui jaillissent subitement des bois, c'est un véritable essaim de forcenés qui a tôt fait d'enfoncer le rideau de protection des gardes nationaux, de passer entre les roues, sous le ventre des chevaux même, et de monter à l'assaut de la voiture !

— Bougresse, gueuse, putain ! hurlent quelques viragos qui parviennent à s'accrocher aux portières.

Marie-Antoinette serre le dauphin sur ses genoux.

— Ah ! Elle a beau nous montrer son enfant, on sait bien qu'il n'est pas du gros Louis !

Cette fois, le colonel Mathieu Dumas, adjudant général de l'armée, qui a été chargé des escortes et de veiller à ce que l'on respecte la dignité du convoi, ne semble vraiment plus maître de la situation.

Alors à cet instant, se penchant à la fenêtre et d'une voix de tribun autoritaire qu'on ne lui soupçonnait pas, le jeune député Antoine Barnave s'écrie :

— Songez, colonel, que vous répondez sur votre tête du salut de la famille royale !

Et « le corbillard de la monarchie » va bientôt pouvoir s'éloigner lentement de la tourmente.

Le dauphin a eu peur.

— Le roi lui-même lui a déboutonné sa culotte et l'a fait pisser dans une espèce de grande tasse en argent, se souviendra Pétion.

Il est cinq heures lorsque ce qui est maintenant devenu un convoi funèbre descend les Champs-Élysées.

Entre deux haies de gardes nationaux et au son des tambours qui roulent sinistrement.

Et dans une poussière âcre, dense et tourbillonnante qui s'engouffre dans la voiture.

Rouge écarlate, la petite Madame Royale n'en peut plus. Elle tousse, elle suffoque.

— Nous t'étoufferons bien autrement ! lance un badaud qui n'est manifestement pas pétri de bons sentiments.

Louis XVI, qui selon un témoin semble avoir « une chape de plomb sur les épaules », « promène sur la foule un regard hébété, un regard d'homme ivre ».

Le regard d'un myope, aussi, qui ne parvient pas à déchiffrer les affiches que La Fayette a fait disposer sur les murs de la capitale et qui annoncent : « Celui qui applaudira le Roi sera bâtonné. Celui qui l'insultera, pendu. »

Blondinet ou l'art de ménager la chèvre et le chou.

La cour des Tuileries, enfin. La « tragédie de Varennes » s'achève ici. Les huit voyageurs descendent lentement de la voiture de Mme de Korff.

Une voyante qui se serait trouvée là, devant cette berline dont on ne distinguait plus les couleurs perroquet tant elle était souillée de poussière, aurait pu annoncer qu'avant quatre ans six des passagers connaîtraient une fin tragique. Les degrés de l'échafaud pour le roi, pour Marie-Antoinette, Madame Élisabeth et Barnave ; la mort au Temple pour le petit Louis-Charles. Quant à Pétion, proscrit avec les Girondins, il s'enfuira dans le Bordelais où, avant de se suicider en compagnie de son ami Buzot, il jurera mais un peu tard qu'on ne l'y prendrait plus. Et quand on retrouvera son corps, dans un vignoble de Saint-Émilion, il aura été plus qu'à demi boulotté par les corbeaux et les renards.

La Révolution ne valait plus un fromage, sans doute.

Seules, donc, Mme de Tourzel et la petite Madame Royale survivront à cette longue tragédie.

Maintenant, Marie-Antoinette n'a qu'une hâte, prendre un bain, se laver de la poussière, de la peur, de la honte et du sang.

Car, comble des ennuis, ses menstrues l'ont indisposée pendant cinq jours.

Elle enlève son chapeau, sa voilette, et se tourne vers un miroir. Que se passe-t-il ? Elle frotte vigoureusement la glace comme si le tain avait été souillé, lui aussi. Non, ce n'est pas possible ?

Si.

Sa longue chevelure blond cendré avait entièrement blanchi en l'espace de cinq jours.

— C'est vrai, les cheveux de ma mère étaient devenus comme ceux d'une femme de soixante-dix ans, racontera Madame Royale.

Le lendemain matin, quand trois délégués de l'Assemblée se présenteront pour la questionner, elle se contentera de leur déclarer :

— J'affirme que, le roi désirant partir avec ses enfants, rien dans la nature n'eût pu m'empêcher de les suivre. J'ai assez prouvé depuis deux ans, dans plusieurs circonstances, que je ne les quitterais jamais, et j'ai été surtout déterminée à le suivre par confiance et par la persuasion que j'avais qu'il ne quitterait jamais le royaume. S'il eût voulu en sortir, toutes mes forces auraient été employées pour l'en empêcher.

Or, on le sait, elle ne rêvait que de fuir la France.

Pourtant, les enquêteurs ne la menaceront pas de prolonger la garde à vue, de faire monter des sandwichs et de la bière, ni ne lui braqueront la flamme d'une chandelle devant les yeux en lui disant : « Nous avons les moyens de vous faire parler ! »

Ils se contenteront d'enregistrer sa déclaration.

Tout en sachant qu'elle mentait effrontément.

Quand on lui demandera, pourtant, de révéler le nom de l'organisateur du plan Montmédy, lui laissant entendre qu'il pourrait bien s'agir d'un Suédois puisque, au soir du 20 juin, dans la cour des Tuileries, on avait aperçu un véhicule conduit par un certain… euh… comment s'appelle-t-il déjà ?

— Je n'ai pas pour habitude de connaître le nom des cochers de remise, répondra-t-elle froidement.

Pour rien au monde, elle n'aurait livré le nom de l'homme qu'elle aimait secrètement et avec lequel elle tenta, très vite, de renouer.

Bien qu'elle fût désormais en liberté surveillée.

Fersen, de son côté, ne restait pas inactif.

Dès le 27 juin, par exemple, il parvenait à lui adresser, au nez et à la barbe des deux geôliers qui ne la quittaient pas d'une semelle, un petit billet dans lequel il lui demandait

239

l'autorisation de reprendre ses négociations avec les cours étrangères, un message secret qui s'achevait ainsi :

« Je me porte bien et ne vis que pour vous servir. »

Dès le lendemain, elle lui répondait brièvement :

« Rassurez-vous sur nous ; nous vivons. Les chefs de l'Assemblée ont l'air de vouloir mettre de la douceur dans leur conduite. Parlez à mes parents de démarches du dehors possibles. S'ils ont peur, il faut composer avec eux. »

Le mercredi 29, estimant sans doute n'avoir pas été assez tendre avec Axel dans sa précédente lettre quasi officielle, elle reprend sa plume et son encre sympathique.

« J'existe. Que j'ai été inquiète de vous et que je vous plains de tout ce que vous souffrez de n'avoir point de nos nouvelles. Le ciel permettra-t-il que celles-ci vous arrivent ? Ne m'écrivez pas, car ce serait vous exposer, et surtout ne revenez sous aucun prétexte. On sait que c'est vous qui nous avez sortis d'ici ; tout serait perdu si vous paraissiez. Nous sommes gardés à vue jour et nuit, cela m'est égal. Soyez tranquille, il ne m'arrivera rien, l'Assemblée veut nous traiter avec douceur. Adieu, je ne pourrai plus vous écrire. »

Mais le lundi 4 juillet, elle n'y tient plus, elle court le risque. Un de plus, après tout. Écrire à Axel lui est indispensable.

« Je ne puis que vous dire que je vous aime et n'ai même le temps que de cela. Je me porte bien. Ne soyez pas inquiet de moi. Je voudrais bien vous savoir de même. Écrivez-moi par un chiffre par la poste : l'adresse à M. de Browne, une double enveloppe à M. de Gougens. Faites mettre les adresses par votre valet de chambre. Mandez-moi à qui je dois adresser celles que je pourrais vous écrire, car je ne peux plus vivre sans cela. Adieu, le plus aimé et le plus aimant des hommes. Je vous embrasse de tout cœur. »

Si ce n'est pas de l'amour, ça lui ressemble, comme dirait le poète !

— Si vous le rencontrez, dites-lui que bien des lieues et bien des pays ne peuvent jamais séparer des cœurs, demande-t-elle à son ami le comte Esterhazy qui s'apprête alors à galoper vers Bruxelles. Dites-lui que je sens cette vérité chaque jour davantage.

Mais elle sent bien aussi qu'il va devenir de plus en plus difficile de communiquer avec l'extérieur, car sur ordre de La Fayette et de Bailly, le maire de Paris, elle est maintenant suivie comme son ombre, collée à la peau, par deux gardes nationaux. Ils sont là quand elle se lève, quand elle s'habille, quand elle embrasse ses enfants, quand elle se couche ! Sa toilette ? Elle n'a droit qu'à un maigre paravent pour se dissimuler aux yeux des sentinelles, paravent également utilisé lors de « la cérémonie de la chaise percée de la Toinette ».

Quelle intimité !

Et il y a pis encore puisque Bailly a même exigé que les deux gaillards dorment dans sa chambre.

Si, une nuit, ne parvenant pas à trouver le sommeil, elle allume une bougie et se met à feuilleter son livre d'heures, un des deux sbires s'approche de son lit et lui lance :

— Moi non plus je ne peux pas fermer l'œil, alors causons ensemble, ça vaudra mieux que de lire, non ?

Pour un peu elle aurait pu avoir droit à du « pas vrai, ma p'tite dame ? ».

Le lendemain, tout de même, elle parviendra à obtenir de La Fayette que les cerbères ne bivouaquent plus sur sa descente de lit. Dorénavant ils ronfleront devant la porte de sa chambre.

À condition cependant qu'elle accepte de la laisser entrouverte !

Déployant des trésors d'imagination, elle parvient pourtant à contacter encore Fersen.

« Le Roi désire que sa captivité soit bien connue et bien constatée par les puissances étrangères, lui écrit-elle. Il désire que la bonne volonté de ses parents, amis et alliés, et celle des autres souverains se manifestent par un congrès, appuyé d'une forte armée se tenant assez en arrière pour ne pas provoquer au crime et au massacre. Le Roi pense qu'un plein pouvoir illimité serait dangereux pour lui dans l'état de la dégradation totale où l'Assemblée a porté la royauté en ne lui laissant plus exercer aucun acte quelconque. »

Qu'est-ce à dire, songe le Suédois après avoir déchiffré, lu, relu et rerelu ce billet codé ? La reine serait-elle en train de composer avec ses ennemis ? Quel événement nouveau la pousse à agir ainsi, à pactiser avec le diable ?

Et il sera complètement désorienté quand il apprendra que le diable en question s'appelait Barnave.

Barnave, trente ans, député du Dauphiné, qui était tombé sous le charme de la reine pendant le tragique retour de Varennes.

Quand Pétion avait joué les rustauds, lui avait su être prévenant, il s'était presque excusé de sa mission. Il n'avait eu d'yeux que pour elle et il l'avait sans doute trouvée belle, malgré son visage meurtri par la migraine due à ses époques, sa robe déchirée et ses cheveux gras mouillés de poussière et de transpiration.

Pour ne pas dire de suint !

Antoine Barnave, à la bouche mélancolique et au regard si tendre…

Mirabeau était hideux, Barnave est séduisant.

Romantique avant l'heure.

18

« Lâche qui les abandonne... »

Dans la berline de Varennes, Pétion s'était comporté comme un soudard, buvant et mangeant à la rustique, n'hésitant pas à jeter les os du poulet par la portière, au nez et à la barbe du roi. Pour gagner un peu de place sur la banquette, il avait pris le dauphin sur ses genoux et s'était amusé à lui tirer les cheveux jusqu'à le faire crier.

— Rendez-moi mon fils, lui avait dit la reine, il est accoutumé à des soins et à des égards qui le disposent peu à tant de familiarités.

Barnave avait semblé extrêmement gêné du comportement grossier de son collègue. Surtout quand il s'était serré tout contre Madame Élisabeth.

Sans honte et sans pudeur.

Tout près de Châlons, quand un pauvre curé de village, qui avait commis l'imprudence de s'approcher de la portière pour parler au roi, s'était fait maltraiter par la cohorte des énervés et que Pétion avait ricané méchamment, Barnave s'était presque jeté au bas de la voiture pour lancer à la foule :

— Tigres ! Avez-vous cessé d'être français ? Nation de braves, êtes-vous devenus un peuple d'assassins ?

La formule était emphatique, certes, mais elle avait immédiatement calmé la meute et le petit curé avait pu conserver sa soutane.

— Voulez-vous un peu d'orangeade ? avait proposé la reine au sauveur de l'ecclésiastique.

— Madame, lui avait-il répondu, dans une circonstance aussi solennelle, les députés de l'Assemblée nationale ne doivent occuper Vos Majestés que de leur mission et nullement de leurs besoins.

En clair, le jeune avocat grenoblois, bien élevé et bien propre sur lui, avait fait une excellente impression à la première dame de France.

Et elle n'allait pas manquer de le lui faire savoir.

Très peu de temps après son retour aux Tuileries, d'ailleurs.

Au début de juillet, en effet, elle le fait contacter par le mari d'une femme de chambre :

— Je désire que vous cherchiez à le voir de ma part et que vous lui disiez que, frappé du caractère que je lui ai reconnu dans les deux jours que nous avons passés ensemble, je désire le rencontrer pour qu'il me dise ce que nous avons à faire dans la position actuelle.

Elle veut me voir ? frémit Barnave qui ne pensait tout de même pas avoir fait une aussi forte impression sur sa compagne de voyage. Alors vite, sans hésiter un instant, il convoque deux de ses bons amis modérés du Club des feuillants, Alexandre Lameth et Adrien Duport, et les convainc de faire quelque chose pour sauver la prisonnière des Tuileries.

Quelque chose, mais quoi ?

Les trois hommes tombent d'accord sur trois points : premièrement, il faut qu'elle renonce définitivement à quitter la France ; ensuite, qu'elle obtienne de son frère Léopold, l'empereur d'Autriche, et des autres souverains d'Europe, la reconnaissance de la constitution que l'Assemblée achève de mettre au point ; troisièmement, qu'elle réclame le retour des émigrés qui devront eux aussi participer à la restauration du pays.

Et si elle accepte de faire connaître publiquement « ces bonnes dispositions », Barnave se fait fort de maintenir un roi en France.

Un roi constitutionnel, certes, mais un roi !

— Vous ne pouvez ni adopter d'autres idées, ni vous éloigner de cette marche sans vous perdre, tente-t-il de la persuader. Un refus équivaudrait à une abdication.

Alors, que faire ? D'autant que, de son côté, Fersen lui adresse des courriers qui lui font chaud au cœur : «Vos amis ne vous abandonneront pas, les rois viendront à votre secours. Soutenez avec fermeté votre état présent... Ne souffrez surtout pas que l'on avilisse la dignité royale... »

On en est là le 17 juillet – un dimanche –, quand les députés d'extrême gauche invitent leurs sympathisants à se rendre au Champ-de-Mars pour signer une pétition républicaine en faveur de l'abolition de la royauté.

Une journée qui se terminera dans un bain de sang.

Elle avait pourtant commencé par un éclat de rire, quand deux Parisiens – qui auraient sans doute amusé Benny Hill – s'étaient glissés sous l'estrade pour pouvoir lorgner sous les cotillons des dames venues signer la revendication.

Vite repérés et bientôt arrachés sans ménagement de leur planque, on ne les a pas crus quand ils ont bredouillé qu'ils voulaient simplement lancer un œil coquin sur l'intimité des bonnes républicaines.

— Ce sont des espions à la solde du roi ! a-t-on hurlé dans la foule.

Résultat, on s'est méchamment rué sur eux, ils ont été lapidés et on a fini par leur couper le cou – une coutume qui avait tendance à se banaliser – avant de promener leurs têtes, fichées sur des piques bien épointées, dans les rues de Paris.

Pour rétablir l'ordre, la troupe n'a pas été longue à arriver. Mais hués, bousculés, injuriés, les gardes ont pris peur et ont fini par tirer. Résultat, plus de cinquante morts et une fracture définitive entre les députés modérés et les exaltés.

— C'est le moment ou jamais d'accepter ma proposition, dit Barnave énamouré, à Marie-Antoinette. L'opinion publique est avec nous.

— Qu'on me donne quelques points sur lesquels réfléchir, soit parmi les événements présents, soit parmi ceux bien plus importants encore de l'avenir, et dans ma retraite, je répondrai toujours juste et exactement, le fait-elle patienter.

Car, en réalité, elle n'a pas le moins du monde l'envie d'entraîner son mari dans une monarchie restreinte.

— N'ayez aucune crainte, plaide encore Barnave, complètement sous influence, si vous êtes résolue à me suivre, je serai constamment à vos côtés.

Oui, mais Axel...

— Je suis convaincu que le peuple est prêt à oublier le passé et à vous aimer, insiste-t-il. Peut-être Sa Majesté ne verra-t-elle point, comme autrefois, tout plier sous sa volonté souveraine et absolue, mais elle pourra encore se voir environnée de l'empressement d'une société nombreuse et des hommages d'un peuple immense.

Oui, mais Axel...

— Que Sa Majesté se hâte d'agir pour le bien du pays et pour le sien !

Oui, mais Axel…

— La reine a encore un moment et n'a plus qu'un moment ! la supplie-t-il presque en lui baisant la main avec une fougue troublante. Il faut que le roi accepte la Constitution !

Quoi ? Accepter ce texte, qui fera du père du dauphin un simple pion que les députés pourront déplacer à leur guise sur l'échiquier de la politique ! Un vulgaire soliveau ! Un roi de pacotille ! Non, elle ne parviendra jamais à se résoudre à cette déchéance.

Pourtant elle dit oui.

Et en prenant la parole à la tribune de l'Assemblée, Barnave a peine à dissimuler sa joie.

— Puisque le roi a accepté de reconnaître la Constitution, le moment est venu de terminer la Révolution, s'enthousiasme-t-il.

Alors que dans le même temps, avec son petit flacon d'encre sympathique et son jus de citron réglementaire, Marie-Antoinette rédige ce petit billet à l'intention de Fersen :

« Rassurez-vous, lui confie-t-elle, je ne céderai pas aux enragés, et si j'en vois, si j'ai des relations avec certains d'entre eux, ce n'est que pour m'en servir. Ils me font tous trop horreur pour jamais me laisser aller à eux. Il ne s'agit que de les endormir et de leur donner confiance pour mieux les déjouer après… Vous ne sauriez croire combien tout ce que je fais en ce moment me coûte ! »

Ce qui voulait dire qu'elle ne songeait qu'à rouler Barnave dans la farine. Le double jeu !

Dans le même temps, elle continuait de croire que son frère de Vienne ne l'abandonnerait pas aux mains des Français énervés, « cette race de tigres », comme elle disait.

Mais Léopold II n'était pas très enthousiaste à l'idée de se lancer dans une guerre pour les beaux yeux de sa sœur aînée :

— Il ne s'agit pas de prodiguer notre or et notre sang pour remettre la France dans son ancien état de puissance, lui avait-il fait savoir.

Et secrètement, même, il se réjouissait de la chienlit dans laquelle se vautrait une puissance rivale, fût-ce la terre d'adoption d'une fille de Marie-Thérèse.

Et le 14 septembre arriva.

C'est ce jour-là que le roi dut se rendre à l'Assemblée pour prêter serment à la fichue Constitution, « cette œuvre impie » qui anéantissait ses pouvoirs absolus, selon le mot de Madame Élisabeth.

Prêter serment devant une Marie-Antoinette folle de rage !

Parce que les députés n'avaient même pas daigné se lever à l'entrée de son mari !

Rentré aux Tuileries, Louis XVI s'effondra dans un fauteuil et se mit à pleurer comme un gosse qu'on vient de mettre au coin, au pain sec et à l'eau.

— Et vous avez été témoin de cette humiliation ! soupira-t-il à son épouse en reniflant. Quand je pense que vous êtes venue en France pour voir cela !

De son côté, Antoine Barnave était le plus heureux des hommes.

Ou presque.

Il avait été acclamé, à la tribune, quand il avait lancé :

— Le roi est rétabli ! Les circonstances les plus difficiles, les plus critiques, disons même les plus douloureuses, sont passées ! La Révolution est terminée !

À la suite de quoi, veste noire, culotte noire, cravaté de mousseline blanche, il s'était présenté aux Tuileries, convaincu que la reine lui ferait fête.

Mais l'accueil avait été glacial.

D'ailleurs, la nuit même, Marie-Antoinette s'était discrètement glissée devant son écritoire et avait griffonné ces quelques mots à l'intention du cher Axel :

« Je crois que la meilleure manière de dégoûter de tout ceci est d'avoir l'air d'y être tout entier... Plus nous avancerons, et plus ces gueux-ci sentiront leurs malheurs. Peut-être en viendront-ils eux-mêmes à désirer les étrangers... Mais je suis fatiguée à force d'écrire, jamais je n'ai fait un tel métier. »

Barnave classé parmi les gueux !

Alors que dans le même temps Fersen était convaincu que la femme qu'il aimait était du dernier bien avec ce monsieur de Grenoble ! « La Reine couche avec Barnave et se laisse mener par lui », notait-il rageusement dans son journal de bord.

La Révolution est finie ?

Vous faites erreur, monsieur Barnave.

Adieu les bonnes résolutions, avec l'Assemblée législative qui va maintenant remplacer la Constituante qui a fait son temps ! Une nouvelle Chambre avec des députés tout neufs ! Ceux qui ont acquis un peu d'expérience politique n'ont en effet pas été autorisés à briguer un nouveau mandat.

Dans ces conditions, tout va bientôt se dégrader à la vitesse grand V.

Et Barnave lui-même en sera atterré.

— Le parti républicain de la nouvelle Chambre se comporte d'une manière si dégradante que, au train où cela va, les mots « républicain » et « brigand » seront synonymes dans la conversation même du peuple, confiera-t-il à la reine.

Puis, écœuré, n'espérant plus rien, il rentrera dans son Dauphiné natal pour y attaquer la rédaction d'une *Introduction à la Révolution française*.

Ignorant qu'il lui reste à peine deux ans pour boucler son bouquin.

Marie-Antoinette écrit, elle aussi.

Au comte Esterhazy.

Une lettre qu'elle parvient à faire sortir des Tuileries dans une boîte à biscuits, à moins que ce ne soit au fond d'un carton à chapeau ou dans la doublure d'un vêtement. Une lettre qui enveloppe un petit anneau d'or sur lequel sont gravés trois fleurs de lis ainsi que ces quatre mots « Lâche qui les abandonne ».

Après avoir frotté le billet d'un peu de jus de citron et l'avoir délicatement approché de la flamme d'une bougie, Esterhazy parvient à déchiffrer ce texte :

« Cet anneau est pour LUI. Faites-le-LUI tenir pour moi. Il est juste à sa mesure. Je l'ai porté deux jours avant de l'emballer. Mandez-LUI que c'est de ma part. Je ne sais où il est. C'est un supplice affreux de n'avoir aucune nouvelle et de ne savoir même pas où habitent les gens qu'on aime. »

Oui. Où est-il, LUI, le bel Axel de ces dames ?

Eh bien, quand il n'est pas à Bruxelles on le rencontre à Vienne. Quand on ne le trouve pas à Vienne, il chevauche

251

entre Prague et Coblence. Il remue ciel et terre pour tenter d'obtenir des alliances, non pour en arriver à la guerre, mais du moins pour que l'on puisse exercer un chantage, une forte pression diplomatique sur l'impertinent gouvernement français qui s'autorise à séquestrer ses belles amours royales.

Ce qui, entre deux galopades, ne l'empêche pas de se reposer, en vaillant guerrier qu'il est, sur le sein moelleux d'Eleonora Sullivan.

Malgré les gros yeux de sa sœur Sophie, offusquée d'apprendre que Rignon n'est toujours pas fidèle à Joséphine.

Mais bon, il faut bien que jeunesse se passe.

Et puisque la belle Sullivan – qui a de son côté un mari légitime – ne trouve rien à redire à ce ménage à quatre !

Du moins à trois et demi…

C'est d'ailleurs chez elle, à Paris, qu'Axel allait installer ses quartiers, en février de 1792, quand il ne résista plus à l'envie de revoir la reine.

La prisonnière des Tuileries lui avait pourtant déconseillé de se lancer dans l'aventure : « Il est impossible que vous veniez dans ce moment, lui avait-elle écrit, ce serait risquer notre bonheur, et quand je le dis, on peut me croire, car j'ai un extrême désir de vous voir. »

Mais que restait-il de leur bonheur depuis la dernière fois qu'ils s'étaient vus, à Bondy, le mardi 21 juin précédent, à deux heures du matin, quand Axel s'était penché vers elle en lui soufflant : « Adieu, madame de Korff » ?

Justement, il était grand temps de ranimer la flamme. Et tant pis si Fersen, sous mandat d'arrêt, risquait sa vie en posant le pied sur le sol français ! Il fallait arracher

Marie-Antoinette à son supplice. Qu'elle le voulût ou non !

D'ailleurs il avait déjà un nouveau plan d'évasion à lui soumettre. Cette fois, au lieu de se diriger vers la frontière de l'Est, on traverserait la Normandie et on embarquerait vers l'Angleterre. Plus question de carrosse trois étoiles, deux voitures légères suffiraient, l'une pour la reine et les enfants, l'autre pour le roi et sa sœur. Pas de bagages, pas de personnel, deux itinéraires distincts pour gagner un même point de chute sur le littoral. Il n'y aurait que trois Anglais dans la confidence, deux pour conduire les attelages, un autre pour mener l'embarcation qui traverserait le Channel. Point final.

À l'aube du samedi 11 février, Axel quitte donc Bruxelles. Il est méconnaissable : il s'est grimé et emperruqué de telle sorte qu'on dirait un vieillard. Sur son passeport – un faux qu'il a lui-même fabriqué et sur lequel il a contrefait la signature du roi de Suède – on peut noter qu'il est chargé d'une mission diplomatique au Portugal.

— Circulez !

Et à la nuit tombée il s'effondre, épuisé, dans la chambre d'une auberge située à un vol de moineau des Tuileries.

Il ne tient pas à se rendre immédiatement chez Eleonora, pour cette bonne raison qu'il risque d'y rencontrer son mari et que, d'autre part, il est trop éreinté pour faire des folies de son corps.

Et puis, surtout, il n'aurait pas le cœur à l'ouvrage.

Car dans quelques heures il va LA revoir.

19

Ma nuit chez la reine…

Quelle audace chez le Suédois ! Sa tête est mise à prix, il est condamné à mort pour avoir organisé la fuite à Varennes, et il ose venir s'aventurer devant les grilles des Tuileries !

Mieux, même, il entre maintenant dans le palais !

« Le lundi 13 février à la nuit, j'ai emprunté mon chemin ordinaire », racontera-t-il plus tard.

Il avait découvert ce « chemin ordinaire » un an plus tôt, lorsqu'il venait chaque jour, ou presque, visiter Marie-Antoinette à l'époque de l'élaboration du projet Montmédy. Il s'agissait d'un étroit passage dérobé, curieusement négligé par les gardes nationaux.

Il parvient à se glisser sans encombre dans le petit salon attenant à la chambre de la reine. Mme Thibaud, une fidèle suivante, le reconnaît et l'annonce aussitôt à sa maîtresse.

Il entre. Minuit sonne à l'église Saint-Roch.

Elle est là, assise au coin du feu.

Ils se regardent intensément.

Mais mon Dieu, comme elle a changé ! Ce beau visage encadré de mèches blanches ! Ce teint si pâle ! Ces paupières si rouges ! Ces petites rides qui ont envahi son front volontaire et le coin de ses lèvres ! Et comme elle a maigri, aussi !

Il est minuit, donc, et Axel ne verra le roi que le mardi 14, à six heures du soir.

Il va donc rester seul en tête-à-tête avec Marie-Antoinette pendant dix-huit heures !

Et l'on voudrait qu'il ne se soit rien passé !

Pourquoi avoir persisté, pendant plus de deux siècles, à jeter un voile pudique sur cette merveilleuse histoire d'amour ? Pour vouloir coûte que coûte préserver l'icône de la reine martyre ? L'amour pur, courtois, chevaleresque, oui ! Les caresses lascives, les baisers mouillés, les étreintes nerveuses, non ! ont toujours prétendu les culs froids et bénis. Allons, que diable ! il y va de l'honneur de la reine !

Mais en quoi une femme, fût-elle l'épouse d'un roi, aurait-elle pu être déshonorée de se livrer corps et âme au seul homme qu'elle aimait ?

Or, Marie-Antoinette aimait Axel depuis plus de dix ans.

Et n'aimait que lui.

Elle avait longtemps résisté, on le sait, à cette passion, tout inhibée qu'elle était par son éducation, par ses principes et sa fonction de propagatrice de la race des Bourbons ; mais après avoir donné quatre rejetons à l'arbre généalogique de la monarchie française, dont deux héritiers mâles, après avoir cessé toute relation intime avec son mari – qu'elle avait d'ailleurs si peu et si mal connu bibliquement –, puisque son cœur le souhaitait, pourquoi n'aurait-elle pas laissé son corps exulter ?

« Resté là », écrira Axel dans son journal, en se souvenant du mardi 14 février.

Resté dix-huit heures !

— Il est resté par la force des choses ! Parce que les gardes nationaux surveillaient étroitement la sortie des Tuileries et qu'il ne pouvait pas prendre la poudre d'escampette, ont prétendu les uns.

— S'il est resté, il a dû se camoufler dans un cagibi, ont dit les autres, il avait sans doute trop peur que le roi ne fasse irruption !

— Et que fait-on des sentinelles qui dormaient à deux pas de la chambre de la reine ? ont ajouté les autres, encore.

Les gardes nationaux ? On sait qu'Axel était accoutumé à tromper leur vigilance. L'arrivée impromptue du roi chez son épouse ? Louis XVI était trop respectueux pour jaillir inopinément, il se serait évidemment fait annoncer. Les cerbères derrière la porte ? À la lecture des Mémoires de Mme Campan, on apprend que ces soudards-là étaient assez traditionnellement dans les vignes du Seigneur.

Ce seigneur des vignes étant sans doute le seul à s'être sorti indemne de toutes les abolitions de la fameuse nuit du 4 août !

Donc, la reine et le Suédois sont seuls. Dans une chambre.

Va-t-elle s'endormir gentiment dans son alcôve pendant que lui s'assoupira recroquevillé dans un fauteuil ou dissimulé dans un placard ?

Il faut n'avoir jamais été amoureux pour prétendre que la nuit a pu se passer de la sorte, aussi paisiblement.

— Je ne négocierai jamais avec la Suède si Fersen en est le représentant, dirait Bonaparte au congrès de Rastatt, en 1799. Non seulement parce que cet homme-là est un royaliste pur et dur, mais aussi parce qu'il a couché avec la reine de France !

Cela lui allait bien de faire la fine bouche, lui qui jetterait un jour la nièce de Marie-Antoinette dans son lit.

Mais il était sans doute bien informé.

D'ailleurs, le moment venu, Axel, qui aurait pu le démentir et monter sur ses grands chevaux, n'en fit rien.

Durant cette nuit du 13 au 14 février, les amants se sont-ils regardés, embrassés, caressés comme s'ils étaient conscients, l'un et l'autre, qu'ils ne se reverraient plus avant longtemps ? Jamais, peut-être ? Non, parce que Fersen, on le sait, avait mis au point un nouveau plan d'évasion.

Mais encore fallait-il que le roi l'acceptât.

C'est en fin d'après-midi, le mardi 14, qu'Axel allait pouvoir lui proposer de filer à l'anglaise.

Mais en attendant de rencontrer le mari, il lui restait quelques belles heures à vivre avec l'épouse.

Durant lesquelles Marie-Antoinette parvint à persuader le jaloux que sa liaison avec Antoine Barnave n'avait été que purement diplomatique. « D'ailleurs je vous confierai un jour le dossier intitulé "Papiers à mon ami", dans lequel se trouve toute ma correspondance avec ce monsieur », lui dit-elle.

Durant lesquelles il fit état de tous les soutiens qu'il avait obtenus, à la cour de Suède, bien sûr, mais aussi en Russie ou en Espagne.

— En revanche, votre frère, l'empereur Léopold, abuserait volontiers de la détresse dans laquelle vous vous trouvez. Il en profiterait pour démembrer la France.

— Ce n'est pas toujours dans sa famille que l'on trouve ses meilleurs amis.

— Le plus sûr serait vraiment de partir, soupire Axel.

— Je crains que le roi ne refuse. L'équipée de Varennes l'a échaudé, il a promis de rester quoi qu'il arrive. Et c'est un honnête homme.

Et le roi refusa.

— Je sais qu'on me taxe de faiblesse et d'irrésolution, expliqua-t-il, mais personne ne s'est jamais trouvé dans ma position. Je sais que j'ai manqué le moment, je l'ai manqué, c'était le 14 juillet – jour de l'assaut donné à la Bastille –, il fallait alors s'en aller, et je le voulais. Mais comment faire quand Monsieur, mon frère, me priait lui-même de ne pas partir, et que le maréchal de Broglie, qui commandait, me répondait : « Oui, nous pouvons aller à Metz, mais que ferons-nous quand nous y serons ? » J'ai manqué le moment et depuis, je ne l'ai pas retrouvé, j'ai été abandonné de tout le monde. Il faut qu'on me laisse tout à fait de côté, et qu'on me laisse faire.

— Mais… la Normandie, la route de Rouen, l'Angleterre ! Tout est prévu, insista le colonel suédois.

— Non, monsieur de Fersen.

Et c'était sans appel.

D'ailleurs le ton était cassant.

Le roi avait-il appris que son épouse avait secrètement passé de longues heures avec cet homme qu'il finissait par trouver envahissant ? En tout cas il semblait bouleversé.

— Non, monsieur de Fersen, répéta-t-il avec un pli amer au coin de la bouche.

Puis il se retira, hiératique.

Louis XVI était un peu suicidaire.

Axel resta auprès de la reine jusqu'à vingt et une heures trente.

— Prenez soin de vous, lui dit-elle quand il fut temps de se séparer.

— Puisque mon passeport diplomatique m'autorise à galoper vers le Portugal, je vais prendre immédiatement la

258

direction d'Orléans ou de Tours, expliqua-t-il. Et je reviendrai la semaine prochaine.

Or, il mentait.

Car à peine s'était-il glissé hors des Tuileries qu'il se précipitait chez la pulpeuse Mme Sullivan.

Il y resta une dizaine de jours, relégué dans une chambre de bonne, ne descendant dans l'alcôve de la coquine, « experte en voluptés inédites », que lorsque le riche M. Craufurd, le cocu officiel, avait quitté le logis.

En voyant s'éloigner « le plus aimant des hommes », à neuf heures et demie du soir le mardi 14 février, alors que la neige recouvrait Paris, Marie-Antoinette était à peu près sûre qu'elle ne le reverrait plus.

Un mauvais pressentiment.

Parmi les fidèles de l'avant-dernière heure, la reine pouvait aussi compter sur sa chère Lamballe. À l'automne précédent, ayant reçu à Aix-la-Chapelle – ce centre d'émigration joyeuse ! – un courrier de Marie-Antoinette qui lui expliquait qu'elle s'ennuyait, seule sans son « cher cœur », Marie-Thérèse n'avait pas hésité :

— Je rentre en France. La reine m'attend, je dois vivre et mourir près d'elle.

Suicidaire aussi, la petite belle-fille du vieux Penthièvre.

Évidemment, les auteurs de brochures assassines, tels, par exemple, ceux de cette publication glauque intitulée *Les Fureurs utérines de Marie-Antoinette*, se sont fort régalés de ce retour : « Les retrouvailles des amies de Lesbos », ont-ils annoncé ; ou bien « La Lamballe est revenue à la Reine pour se livrer à cette ancienne habitude pour laquelle les deux princesses ont du penchant » ; ou encore : « Qu'est-ce que Sapho pourvu qu'on rigole ! »

Ce qui était d'un goût !

Quand ils ne consacraient pas leurs libelles au *basic instinct* de la « cochonne des Tuileries », ils faisaient état de ses projets de trahison. Ainsi l'auteur de la *Correspondance secrète* expliquait-il que dorénavant « un triumvirat femelle conduit toutes les opérations du ministère. Madame de Lamballe au département de l'Intérieur, Madame de Staël à celui de la Guerre, et la reine elle-même aux Affaires étrangères ».

Alors qu'elle devenait plutôt étrangère aux affaires !

C'est par Fersen et son encre sympathique, par exemple, qu'elle fut informée de la mort de son frère Léopold, survenue le 1er mars, à Vienne, après quarante-huit heures de « violentes douleurs d'entrailles ».

— On a gagné ! On a gagné ! On l'a empoisonné ! scandèrent à cette occasion les révolutionnaires venus faire la fête sous les balcons des Tuileries, en promenant une tête en carton accrochée au sommet d'une pique.

Une tête qui ressemblait étrangement à celle du défunt empereur d'Autriche.

C'est encore par Fersen qu'elle apprit, une quinzaine de jours plus tard, que le roi de Suède, Gustave III, son ardent défenseur, avait été assassiné, abattu d'un coup de pistolet.

Même réjouissance dans les jardins des Tuileries :

— On a gagné ! On a gagné !

Et puis, le 20 avril, ce fut la guerre.

La guerre contre l'Autriche de François II, le neveu de Marie-Antoinette, le fils du frais défunt Léopold.

La guerre parce que Vienne refusait de renvoyer les émigrés français.

Quel beau prétexte !

En réalité, il s'agissait plutôt d'une guerre destinée à sauver la Révolution qui prenait l'eau de toutes parts.

Une bonne guerre, comme disaient nos grands-pères, pour remettre les pendules à l'heure et l'économie en marche !

Mais toute bonne qu'elle était, avec quelques courtes interruptions, cette guerre-là allait tout de même s'éterniser pendant près d'un quart de siècle, c'est-à-dire jusqu'à la chute définitive de Napoléon Ier, jusqu'au lendemain de Waterloo.

Louis XVI – qui était encore un tout petit peu roi – avait volontiers accédé à l'idée d'agresser les Autrichiens.

Mais pas pour les mêmes raisons que l'Assemblée législative, on s'en doute.

De leur côté, les députés étaient convaincus que l'armée de la Révolution ne ferait qu'une bouchée des troupes du Danube.

Alors que les pensionnaires des Tuileries espéraient vivement que les soldats viennois viendraient enfin rétablir l'ordre en bord de Seine.

Et, dans un premier temps, Leurs Majestés allaient pouvoir secrètement se réjouir en constatant que les troupes de Dumouriez, de La Fayette, celles de Luckner ou de Rochambeau piétinaient sans aucun panache. Pis, les Prussiens, alliés de l'Autriche, commençaient même à passer par la Lorraine.

Et sans sabots !

— C'est la faute aux aristos qui sont à la tête de nos armées, ce sont tous des incapables et des vendus ! grognèrent les sans-culottes.

Qu'on se rassure, les sans-culottes n'étaient pas des adeptes du naturisme. On les appelait ainsi parce qu'ils avaient décidé de porter des pantalons, voilà tout.

Rayés bleu, blanc et rouge, de préférence, leurs pantalons.

261

— C'est la faute au « Comité autrichien » qui se réunit aux Tuileries dans les appartements de Mme de Lamballe ! vitupérèrent les patriotes parisiens dans la foulée. C'est la faute à « l'Antoinette » ! C'est elle qui transmet les informations à l'ennemi !

Il commençait à planer comme une odeur de poudre.

Ne manquait plus qu'une étincelle sur la mèche.

Et c'est Louis XVI lui-même qui battit le briquet.

Le 19 juin, un mardi.

Quand il osa opposer son veto à deux décrets de l'Assemblée : au premier, qui voulait que tous les prêtres ayant refusé de prêter serment à la Constitution fussent déportés ; au second, qui décidait de l'installation d'un camp militaire pouvant accueillir vingt mille hommes dans les faubourgs de Paris.

C'est non à ces deux projets ! tapa-t-il sur la table.

Enfin, c'est qui, le roi ?

Mais ce n'était plus lui, hélas ! car on l'avait trop longtemps pris pour un fantoche.

Mercredi 20 juin.

Ce matin-là, dans les couloirs du vieux palais de la Médicis, Marie-Antoinette a croisé son admirateur, un homme d'une bonne trentaine d'années, plutôt de petite taille, aux longs cheveux blonds bouclés, au visage sévèrement piqué par la petite vérole.

Encore lui !

Un jour, il s'était présenté à elle comme étant M. de Rougeville. « Je suis là pour vous protéger, Majesté, avait-il murmuré en prenant une mine de conspirateur. Je vous suis totalement dévoué. »

Elle l'avait à peine pris au sérieux quand il lui avait expliqué qu'il faisait partie de la secte des « chevaliers du poignard », qui comptait près de trois cents gaillards décidés à assurer sa sécurité et résolus à sauver son mari.

Même en l'enlevant contre son gré !

Sauver le roi et protéger la reine ?

C'est le moment ou jamais.

Car au matin de ce 20 juin, chauffée à blanc par quelques meneurs tels le boucher Legendre, le brasseur Santerre ou Saint-Huruge, un aliéné notoire, une meute d'hommes et de femmes sortie des bas-fonds de Paris – plus de quinze mille canailles, selon le rapport de la mairie, plus de trente mille patriotes, selon les organisateurs de la manifestation – s'est ruée sur les grilles des Tuileries.

Elles étaient fermées.

— Ouvrez-les ! Vive la Nation ! Vivent les sans-culottes ! À bas Monsieur Veto !

Monsieur Veto, c'est le roi.

Prostituées, crocheteurs, poissardes, ils sont tous armés jusqu'aux dents.

Armés de piques, de tranchets, de couteaux, de besaiguës, de haches, de sabres et même d'un canon !

— Il est urgent que Votre Majesté donne l'ordre d'ouvrir les portes, s'inquiètent les trois officiers municipaux que Louis XVI a accepté de recevoir.

— Soit, je consens à ce qu'on les ouvre ; mais à la condition que vous fassiez défiler le cortège le long de la terrasse pour le faire sortir par la porte de la cour du Manège, sans descendre dans le jardin. Que l'on n'aille surtout pas sous les fenêtres des chambres de mes enfants.

Il est trop tard, les grilles ont cédé.

La cour des Miracles a pris la direction des opérations.

La reine, sa Mousseline, son Chou d'Amour, et la princesse de Lamballe qui ne les quitte pas d'une semelle, ne savent où aller.

263

— Il faut que je rejoigne le roi, dit Marie-Antoinette.

— Surtout pas ! lui dit Marie-Thérèse de Lamballe.

— Qu'ai-je à craindre ? Le pire serait d'être tuée. Allons-y.

Et déjà elle avance vers le vestibule de la chambre de parade, baptisé l'Œil-de-Bœuf, comme à Versailles, où le roi s'est réfugié.

Pendant que les panneaux des portes sautent à grands coups de hache, que les escaliers résonnent du piétinement sourd des émeutiers en marche, que les vociférations se rapprochent – « On veut la Reine ! On la veut morte ou vive, la chienne ! » –, au détour d'un couloir un homme jaillit.

— Où allez-vous, Majesté ? s'écrie-t-il en écartant les bras comme pour l'empêcher de faire un pas de plus.

Elle le reconnaît, cet homme, c'est son chevalier du poignard.

— Près du roi, monsieur, et c'est sur vous que je compte pour me conduire jusqu'à lui.

— Non, n'y allez pas !

— Ce n'est qu'à moi que le peuple en veut, le supplie-t-elle, je vais leur offrir une victime.

— Non, suivez-moi !

Et, avec respect mais fermeté, Rougeville – qu'Alexandre Dumas transformera un jour en Chevalier de Maison-Rouge – l'entraîne alors vers la chambre du Conseil, qui n'a pas encore été envahie par la « lie des faubourgs ».

— Placez-vous tous derrière cette lourde table, elle vous fera un rempart, ordonne-t-il, avant de demander à quelques grenadiers de s'aligner par le devant.

Il était temps.

La porte venait de céder. Emportée par un coup de l'épaule du brasseur Santerre qui ressemblait à un mastodonte.

264

Un instant, l'homme des tavernes demeura comme interdit en découvrant Marie-Antoinette, là, devant lui, à portée de main ; en observant la princesse de Lamballe qui semblait pétrifiée ; en regardant une fillette en larmes et le petit dauphin grimpé sur la grosse table de travail.

Mais il n'était pas homme à se laisser impressionner. D'autant qu'il avait sans doute déjà quelques degrés de bière dans les veines.

— Craignez rien, madame, lança-t-il à la reine, je vais pas vous faire de mal. Poussez-vous, les grenadiers, il faut que le peuple la voie !

Puis, se tournant vers la foule qui hésitait encore à entrer, d'une voix de bateleur il s'exclama :

— Allez-y ! Venez donc tous saluer la reine et le prince royal !

Marie-Antoinette au pilori.

Pendant près de quatre heures !

Quatre heures de défilé pendant lesquelles elle a dû garder la tête haute, transpirer dans la chaleur de juin, supporter les regards méchants, sentir les haleines vineuses, se laisser injurier sans broncher.

Par les femmes, surtout, qui étaient beaucoup plus haineuses que les hommes. L'une d'elles, par exemple, en lui glissant sous le nez une planchette sur laquelle était cloué un cœur de bœuf, avait méchamment ricané en lui disant :

— T'as vu ce qu'on a fait du cœur du roi ?

Une autre avait agité nerveusement sous ses yeux une potence en miniature, avec une poupée suspendue.

— C'est toi !

Une autre encore lui avait brandi un poing de déménageur sous le menton en hurlant :

— Tu es une infâme, on te crèvera le boyau !

265

— Vous ai-je fait aucun mal ? avait demandé la reine en clignant des yeux.

Puis, se penchant vers la princesse de Lamballe, elle avait murmuré :

— C'en est trop, cela va au-delà de la patience humaine.

Mais elle savait qu'elle ne devait pas réagir, qu'il fallait patienter, rester digne, en imposer presque, car l'instant était périlleux.

— Si l'une de ces femmes avait osé la frapper, tout ce qui était dans la salle eût été massacré, racontera Mme de Lamballe.

À vingt heures, le gros brasseur avait enfin donné l'ordre d'évacuer la salle.

Après qu'une dame au visage baigné de larmes se fut approchée de la reine pour lui crier :

— Je vois que vous êtes bonne, pardon, on nous a trompés !

— Tu ne sais pas ce que tu dis ! Tu es saoule, avait hurlé le marchand de houblon devenu subitement rubicond, allez, circule !

Santerre, qui n'ignorait pas la versatilité des foules, craignait évidemment que cette femme trop émotive ne fît passer le cortège de la colère à l'attendrissement.

De retour dans sa chambre, après avoir traversé un palais devenu un véritable champ de ruines, portes éclatées, parquets défoncés, glaces éclatées, après avoir sangloté dans les bras de son mari qui avait oublié d'ôter le bonnet rouge dont l'émeute l'avait coiffé, la reine s'est installée à son écritoire. Un billet secret pour Axel :

266

« J'existe encore, mais c'est un miracle. La journée a été affreuse. Ce n'est plus à moi qu'on en veut le plus, c'est à la vie même de mon mari. Ils ne s'en cachent plus. Il a montré une force et une fermeté qui en ont imposé pour le moment, mais les dangers peuvent se reproduire à tout moment. Adieu, ménagez-vous pour vous et ne vous inquiétez pas pour moi. »

Nouveau billet le 3 juillet :

« Je me sens beaucoup de courage et j'ai en moi quelque chose qui me dit que nous serons bientôt heureux. »

Un moral à toute épreuve, en quelque sorte…

20

Marchons, marchons !

— Croira-t-on qu'une reine de France en était réduite à avoir un petit chien couché dans sa chambre pour l'avertir au moindre bruit que l'on ferait entendre dans son appartement ? demande Mme de Tourzel.

Car les Tuileries sont maintenant quasiment ouvertes à tout vent.

Un matin de la fin de juillet, par exemple, Marie-Antoinette tombe nez à nez avec un jeune homme porteur de deux pistolets. Dieu merci, on parvient à le ceinturer avant qu'il n'ait eu le temps de les armer.

— S'il m'avait assassinée, il aurait été porté en triomphe par les jacobins. Laissez-le donc partir, dit-elle, résignée.

— Vous devriez porter ce plastron que j'ai fait faire pour vous, Majesté, conseille Mme Campan. Il est capable de résister aux coups de stylet et aux balles.

— Non. Si les factieux me tuent, ce sera un bonheur pour moi : ils me délivreront de l'existence la plus douloureuse.

Qu'est devenu son moral d'acier ?

La Fayette, qui sent le vent tourner à l'orage, propose à la famille royale de profiter des fêtes du Champ-de-Mars, le 14 juillet, pour s'éclipser discrètement le soir venu.

— Quelques bataillons de la garde nationale me sont restés fidèles. Dans un premier temps, ils pourraient vous permettre de gagner Compiègne.

— Je vois bien que M. de La Fayette veut nous sauver, mais qui nous sauvera de M. de La Fayette ? ironise Marie-Antoinette qui ne supporte pas le Blondinet.

Hier, sous prétexte de sauver la monarchie, il lui avait demandé de divorcer et l'avait menacée d'un internement au couvent, aujourd'hui, il veut jouer les *deus ex machina* ! Quelle mouche l'a donc piqué !

— Non, décide-t-elle en accord avec le roi, plutôt que d'être sauvé par lui, il vaut mieux périr. Tout sauf le déshonneur !

À vrai dire, elle croit encore avoir une dernière chance de s'en sortir.

Son salut peut, doit venir de l'Autriche et de la Prusse, elle le sait. Grâce à Fersen, d'ailleurs, qui l'a convaincue que les coalisés seraient à Paris avant le 1er septembre.

Mais que de rudes épreuves, en attendant ! Ne lui faut-il pas ignorer les gardes nationaux qui crient « À bas Veto » ou « Mort au tyran » dès qu'ils aperçoivent le roi ; ne faire aucune remarque aux musiciens de la chapelle qui entonnent le *Ça ira* au moment du Credo ; supporter les colporteurs qui défilent sous les fenêtres en distribuant aux badauds des estampes crapuleuses sur lesquelles elle apparaît nue, crapuleusement pâmée dans les bras du comte d'Artois, ou embrassant à pleine bouche les seins de Mme de Polignac ou la partie intime de l'anatomie de la princesse de Lamballe ?

Le 21 juillet, dans le Nord, les Austro-Prussiens entrent dans Orchies et Bavay. On n'avance pas assez vite, estime Charles Guillaume, le duc de Brunswick, le chef des armées coalisées, qui imagine aussitôt envoyer une lettre de menace à l'intention des révolutionnaires parisiens.

Le fameux manifeste de Brunswick !

Un factum dont on pense qu'il fut en partie rédigé, depuis Coblence, par Fersen lui-même.

Un texte aussi désinvolte qu'impertinent.

En clair, « le plus aimant des hommes » annonçait que s'il était fait la moindre violence, le moindre outrage, à Leurs Majestés le roi, la reine et à la famille royale, Paris serait mis à feu et à sang, « livré à une exécution militaire et à une subversion totale ».

Or, cet ultimatum était plus que maladroit, il était criminel.

Mais comment le colonel suédois, qui connaissait pourtant très bien la poudrière parisienne, avait-il pu imaginer qu'elle n'exploserait pas au contact d'un tel brûlot ?

Mais non, il était tellement enthousiaste qu'il avait même déjà envoyé à Louis XVI la composition de son nouveau gouvernement, avec le baron de Breteuil installé dans le fauteuil du Premier ministre, M. de Barentin dans celui de la Justice, l'évêque de Pamiers aux Finances et M. de Bombelles aux Affaires étrangères !

On croit rêver !

Et à Marie-Antoinette, il avait tout simplement conseillé, au cas où la percée des troupes prendrait un peu de retard, de se cacher quelque temps avec les siens dans un caveau du Louvre attenant à l'appartement de M. de Laporte.

« Je crois cet endroit peu connu et sûr. Vous pourrez vous en servir en toute tranquillité. »

De son côté, Mme de Staël suggérait à son amie la reine

d'aller se réfugier en Normandie, dans le vieux château de Gaillon.

— On est fidèle au roi, là-bas, sur les anciennes terres du cardinal d'Amboise où MM. de Molleville et de Montmorin ont déjà tout prévu pour vous accueillir, lui avait-elle expliqué.

Soit, mais encore aurait-il fallu que la reine pût sortir des Tuileries !

Car dès la réception du manifeste explosif on avait doublé la garde autour du palais, et l'on sentait bien que les Parisiens devenaient de plus en plus menaçants.

Et puis bon, une fois de plus, Louis XVI avait tranquillement déclaré :

— On ne part pas. Il y a moins de danger à rester qu'à fuir.

Ses analyses commençaient tout de même à manquer de la plus élémentaire pertinence.

Et on en arrive au jeudi 3 août, jour où Pétion, l'ancien passager de la berline vert et jaune, demande solennellement à l'Assemblée la déchéance du roi.

Pour trahison.

— Le responsable de l'invasion, c'est lui ! C'est à cause de lui que la patrie est en danger !

Une déchéance qui sera officiellement votée sept jours plus tard, quand l'Hôtel de Ville se sera trouvé envahi par des groupes d'insurgés venus des sections du faubourg Saint-Antoine et du Théâtre-Français, et par une troupe de fédérés arrivés de Marseille en compagnie de « la fine fleur des bagnes de Gênes et de Toulon ».

Défonçant tout sur leur passage, ces énervés-là hurlaient à tue-tête le chant de guerre de l'armée du Rhin.

La future *Marseillaise*.

« Marchons, marchons... »

— Ce n'est plus possible, Vous ne pouvez plus rester aux Tuileries, sire ! Paris est devenu fou !

Réveillé en catastrophe, Louis XVI ne semble pas comprendre ce que lui dit Roederer, le procureur-syndic de la Commune insurrectionnelle.

— Que se passe-t-il, encore ? Laissez-moi au moins le temps de poudrer ma perruque !

— Non, Votre Majesté n'a plus cinq minutes à perdre. Il n'y a maintenant de sûreté pour elle que dans l'Assemblée nationale.

Il est dix heures du matin, nous sommes le vendredi 10 août.

— Je ne partirai pas, hurle la reine. Clouez-moi sur ces murs avant que je ne consente à les quitter.

— Madame, insiste Roederer, tout Paris est en marche. Ils sont déchaînés…

Alors, Louis XVI s'approche de son épouse, lui prend la main et lance solennellement :

— Allons ! Donnons, puisqu'il le faut encore, cette dernière marque de dévouement. Marchons, marchons…

« Cette pauvre princesse se tut et éprouva une telle révolution que sa poitrine et son visage devinrent, en un instant, tout vergetés », racontera Mme de Tourzel.

Il est vrai qu'elle était épuisée, Marie-Antoinette. Elle ne dormait plus que d'un œil depuis des semaines, guettant les bruits de la rue, se rendant plusieurs fois par nuit dans la chambre de ses enfants pour voir si on ne les lui avait pas enlevés. Elle vivait dans cette hantise.

Alors, marchons, marchons…

— Nous serons bientôt de retour, lança la reine à son ami M. de Jarjayes.

Elle se trompait.

Le chemin qui menait à l'ancien Manège (l'emplacement des actuelles rue de Rivoli et de Castiglione) où siégeait la Législative n'était pas très long, guère plus de deux cents mètres, mais on trouva tout de même le temps de huer, de chahuter, presque de molester le pitoyable cortège. La reine se fit même subtiliser sa bourse et sa montre pendant que de son côté Marie-Thérèse de Lamballe recevait un méchant crachat sur la joue.

En essuyant son visage elle murmura :

— Nous ne retournerons jamais au château…

Elle avait raison.

D'abord, on avait commencé par entasser tout le monde, c'est-à-dire le roi, la reine, les enfants, Mme de Tourzel et la princesse de Lamballe, dans un réduit de trois mètres carrés.

C'était la loge du logographe – aujourd'hui on parlerait de sténographe –, au fond de laquelle un secrétaire avait l'habitude de consigner l'intégralité des séances.

On respirait à peine, on mourait de soif, on transpirait, dans ce cabouin, en plein mois d'août.

— On ne pourrait pas manger un petit quelque chose ? avait réclamé Louis XVI dont l'estomac gargouillait comme un siphon.

Mon royaume pour un poulet !

— Le chef du pouvoir exécutif est provisoirement suspendu de ses fonctions, avait fini par lancer Vergniaud, le président de la Législative, sur le coup de sept heures du soir.

En clair, Marie-Antoinette n'était plus reine de France !

Sept heures du soir ! l'heure à laquelle, ce jour-là, Rignon rédigeait encore un petit billet à l'intention de

273

Joséphine : « Je regrette bien que vous ne soyez pas sortie de Paris… Mon inquiétude pour vous est extrême… »

Et il ne savait pas tout, le beau colonel ! Il ignorait que « l'amour de sa vie » allait passer la nuit dans une obscure cellule du couvent voisin des Feuillants, à deux pas d'un couloir dans lequel quelques Parisiens fort éméchés ne cesseraient de hurler des cris de mort ; qu'elle y resterait cloîtrée jusqu'au lundi 13 août, avant d'être transférée au château du Temple, dans l'ancien palais du comte d'Artois.

Quoi, le Temple ? Cette résidence dans laquelle elle avait passé tant d'après-midi à folâtrer avec son jeune beau-frère durant les années de la « douceur de vivre » ?

Non. Ce n'est pas au palais même qu'on avait prévu de la reléguer, mais dans le donjon.

Un donjon médiéval, haut de cinquante mètres, avec des murs si épais que, dans les embrasures qui donnaient sur les fenêtres grillées, on aurait pu installer la cuisine d'un appartement du XXIᵉ siècle ! Une grande cuisine, même !

Un donjon médiéval comme celui du Château-Gaillard dans lequel on avait autrefois étranglé discrètement Marguerite de Bourgogne, la belle-fille du roi Philippe le Bel.

— J'avais toujours demandé au comte d'Artois de jeter à bas cette vilaine forteresse, murmure alors la reine à l'oreille de Mme de Tourzel, elle m'a toujours fait horreur.

Car Mme de Tourzel est là, elle ne l'a pas abandonnée. Ni Marie-Thérèse de Lamballe, d'ailleurs. Ni son mari, bien sûr, ni ses enfants, ni le petit chien blanc à long poil.

La princesse de Lamballe l'a suivie fidèlement ? Voilà qui réjouit aussitôt les horribles journalistes « people » du temps, qui ne vont pas tarder à publier un article titré « La tentation d'Antoinette » dans lequel on peut lire :

« Qui oblige la Lamballe à partager la captivité des deux tigres qui attendent avec impatience la guillotine comme termes de leurs maux ? Elle est tout simplement allée à la Reine pour continuer à se livrer à une ancienne habitude pour laquelle les deux femmes ont un certain penchant… »

Tout est gothique, dans cet endroit obscur et humide, fief des anciens templiers. C'est déjà un tombeau.

D'ailleurs, le roi passe maintenant son temps à prier. À voix haute parfois, comme s'il récitait une oraison funèbre.

On a bientôt livré quelques meubles, le strict minimum, à savoir des lits de sangle, des tables, des quantités de tabourets, un métier à tapisser, un canapé et des fauteuils *à la reine*, en lampas bleu et blanc.

Mon ami l'historien André Castelot – probablement le meilleur des biographes de Marie-Antoinette – possédait un ample fragment de cette soierie qui recouvrait les fauteuils du Temple. Combien de fois – quand il avait le dos tourné – n'ai-je pas caressé avec émotion ce morceau de tissu sur lequel elle s'était assise ou avait peut-être déposé son mouchoir trempé de larmes !

Les coalisés seront à Paris avant le 1er septembre, avait annoncé Fersen dans une de ses dernières correspondances secrètes, eh bien, il serait grand temps qu'ils arrivent !

Parce que le 20 août, à minuit, quelques gendarmes mandatés par la Commune ont fait irruption dans le vieux Temple.

— Que tous ceux qui n'appartiennent pas à la famille Capet nous suivent !

La famille Capet !

C'est Danton, fraîchement nommé ministre de la Justice, qui avait eu l'idée, comme aurait pu le faire un grouillot de l'état civil, de baptiser ainsi sèchement la famille royale. Sans doute pour la ramener au niveau du *vulgum pecus*, pour rappeler que le fondateur de la dynastie avait simplement été élu roi en 987 et qu'il n'existait pas de particule à cette époque.

C'était tout de même faire un peu hâtivement fi d'un millénaire de monarchie, avec des Capétiens directs, des Valois, des Valois-Orléans ou Angoulême et des Bourbons.

Donc, on évacue les non-Capétiens.

Neuf personnes sont concernées par cette décision prise par le tonitruant ministre : Mmes Bazire et Navarre, les femmes de chambre de Madame Royale ; Mme Thiébault, première femme de chambre du service de la reine ; Mme de Saint-Brice pour le dauphin ; Claude de Chamilly et François Hue, respectivement premier et second valet de chambre de Louis XVI ; Mme de Tourzel, la gouvernante, et sa fille Pauline, ainsi que la princesse de Lamballe.

— Non, pas elle ! Pas Mme de Lamballe ! Elle est un peu de la famille ! s'arc-boute Marie-Antoinette.

Mais il n'y a rien à faire.

— J'ai les noms ! dit un officier. La Lamballe doit m'accompagner !

Marie-Thérèse se jette alors aux genoux de son amie et, en sanglotant, lui couvre les mains de baisers.

— Ça suffit ! C'est bon pour une esclave de ramper devant le tyran ! Dans un pays de liberté et d'égalité, on ne doit pas voir cela ! la rabroue un gendarme en la relevant brutalement.

— Si nous ne sommes pas assez heureuses pour nous revoir, chuchote alors la reine à la gouvernante de ses enfants, soignez bien la princesse. Dans toutes les occasions essentielles, prenez la parole à sa place et évitez-lui autant que possible d'avoir à répondre à des questions embarrassantes…

Craignait-elle qu'on ne l'interrogeât un peu vivement et qu'on ne l'amenât à parler de leurs « caquetages d'amitié » ?

Mais Marie-Thérèse est partie les mains vides ! Elle n'a même pas eu le temps d'emporter de quoi se changer ! Vite, décide la reine, il faut lui faire parvenir un petit paquetage.

Quand on fera l'inventaire des objets que la « chère Lamballe » avait laissés dans sa cellule, on trouvera quelques chemises, des bas de soie, des mouchoirs, trois corsets, des caracos de nuit, des fichus et des manchettes en dentelle ; des couteaux, aussi, et des couverts d'argent également, ainsi que trois tasses, un sucrier de porcelaine, une montre, une boîte d'écaille et des couteaux.

Des couteaux dans une cellule ! C'est dire que les matons de la prison de la Force n'étaient pas trop regardants.

Car elle est en prison, maintenant ! Après avoir été interrogée par le dénommé Billaud-Varenne, un ancien oratorien passé dans le club des sanguinaires, elle a en effet été hâtivement transportée à la Force, un établissement pour filles publiques, femmes de mauvaise vie, voleuses de tout âge.

— Cette maison de la rue du Roi-de-Sicile n'était remplie que de coquins et de coquines qui tenaient les plus abominables propos et chantaient les plus détestables chansons ; les oreilles les moins chastes eussent été blessées de tout ce qui s'y entendait sans discontinuer, la nuit comme le jour, et il était difficile de pouvoir prendre un moment de repos, confie Mme de Tourzel, qui a partagé durant quelques heures la captivité de Marie-Thérèse.

Et on en arrive au lundi 3 septembre.

Il peut être trois heures de l'après-midi. Au Temple, Louis XVI, à qui l'on a refusé une promenade dans l'enclos, joue paisiblement au trictrac avec son épouse.

Soudain, il dresse l'oreille. Ce brouhaha, là, qui monte de la rue ? Que se passe-t-il ? Sont-ce les ouvriers qui construisent le mur devant enserrer la tour qui font tant de bruit ? Voulant en avoir le cœur net, il se lève et se dirige vers la fenêtre de la chambre. Mais il est cloué sur place par un cri terrible qui retentit dans la salle à manger du rez-de-chaussée, à l'étage du dessous. C'est Mme Tison, la cuisinière désignée par la Commune, qui vient de pousser ce hurlement déchirant. Puis, dans la seconde qui suit, Cléry, le valet de chambre du dauphin, apparaît dans la pièce. Il a les yeux hagards, épouvantés. Il regarde la reine, bredouille un mot d'excuse, bondit vers la croisée et tire sèchement le rideau de taffetas bleu. Non, il ne faut pas qu'elle voie ! Lui, il a vu ! Il a vu l'horreur à l'état brut ! Il a vu, fichée sur une pique, la tête coupée de la princesse de Lamballe, avec ses longs cheveux blonds bouclés qui flottaient.

— Que se passe-t-il ? demande le roi.

Mais Cléry est incapable d'articuler le moindre mot.

C'est un commissaire qui vient de surgir dans la pièce qui va se charger de lui répondre.

— Le bruit court que vous et votre famille n'êtes plus dans la tour, lance-t-il, aussi on demande que vous paraissiez à la fenêtre, mais n'y allez pas…

— Si ! hurle un municipal en faisant irruption dans la chambre. Moi, je vous conseillerais plutôt de vous montrer !

Puis, s'adressant brutalement à la reine, il ajoute :

278

— On vous a apporté la tête de la Lamballe ! Allez, venez donc la voir ! Venez voir comment le peuple se venge de ses tyrans !

— Mon Dieu ! s'écrie Marie-Antoinette, avant de s'évanouir « glacée d'horreur ».

Marie-Thérèse de Lamballe venait d'être tuée à la prison de la Force.

Massacrée, plutôt.

Le 8 septembre, elle aurait eu quarante-trois ans.

Elle fut la seule victime du beau sexe lors des tragiques massacres de Septembre.

En réalité, en la livrant aux bourreaux, on avait exécuté une première fois Marie-Antoinette.

— Oui ! s'était réjoui Danton. Si nous voulons conserver la liberté, plus de quatre cent mille têtes doivent tomber ! Le sang des royalistes doit, par l'éternelle épouvante des souverains, couler comme l'eau de la pluie dans toutes les ruelles et dans toutes les rues de Paris. La moindre pitié serait un crime !

Pas de pitié, donc, pour Marie-Thérèse, que l'on va abattre à coups de sabre sur les marches de sa prison avant de lui couper le col sur une borne de la rue de la Force.

Voilà, la tête est maintenant détachée du tronc, reste à la laver, la poudrer et la friser.

Et on va même lui faire avaler une petite lampée de vin.

— Parce qu'il faut qu'elle soit de bonne humeur et bien présentable, la Sapho de Trianon, pour que l'Autrichienne lui baise encore les lèvres ! ricane un des exécuteurs.

On lui arrache le cœur, aussi, et un des tueurs fous s'en prend même à ses parties génitales.

Avant de se faire une moustache de sa toison intime.

Danton a fait mettre de la poudre à canon dans le gros rouge dont se rassasient les massacreurs.

Pour les énerver, paraît-il.

Le moins que l'on puisse en dire, c'est que sa décoction a été efficace.

Ce soir-là, dans les rues de Paris, on distribua à grands cris une feuille hâtivement imprimée et titrée *Le Testament de la ci-devant Princesse de Lamballe*. Marie-Antoinette en eut connaissance le lendemain, par un des municipaux trop ravi de la voir blêmir une nouvelle fois.

Car ce *Testament* était comme une leçon de morale donnée par Marie-Thérèse à l'heure du bilan et du repentir :

« Moi, ci-devant princesse de Lamballe, quoique plus d'une fois j'aie fait courir des risques à ma santé, dans mes fougues amoureuses, saine de tête et d'esprit, pour la première fois de ma vie, réfléchissant à l'énormité des crimes que m'ont fait commettre mon orgueil, mon ambition et mon goût démesuré pour le libertinage et les débauches en tout genre, considérant que la mort est certaine… convaincue que lorsqu'on est aussi coupable que je le suis, la vengeance publique peut accélérer ce moment fatal, ai fait et écrit de ma main ce présent testament : Je recommande mon âme à Dieu, s'il est encore possible de la garantir des griffes du diable, et je supplie la Vierge et tous les saints du paradis d'être mes intercesseurs auprès de l'Être suprême dont j'ai jusqu'ici méconnu la grandeur et la justice… Je supplie le ci-devant Roi, la ci-devant Reine et la Nation de m'accorder le pardon de tous mes forfaits… Chère Antoinette, il faut mourir maintenant, toi et ton gros cochon ; il n'y a plus d'avoine ; ton trône si florissant, qui faisait l'admiration des étrangers, est anéanti…

Je donne et lègue au ci-devant Roi, et je supplie très humblement Sa ci-devant Majesté de l'accepter, un tonneau d'élixir de poulet au jus. Je donne et lègue à la ci-devant Reine une pierre de touche du cœur humain, de laquelle je me suis toujours servie avec succès pour distinguer les coquins d'avec les honnêtes gens, les imbéciles d'avec les gens spirituels et clairvoyants... Tant que j'ai eu quelque influence sur l'organisation de la Cour et sur les opérations du gouvernement, mes vues criminelles m'ont toujours déterminée à donner ou à faire donner aux premiers les places, la confiance et l'autorité qui ne doivent être accordées qu'aux seconds... La ci-devant Reine, délivrée de mon exécrable présence et de mes perfides conseils, fera de cette pierre, j'en suis sûre, un usage bien différent. Qu'elle baisse son front superbe et criminel ; qu'elle cesse de s'enorgueillir d'une haute naissance que ses vices déshonorent. L'Europe entière a retenti du bruit de ses forfaits ; que l'univers soit stupéfait de l'éclat de son repentir ! Que n'a-t-elle pas fait pour se souiller des excès de la débauche et des horreurs du crime ? Versailles, Marly, Trianon, Saint-Cloud, Bagatelle et Brimborion retentissent encore des soupirs lascifs qu'un amour incestueux et une rage effrénée lui faisaient pousser dans les bras d'Artois et sur le sein de la Polignac... Pour Monsieur, frère du ci-devant Roi, une fiole contenant un élixir composé de courage et d'énergie ; pour Artois, dix-huit mille paquets (c'est-à-dire un pour chaque jour de sa vie) d'une poudre que je viens de composer, qui a la propriété d'éteindre toutes les passions et de rendre le plus riche et le plus grand de la terre si modéré dans sa dépense qu'il puisse vivre heureux avec dix mille livres de rente... Telles sont mes dernières volontés. »

Son véritable testament – découvert dans le carton 300 API 475 des archives de la maison de France –, Marie-Thérèse l'avait rédigé un an plus tôt, à Aix-la-Chapelle, à la veille de rentrer en France et de « se jeter dans la gueule du tigre ».

Il est beaucoup plus pathétique, ce document historique, surtout quand elle écrit :

« L'amitié de la Reine a fait le bonheur de ma vie… Je la chérirai jusqu'à mon dernier souffle… Je lui demande donc, pour dernière grâce, d'accepter ma montre à réveil, qui lui rappellera l'heure de notre séparation et toutes celles que nous avons passées ensemble… »

Au moment d'être saignée par les barbares, la princesse de Lamballe portait à son doigt une bague ornée d'un « chaton de pierre bleue » dans lequel se trouvaient des cheveux blancs liés en lac d'amour, avec cette devise : « Ils sont blanchis par le malheur. »

Il s'agissait des cheveux de Marie-Antoinette.

Cheveux blancs, visage ridé, les yeux rougis, amaigrie, la poitrine tombante, la reine est aujourd'hui très éprouvée. Il est vrai qu'elle ne se nourrit presque plus.

Alors que Louis XVI, lui, n'a rien perdu de son coup de fourchette légendaire.

Hébert, le féroce rédacteur normand du *Père Duchesne*, a pu en témoigner, au soir du 21 septembre, après que les députés de la Convention nationale eurent proclamé la République. En soudoyant quelques sentinelles, l'Alençonnais avait en effet réussi à se glisser dans le Temple pour y jouer les voyeurs et noter la réaction des prisonniers à l'annonce de l'abolition définitive de la monarchie.

Le bougre de Louis fait contre mauvaise fortune bon cœur, dit-il alors, mais il suffoque de rage ; l'Autrichienne, pour cacher son chagrin, prétend qu'elle a ses vapeurs ; la grosse Élisabeth va pleurer dans un coin. Cette farce dura jusqu'au souper, où le gros sanglier ne perdit pas un coup de dent ; mais Madame Veto s'était couchée auparavant, après avoir pris un verre d'eau pour tout potage. Mais foutre ! il faut se méfier d'elle. La tigresse a pris la figure traîtresse d'une chatte ; elle a l'air de miauler avec douceur, elle fait patte de velours pour mieux trouver son temps et donner encore quelques coups d'ongle. Les petits sapajous engendrés par cette guenon font des petits sauts et des gambades pour amuser ceux qui les entourent.

La royauté abolie – provisoirement, car en France rien n'est jamais définitif ! –, le calme va régner pendant quelques jours dans les humides appartements des ci-devant souverains.

Un calme relatif, tout de même.

Il suffisait en effet que Marie-Antoinette descendît faire quelques pas dans l'enclos du Temple pour qu'elle pût y lire tel ou tel graffiti menaçant du genre « La guillotine est permanente et attend les tyrans », ou « Madame Veto à l'échafaud ! », ou encore « Le gros cochon au régime ! », quand il ne s'agissait pas de dessins qui la représentaient au pied du bourreau et annonçaient en légende : « Elle va prendre son dernier bol d'air » ou « Elle va cracher dans le sac ». Mais le plus horrible de ces « tags » était sans conteste celui qui figurait ses deux enfants, avec ce commentaire : « Il faut étrangler les petits louveteaux. »

Après l'avoir lu, la reine s'était effondrée dans les bras de son mari.

Comme si elle avait pu encore compter sur lui !

Quoique !

Car la captivité les avait singulièrement rapprochés. Pendant près de vingt ans, ils s'étaient contentés de vivre l'un à côté de l'autre, aujourd'hui, par la force des choses, ils apprenaient à vivre ensemble, à se découvrir.

Louis XVI était d'ailleurs en admiration devant la dignité de son épouse :

— Ah ! si l'on savait ce qu'elle vaut, disait-il, comme elle est élevée, à quelle hauteur de vues elle est arrivée !

Rien n'était comparable à la passion qu'elle éprouvait pour Axel, bien sûr, mais de son côté Marie-Antoinette se sentait maintenant toute pleine d'une grande tendresse pour ce mari un peu balourd qui avait toujours préféré la chasse à la danse, un épais repas à un léger Fragonard, mais qui affichait un stupéfiant courage moral dans l'adversité, une incroyable dignité, et une mansuétude qui forçait même l'admiration de ses ennemis.

Ah ! Que ne l'avait-elle aimé de la sorte quinze ans plus tôt ! Aux yeux des frondeurs, elle ne serait jamais devenue la Messaline de Versailles et les chœurs révolutionnaires n'auraient peut-être pas été amenés à entonner le fatal grand air de la calomnie.

Fersen ? Dans le fond de sa tour, elle n'avait plus reçu de ses nouvelles. Avait-il rejoint les armées prussiennes, qui s'étaient emparées de Longwy et de Verdun avant de s'embourber à Valmy ? N'avait-il pas plutôt rejoint les Autrichiens qui assiégeaient Lille ? Et s'il avait été blessé ? Elle connaissait sa bravoure, son intrépidité ; dans ces conditions, elle pouvait imaginer le pire.

Elle est coupée du monde, Marie-Antoinette ? Pas totalement depuis qu'un homme, un Toulousain fraîchement nommé commissaire de la garde, est tombé sous son charme.

Dès qu'il l'a vue.

Comme Barnave, autrefois, sur la route de Varennes.

Car malgré ses cheveux « blanchis par le malheur », son

visage qui s'est un peu émacié et les petites rides qui se sont installées au coin de ses yeux et sur le menton, la ci-devant reine n'a rien perdu de son charme. D'ailleurs, elle compte à peine trente-sept ans.

Alors le Toulousain Toulan a craqué.

Lui qui jusqu'alors était un républicain convaincu est aussitôt devenu le plus ardent défenseur de la monarchie.

Alors, il se met à développer des trésors d'imagination pour tenter d'adoucir – discrètement – les conditions de vie de la belle captive. Et puis, surtout, pour qu'elle ait connaissance des événements extérieurs, il a l'idée de sou-doyer un colporteur de journaux et de lui demander de venir crier, avec sa belle voix de stentor, les titres de ses gazettes rue de la Cordonnerie, tout près du donjon du Temple. Ainsi, en s'approchant de la croisée, Marie-Antoinette est-elle informée de ce qui se passe à Paris, en France, en Hollande, en Autriche et ailleurs.

Il y a Louis François Turgy, aussi. Ému par le triste sort de la maman du dauphin, cet ancien valet des Tuileries a réussi à se faire nommer auprès d'elle. Comme il est malin, il a mis au point une manière de code muet qui lui permet de faire passer les nouvelles. Dans une conversation banale du genre « voulez-vous une carafe d'eau ? » ou « le repas est servi », ou encore « dois-je tirer les rideaux ? », il positionne habilement ses doigts sur son visage et, en fonction de l'endroit où il les place – un doigt de la main droite sur l'œil droit, un doigt de la main gauche sur l'œil gauche, un index devant ses lèvres, etc., Marie-Antoinette est à même de savoir si les coalisés ont remporté une victoire, s'ils s'approchent de Paris ou s'ils piétinent.

Mais le bonhomme Turgy ne porta jamais son index à sa bouche !

Car les Austro-Prussiens ne menacèrent jamais la capitale.

Au contraire.

Le 7 octobre, les uns levaient le siège de Lille, une dizaine de jours plus tard, les autres allaient évacuer Verdun et Longwy.

Retour à la case départ !

Expulsion, même, puisque l'armée de la République ne tarda pas à entrer dans Mayence et à occuper toute la Belgique !

— Allez, foutre ! Maintenant il ne nous manque plus que le rasoir national pour l'ivrogne et sa grue ! hurle alors *Le Père Duchesne*.

Et on en arrive au 7 décembre.

Ce vendredi-là, la Convention décrète que « Louis Capet » sera traduit à la barre. Avec le début des interrogatoires prévu pour le mardi suivant.

Le dimanche 9 décembre sera le dernier dimanche que Marie-Antoinette passera auprès de son mari. À compter de l'ouverture du procès, il sera placé en isolement total. Dans la grosse tour.

Qu'ont-ils pu se dire, à la veille de se quitter ? Louis XVI, qui demeurait relativement optimiste, semblait convaincu que la République l'exilerait, lui et sa famille, partant du principe selon lequel « un roi chassé n'a plus de partisans » alors qu'« un roi tué se fait plaindre ». Marie-Antoinette, elle, pressentait le pire. Tout était déjà orchestré par Robespierre, Louis était condamné avant d'avoir été jugé.

Mardi 25 décembre, triste Noël pour la maman et les enfants du Temple.

Ce matin-là, Louis XVI rédige son testament. Avec sérénité, il semble touché par la grâce :

« ... Je recommande à ma femme de faire de mes enfants de bons chrétiens, de ne leur faire regarder les grandeurs de ce monde-ci que comme des biens dangereux et périssables, de tourner leurs regards vers la seule gloire solide et durable de l'éternité... Je prie ma sœur de tenir lieu de mère à mes enfants s'ils avaient le malheur de perdre la leur... Je prie ma femme de me pardonner tous les maux qu'elle souffre pour moi et les chagrins que je pourrais lui avoir donnés dans le cours de notre union ; comme elle peut être sûre que je ne garde rien contre elle, si elle croyait avoir quelque chose à se reprocher... »

Se reprocher Fersen, par exemple !

Mais, sentant inexorablement venir la fin de sa course, le brave homme distribuait l'absolution à tout va. Elle aime un autre homme ? Qu'importe, pourvu qu'elle soit heureuse...

Début janvier. La petite Madame Royale, qui vient d'avoir quatorze ans, est maintenant devenue une vraie jeune fille. Le Dr Brunier a pu le constater. Il a consigné « l'arrivée du premier sang ».

Dimanche 20 janvier, fin d'après-midi. En s'approchant de la fenêtre, Marie-Antoinette a entendu son aboyeur de gazettes annoncer : « La Convention nationale décrète que Louis Capet subira la peine de mort... L'exécution aura lieu dans les vingt-quatre heures ! »

Elle tombe et reste prostrée dans son fauteuil en lampas bleu et blanc, elle grelotte. Ainsi donc, tout est perdu, ils l'ont condamné. Dans quelques heures, le dauphin sera roi.

À vingt heures trente, on fait irruption dans sa chambre. C'est un gros commissaire bourru.

— La Convention vous autorise à vous rendre chez Louis Capet, explique-t-il d'une voix forte et monocorde. Suivez-moi ! Vous pouvez emmener la famille…

L'abbé Edgeworth de Firmont, l'aumônier-confesseur du roi, était présent quand Marie-Antoinette, le dauphin, Madame Royale et Élisabeth sont entrés dans la petite salle à manger éclairée par un pauvre quinquet où les attendait le condamné.

— Mon Dieu, soupire l'ecclésiastique, comme cette scène fut déchirante ! Pendant près d'un quart d'heure personne ne put articuler la moindre parole, ce n'étaient que des cris de douleurs. Chacun se lamentait et toutes les voix n'en faisaient plus qu'une. Enfin les larmes cessèrent, parce qu'on n'eut plus la force d'en répandre ; alors on se parla à voix basse…

Il est vrai que quatre municipaux, chapeau à plumes sur la tête, se tenaient près du poêle. Voilà qui ne favorisait pas l'intimité.

— Jurez-moi de ne jamais vouloir venger ma mort, dit le roi en caressant la main de son épouse et en la regardant tendrement avec ses yeux de myope hébété.

Puis, comme un des municipaux semblait s'impatienter, il se leva. Il était dix heures et quart.

— J'ai besoin d'être seul pour me préparer, maintenant.

— Mais nous nous reverrons encore, demain matin ? demanda Marie-Antoinette.

— Oui, à huit heures.

— Pourquoi pas à sept ? l'implora-t-elle.

— Eh bien, oui, allons pour sept heures… Adieu, adieu…

Et il savait que cet adieu-là était définitif, que ses geôliers ne lui accorderaient pas la grâce de revoir la reine, le lendemain à l'aube.

Rendez-vous dans l'éternité !

Cette nuit-là, on s'en doute, Marie-Antoinette ne dormit pas. À sept heures du matin, le lundi, elle était prête, elle attendait qu'on vînt la chercher. À huit heures, elle attendait encore. À neuf heures, quand elle entendit que l'on ouvrait les portes de la tour, qu'on roulait le tambour et sonnait les trompettes, elle sut que les bourreaux avaient été incapables d'un geste de pitié.

À dix heures, Turgy vint apporter le déjeuner.

Le service, au Temple, était comparable à celui de certains hôpitaux modernes : on déjeunait dans le milieu de la matinée et on dînait à l'heure du thé.

Du poulet, du lapereau et des alouettes.

— Je n'ai pas faim, grogna le dauphin.

Sur une commode, la pendule de la reine, qui représente la Fortune et sa roue, marque bientôt dix heures trente.

Au loin claquent des salves d'artillerie.

C'est fini. Marie-Antoinette est veuve.

— Mon père était âgé de trente-neuf ans, cinq mois et trois jours, dira Madame Royale.

Si elle avait eu, à cet instant, le courage de se pencher à la croisée, elle aurait pu entendre les « Vive la Nation ! Vive la République ! » qui retentissaient dans Paris.

Et un gouailleur installé au pied du Temple qui chantonnait, en s'accompagnant d'une viole :

Le vingt et un janvier sept cent quatre-vingt-treize,
Capet, tyran dernier qu'on nommait Louis Seize,
A reçu ses étrennes pour avoir conspiré.
Ce fuyard de Varennes est donc guillotiné.

21

Mieux vaut mort que remords

— Celle qui faisait mon bonheur, pour qui je vivais, celle que je n'ai jamais cessé d'aimer, pour qui j'aurais tout sacrifié, celle pour qui j'aurais donné mille vies, n'est plus, se lamente Fersen dans les bras de sa chère sœur Sophie à la fin de janvier de 1793. Ah ! que ne suis-je mort pour elle, à ses côtés ! Je serais plus heureux que de traîner ma triste existence dans d'éternels regrets qui ne finiront qu'avec moi, car jamais son image adorée ne sortira de ma mémoire !

À Düsseldorf, où Axel séjournait alors, la rumeur avait en effet couru que la reine avait été assassinée au Temple le soir même de l'exécution de son mari.

Et puis, quelques jours plus tard, après s'être refait une santé sous la couette d'Eleonora Sullivan, il est subitement transfiguré, le Suédois : il vient d'apprendre qu'Elle est toujours vivante !

Ici, on peut prendre le temps d'une petite parenthèse pour saluer l'abnégation de sa belle maîtresse. Rares sont les femmes, sans doute, qui sécheraient les larmes de leur amant tout en sachant qu'il se lamente sur la disparition d'une femme qu'il chérissait encore plus qu'elle !

Mais d'aucuns diront qu'on ne mélange pas l'amour profane et l'amour sacré…

Marie-Antoinette est vivante ? Il faut la sauver, bondit Fersen, immédiatement. Oui, mais comment ? Pourquoi ne pas la faire réclamer par l'Autriche, par exemple, puisque sur son contrat de mariage il a été clairement stipulé qu'en cas de veuvage elle serait autorisée à regagner son pays natal.

Axel est un doux rêveur.

La reine n'a-t-elle pas été inculpée de haute trahison ?

En mars, comme le dieu de la Guerre est favorable aux Autrichiens, il croit dur comme fer que tout va s'arranger. L'armée de Dumouriez vient en effet d'être écrasée à Neerwinden. Grosse colère du général français ! Il estime que la Convention est responsable de ce désastre et il la menace d'entraîner son armée sur Paris. Pour l'apaiser, on lui envoie le ministre de la Guerre en personne, accompagné de quatre commissaires. En réalité, ces gens-là viennent tout simplement pour l'arrêter. Mais tel est pris qui croyait prendre, car ce sont eux qui vont se faire kidnapper par Dumouriez, lequel va s'empresser de livrer tout ce petit monde aux Autrichiens.

Eh oui, car il tourne casaque, le général, il se rallie au prince de Cobourg !

Alors Axel, prévoyant déjà que cette coalition cobourgeoise-dumouriézienne va foncer sur Paris à bride abattue, imagine que la famille royale sera bientôt libérée et portée en triomphe jusqu'à Versailles.

Où il deviendra le conseiller privilégié de Marie-Antoinette devenue régente.

Tout faux ! Les hommes de Dumouriez refuseront de se battre aux côtés des Autrichiens.

Alors Axel déprime une nouvelle fois. Il ne supporte pas l'idée de savoir que celle qu'il aime est chaque jour un peu plus avilie par la canaille, que « la plus belle souveraine d'Europe, qui foulait autrefois la galerie des Glaces de son pas majestueux et léger », tourne en rond dans une tour humide.

— Cette idée me déchire le cœur, confie-t-il à Sophie, quelle affreuse position ! Je me reproche souvent l'air que je respire… Mais que faire ?

— Si je pouvais encore agir pour sa délivrance, il me semble que je souffrirais moins, se lamente-t-il aussi auprès d'Eleonora, mais que faire ?

— Eh bien, épousez-moi, lui propose alors la belle et vorace Sullivan.

Non, après avoir prétexté quantité de raisons fort courtoises, il refuse.

Fersen est impuissant, donc. Du moins lorsqu'il s'agit de faire libérer la reine.

En revanche, le Méridional Toulan, la Londonienne Charlotte Atkins et le fougueux baron de Batz ne sont pas restés les deux pieds dans le même sabot.

Si tant est que la délicate Mrs. Atkins, née Walpole, et le sémillant baron de la famille de d'Artagnan aient un jour porté des sabots.

Chacun, à sa manière, va tenter de faire évader Marie-Antoinette.

Tombé sous le charme de la veuve et des orphelins du Temple, Toulan, le commissaire chargé de la surveillance, a son plan.

— La forteresse n'est pas aussi bien gardée qu'on peut le croire, explique-t-il. Je suis bien placé pour le savoir. Avec mon collègue Lepitre je choisirai le jour et l'heure où Votre Majesté, ses enfants et sa belle-sœur pourront prendre la poudre d'escampette. Une fois dehors, une voiture vous attendra tous les quatre et elle filera à vive allure vers un port des bords de la Manche.

Voilà qui était bel et bon, mais c'était compter sans Charles François Dumouriez, qui allait passer à l'ennemi, comme on le sait, ce qui eut pour effet immédiat de renforcer la surveillance autour de la veuve Capet.

— Si vous acceptez de partir seule, l'affaire est dans le sac ! avait insisté Toulan, qui se voyait déjà promu garde du corps intime de la reine.

— Partir sans mes enfants ? Enfin, monsieur, vous n'y pensez pas.

Un coup pour rien.

— Nous avons fait un beau rêve, voilà tout, se résignera la prisonnière.

Cela étant, si l'on ne sortait pas aisément du Temple, on pouvait y entrer sans trop de difficultés.

Preuve en est donnée par milady Charlotte, la veuve d'Edouard Atkins, devenue la maîtresse de Louis de Frotté, le futur patron de la chouannerie normande. Alors qu'un après-midi Marie-Antoinette se promène dans l'enclos, elle s'approche d'elle et lui glisse à l'oreille :

— Il y a deux possibilités pour que vous sortiez d'ici. La première serait que nous échangions nos vêtements…

— Partir sans mes enfants ? Jamais ! Mieux vaut mort que remords…

— La seconde serait d'emprunter des caveaux inconnus qui servaient à la sépulture des anciens templiers. Je tiens cette information de M. de Chateaubriand que j'ai récemment rencontré à Londres.

Il faut croire qu'on ne trouva jamais l'entrée des souterrains.

Un deuxième coup pour rien.

Restait le baron de Batz, qui avait déjà vainement tenté d'enlever Louis XVI sur le chemin de l'échafaud.

Lui, avec la complicité de l'administrateur des prisons, Jean-Baptiste Michonis, il avait tout simplement prévu de s'introduire dans le donjon, avec une bonne poignée d'hommes, et d'enlever tous les Capets !

Et il s'en est fallu de peu que cela ne réussît !

Courageux, ingénieux, le cher Batz avait en effet formé une fausse troupe de gardes nationaux. Une fois entré dans le Temple avec ses hommes, il lui suffisait de déguiser les quatre prisonniers, de les mêler à son escouade et baste !

Et dans la nuit du 21 au 22 juin, ce projet fou est à deux doigts d'aboutir.

Ils entrent, les hommes de Batz.

Michonis parvient aisément jusqu'aux appartements de la reine.

— Préparez-vous, nous partons !

Batz et ses hommes se sont installés dans le corps de garde, comme si de rien n'était.

Une poignée d'autres conjurés attend dans la rue avec une voiture banalisée et des chevaux qui piaffent et écument. Ils sont gorgés d'avoine.

Alors ?

Alors, le cordonnier Simon, fraîchement promu maton-chef au Temple parce qu'il était « un bon et franc républicain », vient de ramasser un billet à la porte de la forteresse. Comme il sait à peine lire, il met un certain temps à le déchiffrer. Mais il finit par en venir à bout.

On est maton-chef ou on ne l'est pas !

Ce pli cacheté dit : « Michonis vous trahira cette nuit. Veillez ! »

— Branle-bas de combat ! Que personne ne sorte !

Un troisième coup pour rien.

Décidément, le sort s'acharne.

Le sort ou les astres ? Car il paraît – selon un spécialiste – qu'à cette époque-là Saturne était en opposition avec la conjonction Vénus-Soleil de la reine dans le secteur V.

Alors, bon, pourquoi vouloir s'acharner quand on est dirigé par les planètes ?

Et ce sera d'ailleurs « sous cette dissonance de frustration saturnienne » [*sic !*] que le 3 juillet, à neuf heures et demie du soir, six municipaux feront irruption dans la tour de la reine pour lui signifier sans le plus petit ménagement :

— À compter d'aujourd'hui le fils Capet sera séparé de sa mère et de sa famille !

— M'enlever mon enfant ! Vous n'y pensez pas !

— Le Comité a pris cet arrêté, la Convention l'a ratifié et nous devons en assurer immédiatement l'exécution.

— Non ! Vous me tuerez avant de me l'arracher !

Mais on lui arracha le dauphin et on ne la tua pas.

Du moins, pas dans la foulée.

Un mois plus tard, les prévisions astro n'étaient pas meilleures.

— La tigresse autrichienne devrait être hachée comme chair à pâté ! Il est grand temps de pincer tous les gourmands de la royauté, vitupérait Hébert, qui était pourtant, lui aussi, du signe du Scorpion.

Le 1er août, alors que Valenciennes vient de tomber sous les coups de boutoir des Anglo-Autrichiens et qu'Axel de Fersen caresse une nouvelle fois le projet de « faire pousser un gros corps de cavaliers sur Paris, ce qui était d'autant plus facile qu'il n'y avait plus d'armée devant et que toutes les granges étaient remplies de vivres », quatre administrateurs de police font irruption chez la reine.

— Suivez-nous ! Nous vous emmenons à la Conciergerie, vous allez être renvoyée devant le tribunal extraordinaire !

La Conciergerie, la prison réservée aux criminels d'État, autant dire la première marche de l'échafaud !

Il lui reste soixante-seize jours à vivre.

Dans le dénuement le plus total ou presque.

Une bouteille d'eau pour les dents, un sachet de poudre embaumée et une boîte de pommade en fer-blanc, voilà son luxe.

Elle dispose également de deux robes.

Deux robes de deuil.

Et de quelques paires de bas de soie ou de filoselle noire.

Son cachot suinte d'humidité. Il n'est éclairé que par une fenêtre basse donnant presque au ras du sol. Il est « fétide ».

Le mobilier ? Un lit de sangle, une paillasse, un matelas, un traversin, une couverture de laine sale et trouée, des draps de toile grise, un fauteuil, une table et « un bidet de basane rouge, tout neuf, pour servir à la dite veuve Capet ».

N'était ce bidet tout neuf « garni de sa seringue », on envisageait donc de la traiter comme une fille publique ramassée dans une rafle sous les arcades du Palais-Royal.

Sa cellule ? Onze mètres carrés ! Autant dire un recoin...

Et là, en plein mois d'août, on n'y respirait pas ! Il y faisait sans doute aussi chaud que dans la berline de Varennes, quand Louis, Barnave et Pétion y transpiraient à sentir fort le marcassin.

Le concierge de la prison s'appelait M. Richard.

Dieu merci, son épouse était adorable. Et elle se mettait en quatre pour adoucir le quotidien de son illustre pensionnaire.

Marie-Antoinette se régalait de l'eau de Ville-d'Avray ? Elle fit en sorte qu'elle en eût une ou deux bouteilles par jour. Elle aimait le melon ? Elle courait en acheter au marché de la Cité.

— Il me faut un beau melon, demanda-t-elle un jour à la marchande de primeurs.

— C'est pour votre prisonnière ? La malheureuse femme… Tenez, prenez celui-ci, c'est le plus beau.

— C'est combien ?

— Pour elle, rien du tout. Dites-lui seulement qu'on pense à elle…

Un jour, la bonne Mme Richard arriva accompagnée de son fils, un petit blondinet tout bouclé comme le dauphin.

— En le voyant, raconte l'épouse du concierge, elle tressaillit visiblement. Elle le prit dans ses bras, le couvrit de baisers et de caresses, et se mit à pleurer en me parlant de Louis-Charles qui était à peu près du même âge.

Le petit Louis-Charles ! Elle aurait été effondrée si elle avait eu connaissance de l'éducation que lui donnait le savetier Simon, qui avait été désigné pour être son « précepteur ».

— Tu vas nous en faire un parfait sans-culotte de ce louveteau, lui avait conseillé Hébert. Il faut qu'il crache, qu'il pisse en homme, qu'il pète en gaillard et qu'il jure en patriote !

Mission accomplie, car il ne s'était guère passé un mois, selon le municipal Daujon, quand un après-midi, alors qu'il entendait du bruit dans les appartements de sa famille, à l'étage du dessus, le « Chou d'Amour » lança :

— Quel bordel elles font ! Mais alors, ces sacrées putes-là ne sont donc pas encore guillotinées !

On en est là, le mercredi 23 août, quand le bonhomme Michonis – que l'on a déjà croisé lors de la tentative d'évasion mise sur pied par le baron de Batz – fait irruption dans la cellule de la reine. Il est accompagné d'une manière de gentleman aux longs cheveux, arborant deux magnifiques œillets au revers de son habit rayé.

— Vous ? Mais je vous reconnais ! N'est-ce pas vous qui m'avez protégée lors de l'émeute des Tuileries ?

Elle en est sûre, ce visage tout picoté de petite vérole ne lui est pas inconnu.

— Chevalier de Rougeville ! Pour vous servir, Majesté.

Il l'appelle « Majesté » ! Voilà qui lui met un peu de baume au cœur. Depuis le temps qu'elle n'est plus que « la veuve Capet », « la Capet », « la citoyenne », ou plus brièvement encore « Elle ».

— Elle va nous suivre ! Qu'est-ce qu'Elle voudra manger ce midi ? Elle a bien dormi ? Elle a besoin de linge propre ?

Et aujourd'hui on lui donne du « Pour vous servir, Majesté ! ».

Hélas ! à peine entré dans sa cellule, Rougeville en est ressorti.

Sans plus de manières.

Mais après avoir tout de même laissé tomber ses deux œillets sur un fauteuil.

Deux fleurs qui contiennent deux messages qu'elle ne parvient pas à déchiffrer vraiment. Elle comprend seulement qu'il est question de la faire évader dans la nuit du 2 au 3 septembre.

Soit tout juste un an après le massacre de sa chère Marie-Thérèse de Lamballe !

La conspiration des œillets !

Toute simple, l'affaire était *a priori* bien troussée. Muni d'un faux ordre de la municipalité, Michonis devait faire sortir la reine de la Conciergerie – sans trop de difficultés puisque les Richard avaient accepté de fermer les yeux. Il était ensuite censé la ramener au Temple. Le chevalier de Rougeville faisait alors irruption sur le chemin, enlevait la prisonnière et, ni vu ni connu, il la conduisait en lieu sûr. Tous les gendarmes en poste à la Conciergerie durant la nuit prévue pour l'enlèvement avaient touché un petit bakchich de cinquante louis.

Cinquante louis seulement ? À la réflexion, ce n'est pas assez cher payé pour trahir la République, se dit une des sentinelles. Si je dénonce le complot, j'aurai sans doute une récompense plus consistante.

Judas !

Alors, Michonis fut arrêté, Richard et sa femme furent incarcérés, Rougeville parvint à prendre la poudre d'escampette et Marie-Antoinette resta longtemps prostrée devant ses deux œillets fanés.

Évidemment, il y eut des représailles.

D'abord, on lui confisqua sa montre, on lui enleva ses bagues, on la priva de sa potion calmante « composée d'eaux de tilleul, de fleur d'oranger, de sirop de capillaire et de liqueur d'Hoffmann ». Tant pis si elle ne dormait plus la nuit !

À la fin de septembre, quand elle eut l'audace, dès les premières fraîcheurs, de réclamer une autre couverture, on la laissa longtemps lanterner.

Et grelotter.

En attendant d'être jugée.

Qu'attendait-on pour la juger, d'ailleurs ?

Si invraisemblable que cela puisse paraître, on désespérait de trouver de véritables motifs d'inculpation. Fouquier-Tinville, l'accusateur public, le zélé fournisseur de l'abattoir, ne disposait d'aucun réel indice de culpabilité pour pouvoir, sans crier gare, expédier la Capet sur le billot.

Il rêvait d'ajouter une tête royale à son palmarès, certes, mais en suivant les règles de l'art, tout de même !

Il cherchait la mise à mort ? Son vieux complice Hébert allait lui fournir la plus horrible des banderilles.

Car, en réalité, le sort de Marie-Antoinette est maintenant entre les mains de deux vieux malades mentaux un peu pervers.

— À l'instar des Messaline, Brunehaut, Frédégonde et Médicis, que l'on qualifiait autrefois de reines de France, et dont les noms, à jamais odieux, ne s'effaceront pas des fastes de l'histoire, Marie-Antoinette, veuve de Louis Capet, a été depuis son séjour en France le fléau et la sangsue des Français, déclare l'un.

— C'est une louve inassouvie ! hurle l'autre. Il faut la hacher comme chair à pâté !

— Elle est immorale sous tous les rapports, vicieuse et familière avec tous les crimes, insiste Fouquier-Tinville.

— J'ai promis aux sans-culottes la tête d'Antoinette, j'irai la couper moi-même si on tarde à me la donner, s'énerve Hébert qui trouve le temps long.

Mais il ne va pas s'impatienter longtemps. Un billet du cordonnier Simon, le gardien du Temple et tuteur du dauphin, va bientôt lui donner des ailes de rapace.

« Je tan prie de ne pas manqué à mas demande pour te voir, lui écrit le savetier, ce las praisse. Simon, ton amis pour la vis. »

Aucun espoir de briller chez Bernard Pivot !

Hébert a à peine déchiffré ces trois lignes qu'il bondit au Temple.

— Il faut que je te dise, lui raconte Simon, j'ai plusieurs fois trouvé le gamin dans son lit en train de...

Il n'achève pas sa phrase, un geste éloquent suffit.

— Et puis après ? Il n'en mourra pas !

— Non, mais quand je lui ai demandé pourquoi il faisait ça, il m'a dit que c'était sa mère et sa tante qui lui avaient appris à se tripoter quand elles le faisaient coucher avec elles.

— La chienne ! Tu as bien fait de me prévenir ! On la tient notre accusation : l'inceste !

Hébert, en qualité de substitut de la Commune, convoque immédiatement une commission présidée par le maire, Jean Nicolas Pache, pour interroger les enfants.

Craignant sans doute d'être battu par son « précepteur » s'il ose le contrarier, le dauphin répondra oui à toutes les questions.

— C'est ta mère qui te demandait de te toucher quand tu dormais avec elle ?

— Oui.

— Est-ce qu'elle te faisait « approcher » d'elle ?

— Oui.

— Tiens, signe ta déposition.

— Oui.

Le pauvre enfant de douze ans vient, sans s'en rendre compte, de devenir le complice des assassins de sa mère.

On questionne aussi la petite Madame Royale.

— Est-ce que ton frère t'a déjà mis la main là où il ne fallait pas qu'il la mette ? Est-ce qu'il dormait souvent entre ta mère et ta tante ? Est-ce qu'elles le caressaient ?

Elle ne répond pas, Mousseline, du haut de ses quinze ans, elle est comme suffoquée d'indignation.

— Dans ces conditions, on va te confronter avec lui !

Le dauphin persiste dans ses dires.

— Pendant qu'on y est, qu'on fasse descendre la tante ! ordonne le maire Pache.

Quand on lit à Madame Élisabeth la déposition de son neveu, elle frémit de dégoût.

— Une pareille infamie ne m'atteint pas, dit-elle.

Stupéfaite, elle contemple le petit Louis-Charles.

Il sourit effrontément.

Est-ce là le garçon qu'elle a tant cajolé ?

— Monstre ! lui lance-t-elle.

Puis, se tournant vers les enquêteurs, elle ajoute :

— Il a depuis longtemps cette mauvaise habitude ; sa mère et moi, nous l'avons bien des fois grondé à ce sujet en lui expliquant que c'était nuisible à sa santé.

Le lundi 14 octobre, le procès de la reine peut commencer.

Une parodie de procès.

Quand il en arrive à la fable imaginée par Hébert, Fouquier-Tinville jouit.

— Le moment est venu de révéler, se délecte-t-il, que la veuve Capet, immorale sous tous les rapports comme on l'a vu, est une nouvelle Agrippine, si perverse et si familière avec tous les crimes que, oubliant sa qualité de mère et la démarcation prescrite par la nature, elle n'a pas craint de se livrer avec son fils, de l'aveu même de ce dernier, à des indécences dont l'idée et le nom seuls font frémir d'horreur !

Les avocats de Marie-Antoinette, Claude Chauveau-Lagarde et Guillaume Tronson du Coudray, regardent leur cliente. Ils semblent bouleversés. Qu'est-ce que c'est que ce fond de poubelle ? Il est vrai qu'ils connaissent à peine le dossier, puisqu'ils n'ont eu que vingt-quatre heures

302

pour étudier les pièces qui, par-dessus le marché, étaient entassées au greffe à la va-comme-je-te-pousse dans un désordre indescriptible.

Marie-Antoinette ne daigne pas répondre.

Un peu plus tard, en sa qualité de substitut, Hébert contre-attaque. L'écume au coin des lèvres, il est comme enragé.

— Elle faisait souvent coucher son fils entre elle et la sœur du gros cochon. Alors, tous les trois se vautraient dans la débauche la plus effrénée. Il n'y a pas à en douter ! C'est d'ailleurs ce qu'a déclaré le fils Capet ! Il y a eu des actes incestueux entre la bougresse et son gosse !

La tête haute, elle ne réplique toujours pas.

La bave du crapaud et la blancheur de la colombe...

— Citoyen président, intervient un juré en s'adressant à Hermann, je vous invite à vouloir bien faire observer à l'accusée qu'elle n'a pas répondu sur le fait dont a parlé le citoyen Hébert, à l'égard de ce qui s'est passé entre elle et son fils. Alors, faut-il considérer que « qui ne dit mot consent » ?

Marie-Antoinette se lève. Elle est étrangement pâle. Il est vrai que depuis plusieurs jours elle souffre d'une sévère hémorragie féminine.

— Si je n'ai pas répondu, c'est que la nature se refuse à répondre à une pareille inculpation faite à une mère.

Puis, se tournant vers les femmes, les poissardes, les tricoteuses, les mégères qui avaient envahi la tribune, elle lance :

— J'en appelle à toutes les mères qui peuvent se trouver ici...

Avant de s'effondrer sur son banc d'infamie, se penchant vers Chauveau-Lagarde, elle lui demande :

303

— N'ai-je pas mis trop de dignité dans ma réponse ?

— Madame, vous avez fort bien répondu, lui souffle-t-il.

Si bien, même, que selon les frères Humbert, qui assistent au procès, « devant ce cri sublime un courant magnétique passe dans l'assistance. De nombreuses spectatrices se sentent remuées malgré elles et peu s'en faut qu'elles n'applaudissent... On entend des cris, on agite quelques mouchoirs, et Hermann en est réduit à menacer les perturbateurs... ».

L'audience doit même être suspendue pendant quelques instants.

— Quel imbécile, ce Hébert, grognera Robespierre le soir venu. Il a fallu qu'au dernier moment il lui fournisse ce triomphe d'intérêt public.

Le lendemain, mardi 15, tous les boulets rouges vont y passer.

— Veuve Capet ! vous avez employé des agents secrets pour correspondre avec des puissances étrangères... Vous avez dilapidé d'une manière effroyable les finances de la France, fruit des sueurs du peuple, pour vos plaisirs et vos intrigues... Vous n'avez jamais cessé un moment de vouloir détruire la liberté... Vous avez foulé aux pieds la cocarde tricolore pour arborer la blanche... Vous avez ourdi un complot tendant à allumer la guerre civile dans l'intérieur de la République, etc.

Sans compter le défilé d'une escouade de témoins à la botte des accusateurs. Grassement soudoyés, on s'en doute.

Et à minuit, Fouquier-Tinville requiert la peine de mort.

Chauveau-Lagarde et Tronson du Coudray vont maintenant tenter l'impossible. Il s'agit de prouver aux jurés qu'il n'existe aucune preuve de tout ce qui a été avancé

304

par le grand accusateur en folie. La reine a conspiré avec les puissances étrangères ? Sornettes ! La reine travaillait avec les ennemis de l'intérieur ? Billevesée !

— Assez ! hurle Fouquier-Tinville, à bout de patience, alors que les défenseurs plaident depuis plus de deux heures.

Et il les fait arrêter, là, en plein tribunal, devant Marie-Antoinette qui n'en croit pas ses yeux.

Liberté, égalité, fraternité, disait-on.

— Bravo, s'enthousiasme Hébert, qu'avaient-ils besoin, ces deux avocats de l'enfer, de se démener comme des diables dans un bénitier, non seulement pour prouver l'innocence de la guenon, mais aussi pour pleurer la mort du traître Capet, dire aux juges que c'était assez d'avoir puni le gros cochon et qu'il fallait maintenant faire grâce à sa saloperie de femme !

Mercredi 16 octobre, il est trois heures du matin. Avant d'inviter les jurés à se retirer pour délibérer, le président Hermann en remet une petite louche :

— C'est le peuple français qui accuse Antoinette. Tous les événements politiques qui ont eu lieu depuis cinq années déposent contre elles !

Les douze jurés partent s'isoler. Ils ne sont pas en colère, ces douze hommes-là, ils sont simplement pressés d'en finir. Fouquier-Tinville ne leur a-t-il pas promis un solide repas bien arrosé dès le prononcé de la sentence ?

Ils vont donc répondre positivement à toutes les questions : oui, oui, oui, oui, la ci-devant est coupable d'intelligences avec l'ennemi et de participation à un complot contre la République. En conséquence de quoi, le président pourra condamner « ladite Marie-Antoinette Dautriche (*sic*), veuve de Louis Capet, à la peine de mort ».

Mais ils ne l'emporteront pas au paradis !

Dans les mois qui suivront, cinq d'entre eux goûteront aussi à l'échafaud de Sanson, quatre seront expédiés en Guyane ou « aux îles », et les trois derniers ne survivront que la peur aux trousses.

Surtout quand l'heure de la Restauration aura sonné !

À Bruxelles, cette nuit-là, Fersen espérait encore que « l'amour de sa vie » serait épargné, que le tribunal révolutionnaire se contenterait d'une déportation.

— Dieu peut encore sauver la reine, implorons sa miséricorde, confia-t-il à sa sœur.

Marie-Antoinette attend le verdict dans une petite pièce proche de la grand-chambre. Elle a froid, elle a soif. Le lieutenant Debusne, son gardien attitré, lui apporte un verre d'eau. Dans les heures qui suivront, ce jeune officier sera mis en état d'arrestation : à cause du verre d'eau et pour avoir salué la prisonnière avec un certain respect ! La prison pour « pitié contre-révolutionnaire » !

Liberté, égalité, fraternité, disait-on !

Il est à peu près quatre heures et demie du matin quand un huissier vient chercher la pauvre femme, à qui l'on a refusé le droit de changer de linge intime. Elle prend place sur l'estrade. Armand Martial Joseph Hermann réclame le silence. La foule se tait.

— Antoinette, lance-t-il, voilà le résultat de la délibération du jury !

Antoinette ! Quelle familiarité chez cet ancien président du tribunal criminel d'Arras, qui doit sa promotion parisienne à Robespierre – un Arrageois, lui aussi – dont il est le parfait mouton.

306

— La peine de mort ! laisse tomber Hermann. Le présent jugement sera exécuté sur la place de la Révolution, imprimé et affiché dans toute l'étendue de la République.

Voilà, il en a fini. Il a lancé sa dernière phrase avec la netteté d'un tranchoir.

— Elle ne donna pas le moindre signe de crainte, d'indignation, ni de faiblesse, mais elle fut comme anéantie de surprise, rapporte Chauveau-Lagarde qui l'assistait. Elle descendit les gradins sans proférer aucune parole ni faire aucun geste, traversa la salle, comme sans rien voir ni rien entendre, et, lorsqu'elle fut arrivée devant la barrière où était le peuple, elle releva la tête avec majesté.

Retour au cachot. L'exécution est prévue pour la fin de la matinée. Il lui reste sept heures à vivre.

Cette nuit-là, en sortant du gueuleton offert par Fouquier-Tinville, le menuisier Trinchard, un des douze membres du jury qui avait voté la mort, griffonnera, tout fier de lui, ce petit mot destiné à son frère : « Je t'aprans, mon frerre, que jé été un des jurés qui ont jugé la bête féroche qui a dévoré une grande partie de la République, celle que l'on califiait si deven de raine… »

Souhaitons qu'il fût plus habile à manier la gouge et le bédane qu'à tenir la plume !

Que fait Marie-Antoinette en attendant qu'on vienne la chercher ? S'effondre-t-elle en versant « des torrents de larmes » ? Hurle-t-elle de colère ? S'endort-elle un instant ? Rien de tout cela. Elle réclame seulement deux bougies, une plume, de l'encre et quelques feuilles de papier pour tracer une longue lettre-testament à l'intention de sa belle-sœur, Madame Élisabeth. Avec quelques lignes qu'elle tient d'ailleurs à souligner dans le texte :

« J'avais des amis. L'idée d'en être séparée pour jamais et leurs peines sont un des plus grands regrets que j'emporte en mourant ; qu'ils sachent, du moins, que jusqu'à mon dernier moment j'ai pensé à eux… »

Avec Axel, sans doute, en tête de la liste de ses amis. Leurs cœurs avaient palpité de concert pendant tant d'années.

À sept heures, la gentille servante de la Conciergerie, Rosalie Lamorlière, une Picarde, lui propose un peu de bouillon chaud.

— Ma fille, tout est fini pour moi, je n'ai plus besoin de rien.

— Mais madame, je l'ai conservé pour vous, sur mon fourneau.

— Eh bien, dans ces conditions, apportez-le-moi, Rosalie. Pouvez-vous revenir à huit heures, ensuite, pour m'aider à m'habiller, s'il vous plaît ?

En blanc ! Elle souhaite mourir revêtue de sa légère robe blanche, coiffée d'un bonnet blanc.

La couleur du deuil chez les reines.

— Tenez-vous devant le lit, Rosalie, voulez-vous, que le gendarme ne me voie pas.

Mais quand il observe qu'elle se glisse dans la ruelle, entre la muraille et le petit lit de sangle, pour se changer, l'homme chargé de la surveillance s'approche immédiatement du traversin.

D'où il peut la regarder se déshabiller.

— Sa majesté remit aussitôt son fichu sur ses épaules, racontera Rosalie la Picarde, et avec une grande douceur elle dit à l'officier : « Au nom de l'honnêteté, monsieur, permettez que je change de linge sans témoin. — Je ne saurais y consentir, répondit brusquement le gendarme.

308

Mes ordres portent que je dois avoir l'œil sur tous vos mouvements. »

Alors, l'abominable voyeur fut à même de constater qu'elle faisait une terrible hémorragie.

— C'est vrai, confirmera Rosalie Lamorlière, j'eus lieu de me convaincre qu'elle perdait vraiment beaucoup de sang… Il me fut aise de voir qu'elle roulait soigneusement sa chemise ensanglantée.

On lui envoie un prêtre, maintenant, un de ceux qui avaient prêté serment à la Constitution civile du clergé.

— Non, merci, lui dit-elle.

— Mais que dira-t-on, madame, lorsqu'on saura que vous avez refusé les secours de la religion dans ces suprêmes moments ?

— Vous direz que la miséricorde de Dieu y a pourvu.

Après le curé, le bourreau.

Il s'appelle Henri Sanson, c'est le fils de l'exécuteur qui a guillotiné Louis XVI le 21 janvier précédent.

C'est dans les gènes chez les Sanson, on est bourreau de père en fils.

— Présentez vos mains, dit-il sèchement à la reine.

Quoi ? On va lui lier les mains dans le dos ! Louis XVI les avait libres, lui, quand il est mort ! Louis XVI a eu droit à un carrosse, aussi, alors qu'on lui a réservé une bétaillère brinquebalante.

— Enlevez votre bonnet !

Elle hésite, elle a mis tant de soin à l'arranger.

Sanson le lui arrache brusquement, puis, avec sa lourde paire de ciseaux, il taille à grands coups dans ses longs cheveux blanchis, que Fersen avait sans doute tant aimé caresser lorsqu'ils étaient encore blond cendré.

Il va être onze heures.

Il est temps de quitter le cachot. Sanson la suit en tenant le bout de la corde qui lui serre les poignets dans le dos. Il la tient en laisse. Ni plus ni moins, comme une chienne.

— S'il vous plaît, demande-t-elle…

Elle se plaint d'un besoin pressant.

On la pousse dans un coin du greffe, dans un réduit obscur nommé la Souricière.

Et là, accroupie, comme une chienne…

Une « chienne d'Autrichienne » !

Allez, en route maintenant, la plaisanterie a assez duré. Sur le pavé de la rue Saint-Honoré, la voiture fait un bruit d'enfer. Elle l'empruntait autrefois, cette belle rue, quand elle se rendait à l'Opéra, huit chevaux blancs tiraient alors son carrosse d'or et d'argent.

Aujourd'hui, pour tracter la bétaillère, il n'y a que deux vieilles rossinantes.

D'un gris sale.

Mais Marie-Antoinette donne déjà l'impression d'être ailleurs, elle n'entend plus rien, ne voit plus rien.

Elle ne voit pas, par exemple, ces dizaines d'hommes, des marchands de vin, des rémouleurs, des pâtissiers, des fripiers, des jardiniers, et quelques perruquiers qui ont prévu de prendre d'assaut la carriole pour la libérer au péril de leur vie.

C'est la nommée Catherine Urgon qui a recruté cette armée insolite, dans le quartier de la place de Grève, à Courbevoie, à Vanves et ailleurs.

Catherine Urgon était une vieille dentellière. Aveugle ou borgne, à ce sujet les versions diffèrent. Là où elles sont unanimes, c'est sur la tendresse qu'elle portait à « la malheureuse reine ». Et son équipe de bras cassés partageait son sentiment. Pour preuve, en signe de ralliement, ils portaient tous un petit rond de carton sur lequel figurait un cœur entouré de cette légende : « VIVE LOUIS XVII, ROI DE FRANCE, FILS DE MARIE-ANTOINETTE ».

La conspiration des perruquiers !

Combien étaient-ils, noyés dans la foule, à guetter l'arrivée de la suppliciée au bout de la rue Saint-Honoré ? Une centaine, peut-être ! Mais que pouvaient-ils faire contre les trente mille hommes de troupe que l'on avait échelonnés le long du parcours ?

Rien.

Et comme de surcroît ils comptaient un traître dans leurs rangs, ils n'ont pas tardé à être arrêtés et à tomber dans les griffes de Fouquier-Tinville.

Midi. La charrette est arrivée sans encombre sur la place de la Révolution, devenue à l'heure qu'il est la majestueuse place de la Concorde.

Qui se souvient aujourd'hui, en rongeant son frein dans les embouteillages, qu'entre octobre 1792 et mai 1795 son pavé fut inondé par des hectolitres d'hémoglobine ? Mille cent dix-neuf personnes y sont en effet passées sous le « rasoir national ».

Dont Marie-Antoinette.

Qui gravit maintenant les échelons de l'échafaud, « presque à la bravade », selon un témoin.

La voilà sur la plate-forme.

En escaladant les marches, elle a malheureusement perdu un de ses petits souliers prunelle, si bien qu'elle se dandine un peu en avançant vers la planche fatale qui est dressée toute droite devant elle, et elle ne peut éviter de mettre son petit pied menu sur la grosse botte de Sanson.

— Monsieur, je vous demande pardon, dit-elle, je ne l'ai pas fait exprès.

« Pas fait exprès », comme dirait une enfant qui vient de commettre une grosse bêtise.

Mais le bourreau n'était pas là pour s'amuser.

Sinon, il lui aurait évidemment répondu : « Même pas mal ! »

Mais non, il ne dit rien, Sanson, il se contente de lui enlever son joli bonnet blanc.

D'un coup sec.

Il est midi et quart.

22

A.D.N.

— Nous vous attendions, lui dit saint Pierre quand elle fut arrivée à la porte du paradis. *Il* va vous recevoir le plus vite possible. Mais ne vous impatientez pas. On a beaucoup d'arrivées en ce moment, surtout depuis que les hommes ont inventé cet instrument qui raccourcit singulièrement les existences terrestres.

— Oui, je connais…

— Mais installez-vous donc là, sur le parvis sacré, voulez-vous ?

— Je peux regarder ? demande timidement Marie-Antoinette, devenue un pur esprit, en se dirigeant vers la balustrade céleste.

— Vous êtes ici chez vous. Enfin presque, lui répond le gardien du beau pays de l'Éternité, car, de vous à moi, je suis persuadé que votre entretien avec Dieu le Père se passera très bien. Parce que, hein, vous n'avez tout de même pas été aussi méchante et lubrique que l'a affirmé…

— Qui ? M. Hébert ?

— Ah çà ! vous m'épatez ! Après tout ce qu'il vous a fait subir, vous lui donnez encore du « monsieur » ?

— Que voulez-vous, j'ai été élevée dans la religion, j'ai appris à pardonner.

— Ce sera un bon point pour vous, quand vous en serez à peser le pour et le contre avec le Maître.

— Mais quel odieux personnage, malgré tout, ce Hébert ! Vous avez vu ce qu'il ose publier dans son infâme *Père Duchesne*, alors que mon enveloppe charnelle est à peine froide ? Tenez, penchez-vous vers la terre et regardez ce qu'il écrit : « Je voudrais, foutre, pouvoir vous exprimer la satisfaction des sans-culottes quand l'architigresse a traversé Paris dans la voiture à trente-six portières. Ses beaux chevaux blancs si bien panachés, si bien enharnachés, ne la conduisaient pas, mais deux vieilles rosses étaient attelées au vis-à-vis de maître Sanson, et elles paraissaient si satisfaites de contribuer à la délivrance de la République qu'elles semblaient avoir envie de galoper pour arriver plus tôt au lieu fatal. La garce, au surplus, a été audacieuse et insolente jusqu'au bout ! Mais bon, c'est fini ! Et je hurle ma joie d'avoir pu voir, de mes propres yeux, la tête du monstre femelle séparée de son foutu col de grue… Elle est enfin partie dans l'enfer des garces ! »

— L'enfer, c'est pour lui. Dans moins de six mois, zippp !

Et en disant cela, le gardien-chef des nues sacrées fait glisser son index sur sa vieille nuque couverte de longs cheveux blancs.

— Et qu'arrivera-t-il à M. Fouquier-Tinville ?

— Pareil ! Mais lui, il va avoir droit à un sursis. Il y passera le 7 mai de 1795. Le 18 floréal de l'an III, comme disent les adorateurs de l'Être suprême. Ah, pour ça, il n'a pas apprécié, le Patron, votre sacrée invention de l'Être suprême. Et je ne vous parle pas de vos prêtres constitutionnels !

314

— Avant de venir, j'ai refusé de me confesser à l'un d'eux, il s'appelait l'abbé Girard, je crois. Vous croyez qu'*Il* va m'en tenir rigueur ?

— Oh non, bien au contraire ! Bon, mais il faut que je vous laisse, ma petite Antonia, parce que j'attends d'une minute à l'autre une vingtaine de députés girondins… et puis il y a votre cher cousin Philippe Égalité, aussi, qui ne devrait pas tarder à arriver. Ah çà ! pour lui, ce n'est pas gagné !

Restée seule dans le temps aboli, l'âme de la reine peut alors se pencher sur le bas monde.

C'est ainsi qu'elle voit que, après avoir été décollée par le triangle d'acier, sa tête est exhibée devant une foule en délire qui crie « Vive la République ! » ; qu'on emmène ensuite sa dépouille jusqu'au cimetière de la Madeleine qui avait déjà accueilli le cadavre de son mari.

Mais aucune fosse ne l'y attend.

Alors, on va la jeter négligemment, là, dans l'herbe, la tête entre les jambes, face contre terre.

Et pendant une quinzaine de jours elle y sera la proie de l'air, de la pluie, du soleil et des méchantes bestioles nécrophages.

Jusqu'à ce que le fossoyeur Joly reçoive enfin l'ordre de l'inhumer à peu près décemment.

Pour le trou à creuser, plus une bière en pauvre bois et le ramassage à la pelle de ses restes, le croque-mort réclamera vingt et une livres et trente-cinq centimes.

On est peu de chose !

— Tiens, se dit-elle en assistant à son enterrement bâclé, il y a un homme, là, qui prend des notes. Que peut-il bien consigner sur son petit calepin ?

Elle saura plus tard que cet homme-là était un magistrat royaliste, un nommé Olivier Desclozeaux, qu'il habitait tout à côté du cimetière dans lequel on avait déjà inhumé les Suisses massacrés aux Tuileries le 10 août de 1792, et Charlotte Corday, aussi, cette jeune femme qui s'était un jour présentée chez Marat, qui l'avait trouvé dans sa baignoire en train de se rafraîchir et qui l'avait refroidi pour le compte.

Désaffecté au printemps de 1794, le cimetière de la Madeleine allait être racheté par le bonhomme Desclozeaux, précisément, et lorsqu'en 1814, à la Restauration, Louis XVIII ordonnera des recherches pour retrouver son corps et celui de son mari, il pourra, grâce à ses notes, indiquer le lieu exact des sépultures.

Et le 21 janvier de 1815, en compagnie de son mari, Marie-Antoinette ira reposer définitivement dans la nécropole royale de Saint-Denis.

— Tiens, on construira une chapelle, aussi, à l'emplacement de ce cimetière, se dit-elle.

La Chapelle expiatoire, en effet, qui sera inaugurée en 1826, avec son autel en forme de tombeau, édifié à l'endroit même où avaient reposé, pendant treize ans, les restes du roi décapité.

— Oh, la pauvre bête, soupire-t-elle en jetant un coup d'œil céleste vers la Conciergerie, sa dernière résidence terrestre.

Elle vient d'apercevoir son petit chien à long poil blanc, qui semble l'attendre devant le guichet et que les gendarmes essaient de chasser à grands coups de botte, quand ce n'est pas en le piquant à la baïonnette.

À son arrivée à la Conciergerie, elle s'en souvient, son petit chien du Temple n'avait pas été autorisé à la suivre dans sa cellule, mais malgré les mauvais traitements des gardiens il n'avait pas bougé. Il avait attendu stoïquement devant la porte. Il n'acceptait de quitter son poste que lorsque la faim le tenaillait. Il allait alors chercher sa pitance dans les maisons voisines du palais. Après la mort de sa maîtresse, il avait continué de camper devant le guichet et d'aller mendier quelques débris de cuisine chez les traiteurs du voisinage. Mais il ne se laissait caresser par personne. En 1795, il vivait encore et toujours devant la dernière prison de sa maîtresse et tout le quartier le désignait sous le nom de « chien de la reine ».

Mais son joli poil blanc était devenu jaunâtre. Par l'excès de la misère, sans doute.

L'arrivée de l'âme de Louis XVI la tire de sa rêverie. Ainsi donc, le Très-Haut l'avait accueilli dans son royaume ! Voilà qui n'avait rien de surprenant, il avait toujours été si bon, si brave même, et puis surtout, il n'avait jamais manqué l'eucharistie. Peut-être son péché de gourmandise ? En tout cas, la luxure n'avait pas dû peser très lourd dans la balance divine.

— Que vont devenir nos enfants ? lui demande-t-elle.

— Hélas ! voyez-vous même, madame.

Quelle horreur ! C'est son fils, là, son « Chou d'Amour », qui est en train de croupir dans sa cellule du Temple ! Mais il est d'une saleté repoussante ! Et ses cheveux qui grouillent de poux ! Et ses vêtements qui sont dans un état pitoyable. Il est si pâle, amaigri, il est malade, elle en est sûre.

— Il va mourir le 20 prairial de l'an V… heu, pardon, le 8 juin de 1795, lui annonce Louis XVI. Il va mourir scrofuleux, tuberculeux, et son pauvre petit corps sera jeté dans la fosse commune du cimetière de la rue Saint-Bernard. On

317

ne le retrouvera pas, en 1816, quand mon frère Provence ordonnera des fouilles. Le docteur Philippe Jean Pelletan, le médecin légiste et chirurgien qui réalisera son autopsie, sera bien inspiré de subtiliser son cœur pendant l'opération, parce que c'est grâce à ce petit organe, qu'il plongera dans l'esprit-de-vin avant de le laisser se pétrifier à l'air libre, que l'on saura avec certitude que votre « Chou d'Amour » est bien mort au Temple.

— Que voulez-vous dire ?

— Je dis qu'il faudra attendre l'an 2000 pour que la preuve soit faite que notre fils n'a pas été enlevé et remplacé par un autre garçon de dix ans. Le jour où vous aurez un peu de temps devant vous...

— Un peu de temps devant moi ! Enfin, Louis, que faites-vous de l'éternité ?

— C'est vrai... donc, un jour vous observerez les dizaines d'imposteurs qui tenteront de se faire passer pour lui, pour Louis XVII. Il y aura le Prussien Naundorff, et on l'aura longtemps cru, celui-là, jusqu'à ce qu'en 1947 un historien nommé André Castelot fasse analyser ses cheveux et les compare à ceux de notre fils. Résultat, ils ne provenaient pas de la même tête et Naundorff était un bel escroc. Des dizaines et des dizaines d'imposteurs, vous disje, tels Jean-Baptiste Hervagault, Richemont et les autres, et il y aura même un grand gaillard de métis, Eleazar Williams, qui prétendra être l'héritier de ma couronne.

— Et ensuite, que va-t-il se passer en l'an 2000 ?

— Eh bien, cette année-là, le petit cœur fossilisé, devenu la propriété de la maison d'Espagne, va être solennellement remis à la France par un représentant du chef de la maison de Bourbon, don Carlos VII, duc de Madrid.

— Et alors ?

— Et alors la science, qui aura fait de considérables progrès, permettra de comparer son A.D.N. – acide désoxyribonucléique – avec le vôtre et il s'avérera que vous êtes bel et bien la mère du prisonnier du Temple. Et que donc il n'y a jamais eu de substitution.

— Et notre fille ?

— Madame Royale aura plus de chance. Elle sera libérée le jour de ses dix-sept ans, et livrée à l'Autriche en échange de quelques prisonniers français. Elle épousera ensuite son cousin, Louis Antoine de Bourbon, le duc d'Angoulême, le fils de mon frère, d'Artois.

— Et votre sœur, Madame Élisabeth ?

— Fouquier-Tinville ne va pas l'épargner, la sainte femme…

— Oh ! mon Dieu ! Mais que se passe-t-il, là ? Vous apercevez cette émeute ? Oh ! c'est lui, je le reconnais ! Mais il va se faire massacrer ! Oh ! non, pitié !

— Oui, madame, votre cher Fersen va connaître une mort horrible, le 20 juin de 1810.

— Le pauvre amour…

Et, pendant que Louis XVI – qui ne manquait pas de savoir-vivre – s'éloignait discrètement sur la pointe de ses pieds devenus aériens, Marie-Antoinette était atterrée. Il était là, sous ses yeux, « le plus aimant des hommes », à qui elle avait encore trouvé le moyen, durant sa captivité au Temple, de faire parvenir l'empreinte d'un cachet qui figurait un pigeon en plein vol surmonté de cette devise : « *Tutto a te mi guida* » (Tout me conduit vers toi). Il était là, à Stockholm, et la foule s'employait à le lyncher. On l'accusait en effet, en sa qualité de chef de l'aristocratie suédoise, d'être responsable de la mort du jeune prince héritier. Durant une heure il allait être frappé de coups de poing, de canne, son visage serait lapidé, couvert de crachats, et on en viendrait même à lui arracher les oreilles.

Une heure de supplice !

À côté de son pauvre corps martelé on retrouverait une montre en or.

La montre qu'elle lui avait offerte, à Versailles, en 1785, avec son cadran émaillé sur lequel étaient gravées ses initiales, A et F.

Elle possédait la même, c'était celle que lui avaient confisquée ses geôliers de la Conciergerie.

Pendant huit ans, ces deux montres-là avaient battu à l'unisson.

— Pauvre Axel… le 20 juin 1810… dix-neuf ans, jour pour jour, après la malheureuse fuite à Varennes…

Mais soudain, une jolie voix résonne dans l'éther.

— Marie-Antoinette dite Antonia ! Marie-Antoinette dite Antonia ! vous êtes attendue dans la grande salle du trône !

L'heure de vérité.

Comment le roi du ciel et de la terre va-t-il réagir ?

D'entrée, il annonce la couleur :

— Vous n'avez pas été une sainte ! Légère, dépensière, égoïste, enfant gâtée, capricieuse, coquette…

— J'ai, du moins, été une bonne mère…

— Joueuse, volage…

— Louis a longtemps été empêché…

— Pourquoi les savants de l'an 2000 n'ont-ils pas comparé l'A.D.N. de votre fils avec celui de votre mari ? Croyez-vous que, s'ils l'avaient fait, ils auraient pu prouver que le petit était bien un Bourbon ?

— Que voulez-vous dire ?

320

Et à cet instant, le corps céleste de la reine rougit au point d'en devenir incandescent.

De honte ou de colère ?

— Et votre penchant pour les plaisirs saphiques ?

— Des tendresses innocentes, voilà tout.

— Hum…, pas sûr ! Mais enfin, bon, vous avez déjà eu droit à un procès d'enfer, et vous vous y êtes d'ailleurs comportée très dignement, aussi je ne vais pas vous infliger un nouvel interrogatoire.

— Merci, mon Dieu.

— Oui, il paraît que je suis bon, trop bon peut-être. Ah, j'allais oublier, il y a encore une chose qu'il faut que je vous dise, c'est que vous allez bientôt avoir un petit-neveu par alliance.

— Un petit-neveu par alliance ?

— Oui, un certain Napoléon Bonaparte, un officier corse qui va se proclamer empereur des Français et qui épousera un jour Marie-Louise, la fille de votre neveu l'empereur d'Autriche, François Ier.

— Mon Dieu !

— Ah ça ! l'expression n'est pas mal venue, ici-haut !

Constatant subitement que, dans son enveloppe astrale, Marie-Antoinette ne semblait plus l'écouter, le maître des tabernacles éternels l'interpelle assez sèchement :

— Antonia ! Antonia ! Je vous parle ! Où êtes-vous partie, enfin ? Que se passe-t-il ? Vous rêvez ?

— Je songe à mon Trianon… Je revois le petit pont, la terrasse, le belvédère… Je crois même sentir le parfum des lilas…

— Écoutez-moi bien, Antonia. Si d'aventure vous sou-haitez aller hanter les lieux où vous avez été heureuse, ce que je comprendrai parfaitement, tâchez au moins de le faire discrètement. Je songe par exemple à ces deux pauvres Anglaises que vous allez effrayer un jour...

— Moi, je vais effrayer deux Anglaises ?

— Oui, le 10 août de l'an 1901 du calendrier de mon bon pape Grégoire XIII, précisément.

Ce jour-là, en effet, après avoir visité Versailles et avant de regagner leur hôtel parisien, Annie Moberly et Eleanor Jourdain décideront de faire une escapade jusqu'à Trianon. Malgré l'orage qui menaçait. Mais il leur en fallait plus pour les décourager. Elles voulaient voir le hameau de la reine, elles le verraient ! Avec ou sans coup de tonnerre !

Certes, elles ne s'attendaient pas à voir la reine elle-même.

Ont-elles vu Marie-Antoinette ?

Allons, nos deux ladies avaient sans doute abusé du bordeaux en déjeunant dans un bon restaurant versaillais !

Non.

Miss Moberly et sa jeune amie Eleanor n'étaient pas des femmes à se mettre en ribote. La première, fille de l'évêque de Salisbury et âgée de cinquante-cinq ans, dirigeait de main de maître une école d'Oxford. L'autre, miss Jourdain, sa cadette de dix-huit ans, docteur en Sorbonne, ne passait pas pour une fantaisiste.

Donc, elles trottent vers le hameau où Marie-Antoinette aimait à jouer les bergères et à rentrer ses blancs moutons. Mais pourquoi n'empruntent-elles pas l'avenue des Deux-Trianons, c'est-à-dire le chemin habituel des visiteurs ? Parce qu'il y a trop de touristes ? Parce qu'elles ont manqué un embranchement ?

— Nous nous sommes laissé guider par nos pas, confiera la directrice d'école.

Mais, bientôt, elles craignent de s'être égarées. Bon, ces deux jardiniers, là, vont sans doute pouvoir les renseigner.

— Vous avez vu comme ils sont habillés, glisse Eleanor à l'oreille de son amie Annie Moberly, ils portent des vestes vert-de-gris et sont coiffés de tricornes !

— Il faut s'attendre à tout avec les *Frenchies*, ma chère.

— Le chemin du Petit Trianon, messieurs ? leur demande alors Eleanor.

— C'est tout droit, faut passer sur le petit pont, pouvez pas vous tromper, grommelle l'un d'eux sans se retourner, en continuant de ramasser des brassées de feuilles mortes.

— Que de feuilles mortes, Seigneur, pour un 10 août, fait observer la directrice d'école à sa jeune amie. Vous ne trouvez pas ?

— Oui, c'est étrange...

Et ça allait le devenir bien davantage.

Les deux touristes d'outre-Manche raconteront leur fin d'après-midi au Petit Trianon dans un ouvrage publié en 1911 – pour l'édition originale – et titré *An Adventure*. Elles y expliqueront l'étrange sensation qui les a soudain envahies ; l'atmosphère de « tristesse et d'abandon » qui régnait sur le paysage ; leur rencontre, devant le temple de l'Amour, avec un homme curieusement vêtu, au visage rougeaud et tout tavelé de petite vérole, qui leur conseilla laconiquement de « chercher la maison » ; leur arrivée sur une terrasse où se trouvait une femme, une feuille de papier à la main, qui semblait dessiner les arbres du jardin.

— Cette dame portait un chapeau de paille blanche d'où s'échappaient quelques boucles blondes, dit miss Moberly. Sa robe, démodée et insolite, était claire et légère, son corsage décolleté était vert pâle. Son visage n'était plus jeune, mais elle était encore jolie. S'agissait-il d'une touriste ?

— J'ai la chair de poule, murmura miss Jourdain.

À cet instant, après avoir passé ses doigts effilés dans sa longue barbe blanche, Dieu pose son doux regard bleu sur Antonia.

— Vous voyez bien qu'elles sont effrayées !

— Non, je ne le pense pas. En tout cas, si c'est de ma faute, je le regrette...

— À cause de vous, on va les prendre pour des folles !

— Je ne le crois pas. Ne vont-elles pas décrire la ferme avec précision alors qu'en 1901 cette construction n'existera plus ? Ne vont-elles pas également parler du kiosque à musique, mon temple de l'Amour, alors que lui aussi aura disparu ?

— Oui, c'est vrai. Grâce à vous, ces deux anglicanes vont connaître une jolie petite notoriété. Mais enfin, tout de même, à l'avenir, vous éviterez de tels enfantillages.

— Je suis toujours restée très gamine, mon Dieu, il ne faut pas m'en vouloir. On me l'a assez reproché dans le bas monde, d'ailleurs.

— Soit, n'en parlons plus. Bon, allez en paix maintenant, Marie-Antoinette, reine de France, rejoignez la belle famille des anges.

— Oh, merci, Dieu tout-puissant !

— Oui, ça ira pour cette fois. Si, si, ça ira, ça ira, ça ira...

— Pardon ?

TABLE

Photocomposition Nord Compo
(59653 Villeneuve-d'Ascq)

Achevé d'imprimer par GGP Media GmbH, Pößneck
en Octobre 2006
pour le compte de France Loisirs,
Paris

Nº d'editeur : 46958
Dépôt légal : Août 2006

Imprimé en Allemagne